JACK KEROUAC

ON THE ROAD

PÉ NA ESTRADA

Tradução de **EDUARDO BUENO**

www.lpm.com.br

L&PM POCKET

Coleção **L&PM** POCKET, vol. 358

Texto de acordo com a nova ortografia.

Título original: *On the Road*

Primeira edição na Coleção **L&PM** POCKET: abril de 2004
Esta reimpressão: julho de 2024

Capa: Marcello Lima; no detalhe, foto de Jack Kerouac, © Carolyn Cassady
Tradução: Eduardo Bueno
Revisão de estilo da tradução (1984): Antonio Bivar
Revisão de estilo da tradução (2004): Lúcia Brito
Revisão: Jó Saldanha, Flávio Dotti Cesa e Fernanda Lisbôa

ISBN 978-85-254-1320-8

K39o

Kerouac, Jack, 1922-1969.
   On the Road (Pé na estrada) / Jack Kerouac; tradução, introdução e posfácio de Eduardo Bueno. – Porto Alegre: L&PM, 2024.
   384 p. ; 18 cm. – (Coleção L&PM POCKET; v. 358)

   1.Ficção norte-americana-romances. I.Título. II.Série.

CDD 813
CDU 821.111(73)-3

Catalogação elaborada por Izabel A. Merlo, CRB 10/329.

Copyright © Jack Kerouac, 1955, 1957
Copyright renewed Stella Kerouac, 1983
Copyright renewed Stella Kerouac and Jan Kerouac, 1985

Todos os direitos desta edição reservados a L&PM Editores
Rua Comendador Coruja, 314, loja 9 – Floresta – 90.220-180
Porto Alegre – RS – Brasil / Fone: 51.3225.5777

PEDIDOS & DEPTO. COMERCIAL: vendas@lpm.com.br
FALE CONOSCO: info@lpm.com.br
www.lpm.com.br

Impresso no Brasil
Inverno de 2024

Jack Kerouac
(1922-1969)

Jean-Louis Lebris de Kerouac nasceu em Lowell, Massachusetts, em 12 de março de 1922; era o mais novo de três filhos de uma família de origem franco-canadense. Começou a aprender inglês apenas aos seis anos de idade, estudou em escolas católicas e públicas locais e, como jogava futebol americano muito bem, ganhou uma bolsa para a Universidade de Columbia, na cidade de Nova York. Nesta cidade conheceu Neal Cassady, Allen Ginsberg e William S. Burroughs. Largou a faculdade no segundo ano, depois de brigar com o técnico de futebol, foi morar com uma ex-namorada, Edie Parker, e juntou-se à Marinha Mercante em 1942 – dando início às jornadas infindáveis que se estenderiam por boa parte de sua vida. Em 1943 alistou-se na Marinha, de onde foi dispensado por razões psiquiátricas. Entre uma e outra viagem, voltava para Nova York e escrevia o seu primeiro romance, *The Town and the City* (*Cidade pequena, cidade grande*), publicado em 1950, sob o nome de John Kerouac. Este primeiro trabalho era fortemente influenciado pelo estilo do escritor norte-americano Thomas Wolfe e foi bem recebido. Em abril de 1951, entorpecido por benzedrina e café, inspirado pelo *jazz*, escreveu em três semanas a primeira versão do que viria a ser *On the Road*. Kerouac escrevia em prosa espontânea, como ele chamava: uma técnica parecida com a do fluxo de consciência. O manuscrito foi rejeitado por diversos editores. Em 1954, começou a interessar-se por budismo e, em 1957, *On the Road* foi finalmente publicado, após inúmeras alterações exigidas pelos editores. O livro, de inspiração autobiográfica, descreve as viagens de Sal Paradise e Dean Moriarty pelos Estados Unidos e pelo México. *On the Road* exemplificou para o mundo aquilo que ficou conhecido como "a geração *beat*" e fez com que Kerouac se transformasse em um dos mais controversos e famosos escritores de seu tempo – embora em vida tenha tido mais sucesso de público do que de crítica e embora rejeitasse o título de "pai dos *beats*". Seguiu-se a publicação de *The Dharma Bums* (*Os vagabundos iluminados*) – um romance com franca inspiração budista –, *The Subterraneans* (*Os subterrâneos*), em 1958, *Maggie Cassidy*, em 1959, e *Tristessa*, em 1960. Publicou ainda *Big Sur* e *Doctor Sax*, em 1962, *Visions of Gerard* (*Visões de Gerard*), em 1963, e *Vanity of Duluoz*, em 1968, entre outros. *Visions of Cody* (*Visões de Cody*), considerado por muitos o melhor e mais radical livro do autor, só foi publicado integralmente em 1972. Ele morreu em St. Petersburg, Flórida, em 1969, aos 47 anos, de cirrose hepática. Morava, então, com sua mãe e sua mulher, Stella. Escreveu ao todo vinte livros de prosa e dezoito de ensaios, cartas e poesia.

Índice

INTRODUÇÃO *(Eduardo Bueno)*
   A longa e tortuosa estrada profética 7

ON THE ROAD
   Parte Um 19
   Parte Dois 142
   Parte Três 222
   Parte Quatro 303
   Parte Cinco 367

POSFÁCIO *(Eduardo Bueno)*
   A estrada sem fim 373

Introdução

A longa e tortuosa estrada profética

Eduardo Bueno

Pouco antes da meia-noite de 4 de setembro de 1957, Jack Kerouac e Joyce Johnson, a jovem escritora com quem ele estava vivendo, saíram do apartamento dela no Upper West Side, em Nova York, para esperar, numa banca de jornais na esquina da rua 66 com a Broadway, pela edição do dia seguinte do *The New York Times*. Kerouac fora alertado por seu editor que o romance *On the Road*, que escrevera havia quase dez anos, mas só então era publicado, seria comentado pelo mais prestigiado jornal americano.

Sob a luz de um poste, Jack e Joyce folhearam avidamente as páginas do *Times* até depararem com a crítica. Assinada por Gilbert Millstein, dizia: "*On the Road* é o segundo romance de Jack Kerouac, e sua publicação é um evento histórico, na medida em que o surgimento de uma genuína obra de arte concorre para desvendar o espírito de uma época. (...) É a mais belamente executada, a mais límpida, e se constitui na mais importante manifestação feita até agora pela geração que o próprio Kerouac, anos atrás, batizou de *beat* e da qual o principal avatar é ele mesmo".

Estava deflagrado o mito de *On the Road*. Mito em vários sentidos da palavra: 1. relato passado de geração em geração; 2. alegoria, fábula; 3. afirmação inverídica, inventada.

Como Millstein previa, *On the Road* estava destinado a se tornar o que *O sol também se levanta*, de Ernest Hemingway, fora, duas décadas antes, para a chamada Geração Perdida – embora o livro de Kerouac viesse a influenciar muitas gerações além de sua própria e muitas mais do que o clássico de Hemingway. Mas *On the Road* iria se transformar também numa espécie de livro-prisão para Jack Kerouac e passaria a ser designado por chavões do tipo "bíblia *hippie*", sendo vinculado, desde o advento daquele movimento, aos mais variados e desvairados desatinos cometidos na década de 1960.

A lenda em torno de *On the Road* se inicia, de certa forma, justamente a partir da resenha do *The New York Times*. O episódio, narrado em detalhes por Joyce Johnson em seu livro *Minor Characters* ("Personagens coadjuvantes") – no qual ela ainda conta que, após ler a crítica, Jack ficou sacudindo a cabeça "como se não conseguisse compreender por que não estava tão feliz quanto deveria" –, foi utilizado também para abrir a introdução que Ann Charters, a mais famosa das biógrafas de Kerouac, fez para a edição lançada pela Penguin Books em 1997, no 40º aniversário da publicação de *On the Road*.

Apesar de saber exatamente o que se passou após a publicação da resenha do *Times* (já que escreveu sobre isso em seu *Kerouac – Uma biografia*), Charters preferiu ignorar os acontecimentos posteriores em sua introdução comemorativa. Afinal, o que ocorreu não se enquadra na lenda de *On the Road*, embora (ou talvez por isso mesmo) esteja profundamente ligado à realidade da obra. O livro não foi aclamado da noite para o dia, nem era, na opinião de Kerouac, o retrato mais fiel de sua geração nem de seu trabalho.

A resenha de Millstein – tão similar à resenha que, cinco anos mais tarde, Robert Shelton escreveria no mesmo *NY Times*, catapultando Bob Dylan num piscar de olhos da obscuridade para a fama (e não deixa de ser uma ironia que o talento de artistas como Kerouac e Dylan tenha precisado do aval do *Times* para ser plenamente reconhecido) – foi publicada numa terça-feira, escrita por um jornalista *freelancer* durante as férias do crítico titular. No domingo seguinte, 10 de setembro de 1957, numa edição cuja tiragem e índice de leitura costumam ser quase o dobro dos das terças, o articulista David Dempsey – chefe de Millstein – decidiu também resenhar o livro.

Apesar de achar a obra "altamente legível e divertida",

Dempsey lastimava que *On the Road* não tivesse "nenhuma moldura mais ampla dentro da qual seus personagens pudessem se desenvolver". Depois de comparar Kerouac desfavoravelmente a Thomas Wolfe e Saul Bellow, Dempsey mostrou-se ofendido pelo fato de, ante "tanto sexo, adultério e abuso de drogas", o autor "demonstrar um ponto de vista moralmente neutro".

Era só o começo: uma semana mais tarde, a 17 de setembro, a revista *Time*, em tom severo e paternal, acusou Kerouac de estar "dando fundamento à explosiva juventude que, de um canto ao outro do país, se agrupa em torno de *jukeboxes* e se envolve em arruaças sem motivo em plena madrugada". Se não foi capaz de se livrar da pecha de subliterato – que lhe seria imposta por críticos obtusos após o lançamento de *On the Road* e ainda o é –, Kerouac enfrentaria problemas ainda maiores por causa da cruzada moral que se ergueu contra ele. E nem todo o reacionarismo e azedume direitista dos últimos anos de sua vida seriam capazes de "redimi-lo" perante a grande associação de pais e mestres que é a América conservadora.

Mas não restam dúvidas de que, logo após o lançamento de *On the Road*, Kerouac tornou-se uma celebridade. "Após ler a resenha", é ainda Joyce Johnson quem relembra, "Jack foi dormir no anonimato pela última vez. Quando o telefone nos despertou na manhã seguinte, ele era famoso". O que se iniciava, no entanto, era uma espécie de calvário. Daquele dia em diante, Jack teria de responder milhares de vezes o que significava a palavra *beat* – e ele sempre o fazia com elipses, hipérboles e vertigens que frustravam os repórteres e irritavam os editores.

Durante o *boom* publicitário que cercou o lançamento do livro – e que jamais voltou a se repetir para Kerouac –, ele ajudou a propagar alguns dos mitos que envolvem *On the Road*. Quase meio século depois, o principal deles mantém-se virtualmente intacto: Jack espalhou que havia escrito o livro em apenas três semanas. Entrevistado no programa de Steve

Allen, um dos *talk-shows* mais famosos da TV americana, ele garantiu que havia passado "sete anos na estrada" e levara apenas "três semanas para escrever tudo". O apresentador rebateu afirmando que, se por acaso passasse três semanas na estrada, precisaria de sete anos para escrever o livro.

A versão original de *On the Road* de fato havia sido escrita entre 9 e 27 de abril de 1951 num rolo de papel para telex, num total de quarenta metros ininterruptos de prosa em espaço um sem parágrafo, com Kerouac aditivado por doses colossais de benzedrina, suando uma camiseta atrás da outra, datilografando como um alucinado doze mil palavras quatorze horas por dia, movido por aquilo que o poeta Lawrence Ferlinghetti certa vez chamou de "febre onívora de observação".

Mas, ao longo dos longos e terríveis anos em que o original foi sendo recusado por uma editora após a outra, Kerouac o reescreveu inúmeras vezes. Além disso, quando a Viking Press enfim decidiu lançar o livro, forçou Jack a suprimir cerca de 120 páginas. Outras tantas, o próprio editor, Malcolm Cowley, se encarregou de cortar (além de incluir "milhares de vírgulas inúteis", segundo Kerouac). Por isso, sua "prosa espontânea" praticamente inexiste em *On the Road*, embora tenha se materializado em outros livros, especialmente *Visões de Cody*, lançado postumamente.

On the Road, portanto, é o mais lendário e o mais famoso, mas talvez não seja o melhor dos 23 livros que Jack Kerouac escreveu em 47 anos de vida. O posto bem poderia ser ocupado por *Visões de Cody* – também dedicado a Neal Cassady, o Dean Moriarty de *On the Road*. Redigido em 1951 e publicado em 1971, *Visões de Cody* resume e apreende todo o esforço de Kerouac em modular os contornos de sua "prosa espontânea" e remete ao *On the Road* original, antes de sua submissão às "sugestões" dos editores da Viking ("Eles queriam uma estrada destituída de todas as curvas", disse Kerouac anos depois, ao passo que seu desejo era "percorrer a tortuosa estrada profética de William Blake").

Em ambos os livros, Kerouac empenhou-se em forjar uma nova prosódia, capturando a sonoridade das ruas, das planícies e das estradas dos EUA, disposto a libertar a literatura norte-americana de determinadas amarras acadêmicas e de um certo servilismo a fórmulas europeias (ou europeizantes). Ao fazê-lo, introduziu o som na prosa – antes e melhor do que qualquer outro romancista de sua geração. Suas frases repletas de vogais – muitas delas presentes em *On the Road*, apesar da tesoura dos censores e das limitações de uma tradução – possuem uma rima interna insidiosa e envolvente, de forma que várias passagens se assemelham a longos poemas em prosa jogados, quase perdidos ou desperdiçados, em meio à fluidez aquosa do texto.

O livro traz também ressonâncias de Jack London (em especial do vigoroso conto chamado... "The Road"), de Mark Twain (em *Huckleberry Finn),* de Herman Melville (em *The Confident Man),* de John dos Passos (na trilogia *USA)* e, acima de tudo, de Walt Whitman em seu magistral poema "Song of the Open Road". Em certo sentido, portanto, Kerouac não estava impondo, nem propondo, uma total inovação, mas a retomada de uma trilha genuinamente americana, já percorrida por autores que ele admirava.

O mais irônico é que ele desenvolveu seu estilo – o estilo *beat* por excelência: laudatório, verborrágico, impressionista, vertiginoso, incontido, "espontâneo", repleto de sonoridade, de gíria, de coloquialismo e de aliterações – não a partir de fontes literárias clássicas, mas com base nas cartas quase iletradas que recebeu de Neal Cassady, o delinquente juvenil que, no capítulo um de *On the Road,* vem procurar Kerouac para aprender "a ser escritor".

Ao transformar Cassady no herói de *On the Road* (e de *Visões de Cody),* Kerouac acabou por condená-lo ao papel de eterno coadjuvante. Embora tenha se tornado uma figura maior do que a vida (o motorista sem limites do mais desvairado ônibus da história, aquele que conduziu Ken Kesey, os Merry Pranksters e o Grateful Dead pelas estradas dos

EUA para a realização de Acid-Tests antes que o LSD fosse proibido), ao morrer de insolação, com o corpo repleto de barbitúricos e tequila, ao lado dos trilhos de trem no México, em fevereiro de 1968, Neal Cassady não havia conseguido se tornar um escritor. Seu legado verbal sobrevive na obra de Kerouac.

De todo modo, não seriam Neal Cassady nem *Visões de Cody*, mas Jack Kerouac e *On the Road*, o autor e o livro que moveram montanhas. O fôlego narrativo avassalador, o imaginário protopop, o frescor libertário, o fluxo ininterrupto de sua avalanche de palavras, imagens, promessas, ofertas, visões e descobertas acabaram por tornar *On the Road* exatamente aquilo que o chavão define como "a bíblia de uma geração".

A questão é que tal geração se multiplicou em muitas. Bob Dylan fugiu de casa depois de ler *On the Road*. Chrissie Hynde, dos Pretenders, e Hector Babenco, de *Pixote*, também. Jim Morrison fundou The Doors. No alvorecer dos anos 90, o livro levou o jovem Beck a tornar-se cantor, fundindo *rap* e poesia *beat*. Jakob Dylan, filho de Bob, deixou-se fotografar ao lado da tumba de Jack em Lowell, Massachusetts, como o próprio pai fizera, vinte anos antes. Em 1992, Francis Coppola (o produtor), Gus Van Sant (o diretor) e Johnny Depp (o ator) envolveram-se numa filmagem nunca concretizada do livro – e, apesar da diferença de idade, os três compartilham o mesmo fervor reverencial pela obra.

Na verdade, se a explosão *hippie* dos anos 1960 for interpretada como uma consequência indireta de *On the Road* – o que não constitui um exagero –, nenhum livro deste século terá deflagrado uma revolução comportamental maior do que a obra de Kerouac.

On the Road foi a glória e a danação de Jack Kerouac. O livro primeiro misturou-se e em seguida engoliu a figura de seu autor. Para milhares de leitores, Sal Paradise *(sad paradise?)*, o personagem, e Jack Kerouac, o escritor, passaram a ser a mesma pessoa. Isso na melhor das hipóteses, pois inúmeras vezes julgavam que Jack fosse Dean Moriarty. Embora seja uma obra de ficção, todos os personagens e acontecimentos de *On the Road* são reais: Carlo Marx, por exemplo, é o poeta Allen Ginsberg (1926-1997), autor de *Uivo*; Old Bull Lee é William Burroughs (1914-1997), autor de *The Naked Lunch (O almoço nu)*; Camille é Carolyn Cassady, mulher de Neal, amante de Jack e autora do livro de memórias *Off Road*.

De qualquer forma, as ligações de Kerouac com o budismo, seu crescente conservadorismo, suas guinadas literárias, seu vasto projeto autobiográfico, seus devaneios cristãos, o experimentalismo de *Visões de Cody*, as sutilezas fugidias de seu primeiro livro *(The Town and the City*, de 1947, lançado pela L&PM com o título de *Cidade pequena, cidade grande*), tudo foi arrastado pela enxurrada de *On the Road*.

A fama tornou-se um fardo para Kerouac, e os estereótipos da geração *beat* o perturbavam e ofendiam. Fora ele quem havia dado ressonância e expandira o significado da palavra *beat*, que escutara pela primeira vez na boca de Herbert Huncke, marginal homossexual que fazia ponto em Times Square, NY, e que aparece brevemente nas páginas de *On the Road* sob o nome de Elmer Hassel.

Para Huncke, *beat* definia um estado de "exaltada exaustão". Mas Kerouac logo percebeu as múltiplas ressonâncias da palavra, que significa simultaneamente "batida" (no sentido do ritmo musical), "porrada" (no sentido de golpear), "abatido" ou "exausto" (*beated*), "batimento cardíaco" (*heart beat*), "cadência do verso", "trajeto" ou "trilha", "furo" (no sentido jornalístico), "pilantra" ou "aproveitador" e até "botar o pé na estrada" (*"beat the way"*, expressão, aliás, muito usada por outro Jack, o London), além de conter, também e acima de tudo, o radical de "beatitude" – que foi o que realmente despertou Jack para a sonoridade do vocábulo ao qual ele se vincularia pelo resto da vida.

"Sou um estranho e solitário católico louco e místico", disse certa vez. Era mesmo. Os peregrinos religiosos russos, os poetas zen do Japão, os místicos católicos, como São João da Cruz e Santa Teresa, os andarilhos americanos Henry David Thoreau e John Muir – eis os homens aos quais Kerouac queria ser comparado. "Não conheço nenhum *hippie"*, afirmou certa vez. "E eles pensam que eu sou um motorista de caminhão."

Jack Kerouac morreu em outubro de 1969, depois de anos sentado no sofá vendo programas de auditório na TV da casa de sua mãe (com quem morou a vida inteira), barrigudo, alcoólatra e reacionário, afastado de seus companheiros da geração *beat*, odiando cada cabeludo americano e se perguntando o que, afinal, havia de errado com *On the Road*. Sabendo-se quem de fato era Kerouac, não é difícil entender por quê.

Americano de origem franco-canadense, católico praticante, educado em um colégio jesuíta, fixado na figura da mãe (a *memère),* tímido, introspectivo, generoso, gentil, desajustado e angelical, Jean Louis Lebris de Kerouac – ou *Ti Jean* (Pequeno Jean) – nasceu em Lowell, Massachusetts, em 12 de março de 1922. Segundo seu pai, a família era descendente de celtas da Cornualha que "muito antes de Cristo" tinham se mudado para a Bretanha e lá, como prova de nobreza, obtiveram um brasão em cujo lema se lia: *"Aimer, Travailler et Souffrir"* – amar, trabalhar e sofrer.

Por volta de 1750, os então Kernuaks receberam uma concessão de terras no Canadá, onde vários descendentes da família casaram-se com índios Mohawk e dedicaram-se ao cultivo de batatas. Em 1880, o avô paterno de Jack imigrou para os Estados Unidos. Como muitos franco-canadenses antes e depois dele – vários dos quais descendentes dos primeiros exploradores da América do Norte –, Jean-Baptiste de Kirouack foi tratado como um estrangeiro indesejável. Afinal, não passava de um *blanc nègre*, um "branco negro", pois a posição social dos chamados "canucks" não era muito diferente daquela dos escravos recém-emancipados.

Até os seis anos, Jack Kerouac só falava o *joual* – o dialeto franco-canadense – e isso talvez explique não apenas sua permanente sensação de rejeição, sua postura marginal, como também sua paixão latina pelas vogais numa terra protestante obcecada pelas consoantes. Antes da consagração de *On the Road*, Jack fracassara em tudo na vida. E nesse tudo é preciso incluir, além de quase uma dezena de bicos e profissões, os seis livros que escreveu entre 1951 e 1956 sem conseguir ver publicados – conforme registrou numa carta encolerizada, redigida em um cubículo na Cidade do México em fins de 1956, enviada ao amigo John Clellon Holmes:

"O que tenho eu? Tenho 35 anos. Uma ex-mulher que me odeia e que gostaria de me ver na cadeia. Uma filha que nunca vejo. Um bolso vazio. Minha própria mãe, após todos esses anos de labuta e lágrimas, ainda rala o rabo numa fábrica de sapatos. E eu não tenho um só centavo, nem para uma puta que preste. Maldito seja! Filho da puta! Às vezes penso que a única coisa que está pronta para me aceitar é a morte. Nada nesse mundo parece me querer, ou lembrar-se de mim. Sabe o que acho dessa vida desprezível? Vou abandonar essa história de romances épicos e tentar concentrar meu talento – se é que tenho algum – no que quer que não seja escrever. O que sei é que existem apenas dor e desespero aguardando por nós todos, especialmente por mim. Sou o mais solitário escritor da América, e vou lhe dizer por quê: porque escrevi seis longos romances desde março de 1951 e nenhum deles foi aceito até agora, agora, AGORA!"

Poucas semanas depois, *On the Road* era enfim aceito pela Viking. Foi publicado um ano depois – e, quase por acaso, aclamado pelo *The New York Times*. Mas Kerouac, que já começava a alimentar sentimentos dúbios com relação ao livro, ficou quase indignado com a situação, pois tinha se sujeitado às mudanças propostas pelos editores.

Apesar dos problemas trazidos pela fama, ele obteve o dinheiro de que tanto necessitava e pôde dar continuidade ao projeto literário que se constituía basicamente na vertigem irrealizável de recapturar toda a história de sua infância – cada detalhe, cada visão, cada lembrança, num espasmo proustiano embalado em benzedrina. Depois de mergulhar na vasta empreitada, que batizou de "a saga de Duluoz" (por causa do personagem autobiográfico Jack Duluoz), Kerouac praticamente esqueceu-se de *On the Road*. Ou melhor, gostaria de ter podido esquecer. Toda e qualquer resenha de seus livros posteriores a *On the Road* invariavelmente os comparava ao "original" – sempre desfavoravelmente.

Os autores contemporâneos que mais influenciaram Jack Kerouac foram Thomas Wolfe e William Saroyan, integrantes de uma tradição americana altamente individualista. Ao longo de sua jornada autoral, Jack foi se tornando cada vez mais intimista, a ponto de escrever grandes livros (alguns com mais de quatrocentas páginas, como *Visões de Cody* e *Some of the Dharma)* sem nenhum *plot,* sem enredo preestabelecido. Seu plano era deixar a própria persona expressar-se livremente, entregando-se à descrição detalhista da paisagem suburbana (e *underground)* americana, numa versão tardia (mas pré-pop) da escrita automática dos surrealistas, um *stream of counciousness* (ou fluxo de consciência) mais facilmente compreensível por quem desfrutou de alucinógenos como maconha, mescalina e peiote.

Ainda assim, ao longo dos anos, ele se afastaria diametralmente de imagem de *outcast,* de rebelde doidão, deixando de ser um *white negro* – como Norman Mailer batizara os marginais do início dos anos 1950, também conhecidos como *hipsters* – para votar em Richard Nixon, encharcar-se de vinho barato, condenar a marijuana e o LSD e romper com todos os ex-companheiros *beats*, tachando-os de "comunistas".

Kerouac entregou primeiro a sanidade e depois a vida ao longo e doloroso processo de desenvolver e aprimorar seu estilo parentético: a descrição minuciosa dos desvãos de sua memória o forçava a escrever frases que, cada vez mais, abandonavam (quando não implodiam) a ordem natural da sintaxe, de forma que ele pudesse parti-las ao meio, introduzindo parênteses que se prolongavam por todo um parágrafo, ou digressões repletas de adjetivos (às vezes cinco por substantivo), que impediam o período inicial de chegar ao fim ("tenho implicância com pontos finais") a não ser após várias páginas de reminiscências e desvios de rota aparentemente delirantes.

Como se não bastasse esse anseio conceitual, ele teve uma espécie de *satori* ("o súbito despertar" budista) ligado ao som das palavras e, desde o primeiro manuscrito de *On the Road*, tentava fazer com que suas frases soassem como um solo de sax de Charlie Parker, ao som do qual escrevera a versão original do livro.

Com o tempo, seu intelecto mergulhou num oceano de sonoridade e harmonia melodiosa que o afastou progressivamente do significado formal das palavras. Kerouac escrevia para ser lido em voz alta (e ninguém o fazia melhor do que ele) – num tom celebratório e panteísta diretamente derivado da poesia de Walt Whitman. Mas o estilo telegráfico, jornalístico e eficiente de Ernest Hemingway havia estabelecido outros padrões para a prosa norte-americana. Kerouac tornou-se, involuntária mas decididamente, sua antítese. Pagou caro por isso. *"That isn't writing; it's typewriting"* ("Isto não é literatura: é datilografia"), declarou Truman Capote com mordacidade letal.

No entanto, toda uma legião de escritores, artistas, cineastas, dramaturgos e músicos – a geração que se multiplicou em muitas – seria profundamente influenciada pelo estilo e pelas visões de Jack Kerouac. Difícil imaginar a obra de Sam Shepard, de Bób Dylan, de Charles Bukowski, de Jim Morrison, de Lou Reed, de Tom Wolfe, de Bret Easton Ellis, de Joni Mitchell, de Wim Wenders, de Hunter Thompson, de Neil Young, de Jim Jarmusch, de Jay MacInerney, de Beck, de Bono, de Tom Waits, de Gus Van Sant, de Bob Wilson sem *On the Road*. Todos eles pagam tributo à franqueza fluídica e generosa do católico louco e místico que viu a luz nos trilhos e trilhas da América.

À medida que o novo século avança, as conquistas literárias de Jack Kerouac revelam-se cada vez mais plenas. Ao tirar a literatura do escritório e jogá-la na estrada e na sarjeta, nos atalhos e nos becos, Kerouac vinculou-se à venerável tradição dos "romances em movimento", como o *Dom Quixote,* de Cervantes, e *Pilgrim's Progress,* de John Bunyan, esforçando-se para capturar o espírito nômade dos velhos pioneiros americanos, partindo do "Leste da minha juventude para o Oeste do meu futuro" – só que, em vez de carroções, usando um Cadillac (quase roubado). Ou o dedão.

Jack Kerouac seguiu o sol na rota do poente. Como Huckleberry Finn a oeste do Mississippi. Como Francis Parkman na *Trilha do Oregon*. Como John Muir em busca do Yosemite. Como Walt Whitman, celebrando a "estrada aberta". Como, na verdade, a própria humanidade em sua jornada do Oriente ancestral para o jovem e petulante Ocidente que Jack Kerouac ajudou a definir.

Março de 2004

Parte Um

1

Encontrei Dean pela primeira vez não muito depois que minha mulher e eu nos separamos. Eu tinha acabado de me livrar de uma doença séria da qual nem vale a pena falar, a não ser que teve algo a ver com a separação terrivelmente desgastante e com a minha sensação de que tudo estava morto. Com a vinda de Dean Moriarty começa a parte da minha vida que se pode chamar de vida na estrada. Antes disso eu tinha sonhado muitas vezes em ir para o Oeste conhecer o país, mas não passavam de planos vagos e eu nunca dava a partida. Dean é o cara perfeito para a estrada simplesmente porque nasceu na estrada quando seus pais estavam passando por Salt Lake City em 1926, a caminho de Los Angeles, num calhambeque caindo aos pedaços. As primeiras notícias sobre ele chegaram através de Chad King, que havia me mostrado algumas cartas que ele escrevera num reformatório do Novo México. Fiquei ligadíssimo nas cartas por causa do jeito ingênuo e singelo com que elas pediam a Chad para lhe ensinar tudo sobre Nietzsche e todas aquelas maravilhas intelectuais que Chad conhecia. Certa vez Carlo e eu falamos a respeito das cartas e nos perguntamos se algum dia iríamos conhecer o estranho Dean Moriarty. Tudo isso foi há muito tempo, quando Dean não era do jeito que ele é hoje, quando era um delinquente juvenil envolto em mistério. Então chegaram as notícias de que Dean havia se mandado do reformatório e estava vindo para Nova York pela primeira vez; falava-se também que ele tinha acabado de casar com uma garota chamada Marylou.

Um dia eu vagabundeava pelo *campus* quando Chad e Tim Gray me disseram que Dean estava hospedado numa daquelas espeluncas sem água quente no East Harlem, o Harlem espanhol. Tinha chegado na noite anterior, pela primeira vez em Nova York, com sua gostosa gata linda Marylou; eles saltaram do ônibus Greyhound na rua 50, dobraram a esquina procurando um lugar onde comer e deram de cara com a Hector's, e a partir de então a cafeteria Hector's se transformou para sempre num grande símbolo de Nova York para Dean. Eles gastaram dinheiro em belos bolos enormes com glacê e bombas de creme.

O tempo inteiro Dean estava dizendo para Marylou coisas do tipo: "Então, garota, cá estamos nós em Nova York, e embora eu não tenha te contado tudo que estava passando pela minha cabeça quando a gente atravessou o Missouri, especialmente na hora em que passamos pelo reformatório de Booneville, que me lembrou do meu problema na prisão, é absolutamente imprescindível dar um tempo em todos os detalhes pendentes do nosso caso e, de uma vez por todas, começar a pensar em planos específicos para nossa vida profissional...". E assim por diante, do jeito que ele falava naquele tempo.

Fui à tal espelunca sem água quente com a rapaziada e Dean abriu a porta de cueca. Marylou estava saltando do sofá, Dean tinha expulsado o inquilino do apartamento para a cozinha, provavelmente para que fizesse café, enquanto ele dava prosseguimento às questões amorosas, já que, para ele, sexo era a primeira e única coisa sagrada e realmente importante na vida, ainda que ele tivesse que suar e blasfemar para ganhar o pão e assim por diante. Dava para perceber isso pela maneira como ele parava curvando a cabeça, sempre olhando para baixo, assentindo como um boxeador novato ao receber instruções, fazendo você pensar que ele estava escutando cada palavra, cuspindo milhões de "sins" e "claros" o tempo inteiro. A primeira impressão que tive de Dean foi a de um Gene Autry mais moço – esperto, esguio, olhos azuis, com um genuíno sotaque de Oklahoma –, um herói de suíças do Oeste nevado. Na verdade ele tinha trabalhado num rancho, o de Ed

Wall, no Colorado, antes de casar com Marylou e vir para o Leste. Marylou era uma loira linda, com enormes cachos de cabelos derramando-se num mar de ondas douradas. E ela ficava ali sentada, na beira do sofá, com as mãos pousadas no colo e os olhos caipiras azuis-esfumaçados fixos numa expressão assustada porque estava num pardieiro cinzento e maligno de Nova York do tipo que tinha ouvido falar lá no Oeste, e ela ficava ali pregada, longilínea e magricela como uma daquelas mulheres surrealistas das pinturas de Modigliani num quarto sem graça. Embora fosse uma gatinha, ela era terrivelmente estúpida e capaz de coisas horríveis. Aquela noite todos nós bebemos cerveja, jogamos queda de braço e conversamos até o amanhecer e, de manhã, enquanto fumávamos em silêncio baganas dos cinzeiros na luz opaca de um dia sombrio, Dean levantou-se nervosamente, andou em círculos, pensativo, e decidiu que a melhor coisa a fazer era mandar Marylou preparar o café e varrer o chão: "Em outras palavras, garota, o que estou dizendo é: temos mais é que entrar na dança rapidinho, do contrário, a gente fica aí numa flutuante, sem cair na real, e nossos planos jamais se cristalizarão". Aí, eu caí fora.

Durante a semana seguinte Dean tentou persuadir Chad King, insistindo para que ele o ensinasse a escrever de qualquer jeito. Chad disse que eu era escritor e que ele deveria me procurar se quisesse algum conselho. Neste meio tempo, já havia descolado um emprego num estacionamento, brigou com Marylou num apartamento em Hoboken – só Deus sabe por que eles foram parar lá – e ela ficou tão furiosa e tão profundamente vingativa que o denunciou à polícia inventando uma acusação completamente falsa, confusa e histérica – e Dean teve que se mandar de Hoboken. Portanto, já não tinha onde morar. Veio direto a Paterson, Nova Jersey, onde eu estava morando com minha tia, e certa noite, enquanto eu estudava, houve uma batida na porta, e lá estava Dean, curvando-se cerimoniosamente, balançando a cabeça na escuridão do *hall* e dizendo: "O-lá! Tá lembrado de mim – Dean Moriarty? Vim pedir que você me ensine a escrever".

"E onde anda Marylou?", perguntei, e Dean disse que ela aparentemente tinha batalhado um punhado de dólares e voltado para Denver – "a piranha!". E então saímos para tomar umas cervejas, já que não poderíamos conversar como queríamos na frente de minha tia, que estava sentada na sala lendo seu jornal. Ela deu uma só olhada para Dean e concluiu que ele era doido.

No bar eu disse para Dean: "Porra, cara, sei muito bem que você não me procurou só porque tá a fim de virar escritor e, afinal de contas, o que é que eu teria a te dizer a não ser que você tem que pegar essa onda com a mesma fissura com que um viciado se droga?". E ele disse: "Sim, é claro, entendo exatamente o que você quer dizer e também já tinha pensado nesses problemas, mas o caso é que eu almejo a realização de todos esses fatores que parecem depender da dicotomia de Schopenhauer para qualquer concretização íntima...". E assim por diante, coisas que não entendi e ele ainda menos. Naqueles dias ele realmente não sabia o que estava falando; para dizer a verdade, era apenas um jovem marginal deslumbrado com a maravilhosa possibilidade de se tornar um verdadeiro intelectual, e gostava de falar com sonoridade, usando, de modo confuso, as palavras que ouvira da boca de "verdadeiros intelectuais"; mas ele não era tão ingênuo assim no resto todo, sabe como é? E só precisou de alguns meses com Carlo Marx para ficar completamente *por dentro* de toda a gíria. De qualquer forma, nos entendíamos noutros níveis de loucura e concordei que ele ficasse na minha casa até arranjar um emprego e, além do mais, combinamos que algum dia iríamos juntos para o Oeste. Era o inverno de 1947.

Certa noite, quando Dean jantava na minha casa – já estava trabalhando num estacionamento em Nova York –, ele se debruçou sobre meus ombros enquanto eu datilografava loucamente e disse: "Vamos lá, cara, as garotas não vão esperar. Vamos, rápido".

Eu disse: "Espera um pouco, a gente cai fora assim que eu terminar este capítulo", e foi um dos melhores capítulos do livro. Então me vesti e nos mandamos direto para Nova York para encontrar umas garotas. Enquanto rodávamos de ônibus pelo insólito vazio fosforescente do túnel Lincoln, íamos recostados um no outro, gritando e gesticulando e falando com enorme excitação, e comecei a ficar contagiado pela doideira de Dean. Ele era apenas um garotão tremendamente apaixonado pela vida e, mesmo sendo um vigarista, só trapaceava porque tinha uma vontade enorme de viver e se envolver com pessoas que, de outra forma, não lhe dariam a mínima atenção. Ele estava me enrolando e eu sabia (casa, comida, roupa lavada, "como escrever" etc.), e ele sabia que eu sabia (essa, na verdade, seria a base do nosso relacionamento), mas eu não me importava e seguíamos juntos numa boa – sem frescuras, sem aporrinhações, andávamos saltitantes um em volta do outro, como novos amigos apaixonados. Comecei a aprender com ele tanto quanto ele provavelmente aprendeu comigo. Quanto ao meu trabalho, ele dizia: "Vá em frente que tudo que você faz é bom demais". Enquanto eu redigia minhas histórias, ele observava por cima dos meus ombros e berrava: "Sim! É isso aí! Uau! Cara!" e "Fiuuu!" e passava o lenço no rosto. "Uau, cara, tanta coisa pra fazer, tanta coisa pra escrever! Como ao menos *começar* a pôr tudo isso no papel sem desvios repressivos, sem se enrolar todo nessas inibições literárias e temores gramaticais..."

"É isso aí, homem, assim que se fala." E eu podia ver uma espécie de iluminação sagrada transpassando sua inspiração e suas visões, que ele tratava de descrever tão torrencialmente que as pessoas nos ônibus se viravam para ver quem era aquele "maluco superligado". No Oeste, ele tinha passado um terço de sua vida nas mesas de bilhar, um terço na cadeia e um terço na biblioteca pública. Fora visto correndo com ansiedade por ruas geladas, com a cabeça descoberta, carregando livros em direção ao bilhar ou trepando em árvores para entrar nos sótãos de seus camaradas, onde passava os dias lendo ou se escondendo da lei.

Fomos a Nova York – as circuntâncias, já esqueci, eram duas garotas negras –, mas não havia garotas lá; tínhamos marcado um encontro para jantar e elas não apareceram. Fomos até o estacionamento, onde Dean tinha algumas coisas a fazer – mudar de roupa no barraco dos fundos e se ajeitar um pouco em frente a um espelho rachado, coisas assim, e logo caímos fora. E foi nessa noite que Dean conheceu Carlo Marx. Algo verdadeiramente extraordinário aconteceu quando Dean conheceu Carlo Marx. Duas cabeças iluminadas como eram, eles se ligaram no ato. Um par de olhos penetrantes relampejou ao cruzar com dois outros olhos penetrantes – o santo vagabundo de mente reluzente e o angustiado poeta vagabundo de mente sombria que é Carlo Marx. Daquele momento em diante quase não vi mais Dean, e fiquei um pouco magoado também.

As energias deles entraram em fusão; comparado a eles, eu não passava de um paspalho, era incapaz de acompanhar aquele ritmo. Começa então o louco redemoinho de tudo o que ainda estava por vir; e ele misturaria todos meus amigos e o pouco que restava da minha família numa gigantesca nuvem de poeira pairando sobre a Noite Americana. Carlo falava a Dean sobre Old Bull Lee, Elmer Hassel e Jane: Lee no Texas plantando maconha, Hassel na ilha de Riker, Jane vagando pela Times Square em plena viagem de benzedrina, com sua bebezinha nos braços e acabando em Bellevue. E Dean falou para Carlo sobre desconhecidos do Oeste como Tommy Snark, o craque manco das mesas de bilhar, viciado no baralho e veado abençoado. Falou também sobre Roy Johnson, Big Ed Dunkel, seus amigos de infância, seus companheiros da rua, suas inumeráveis garotas e orgias e fotos pornográficas, seus heróis, heroínas, aventuras. Eles varavam as ruas juntos absorvendo tudo com aquele jeito que tinham no começo, e que mais tarde se tornaria muito mais melancólico, perceptivo e vazio. Mas nessa época eles dançavam pelas ruas como piões frenéticos e eu me arrastava na mesma direção como tenho feito toda minha vida, sempre rastejando atrás de pessoas que me interessam, porque, para mim, pessoas mesmo são os loucos, os que estão loucos para viver, loucos para falar, loucos para serem salvos, que querem tudo ao mesmo tempo agora, aqueles que nunca bocejam e jamais falam chavões, mas queimam, queimam, queimam como fabulosos fogos de artifício explodindo como constelações em cujo centro fervilhante – pop! – pode-se ver um brilho azul e intenso até que todos "aaaaaaah!". Como é mesmo que eles chamavam esses garotos na Alemanha de Goethe? Desejando ardorosamente aprender como escrever tão bem quanto Carlo, Dean, como é fácil imaginar, começou a envolvê-lo com aquela alma insinuante e amorosa que só mesmo um verdadeiro vagabundo poderia ter. "Carlo, agora deixe que eu fale, o que eu tenho a te dizer é o seguinte..." Não os vi por umas duas semanas, durante as quais eles selaram sua amizade numa proporção tão intensa quanto seu diálogo diabólico que virava a noite e emendava o dia.

Chegou então a primavera, época ideal para cair na estrada, e todos neste bando disperso começaram a se preparar para algum tipo de viagem. Eu estava ocupadíssimo com meu romance, mas quando já estava na metade, depois de uma viagem ao Sul com minha tia para visitar meu irmão Rocco, senti que estava pronto para tomar o rumo do Oeste pela primeiríssima vez.

Dean já havia partido. Carlo e eu vimos ele se mandar na estação do Greyhound, na rua 34. No andar de cima havia um lugar onde dava para tirar umas fotos baratas. Carlo tirou os óculos e ficou com um ar sinistro. Dean posou de perfil e olhou para o lado timidamente. Eu tirei uma foto frontal que me fez ficar parecido com um italiano de trinta anos capaz de matar qualquer um que falasse mal de sua mãe. Esta foto Carlo e Dean cortaram cuidadosamente ao meio usando uma lâmina de barbear e cada um guardou a metade na carteira. Para sua grande viagem de volta a Denver, Dean vestia um terno careta típico do Oeste; estava encerrada sua primeira tentativa de golpe em Nova York. Digo tentativa porque, na verdade, ele trabalhou como um cão naquele estacionamento. O mais fantástico garagista do mundo, capaz de dar marcha a ré a sessenta por hora num corredor exíguo e estreito, parar rente à parede, saltar do carro, correr entre os para-choques, pular para dentro de outro, manobrá-lo a oitenta por hora num espaço minúsculo, bater a porta com tanta força que o carro ainda balança enquanto ele sai voando em direção à cabina de controle como um atleta na pista, alcança um novo tíquete para um recém-chegado e, enquanto o motorista ainda está saindo do carro, pula literalmente sobre ele, liga o motor com a porta entreaberta e sai cantando os pneus em direção ao lugar disponível mais próximo, manobra outra vez, trava bruscamente, salta fora, inicia nova corrida entre os para-choques, trabalhando assim oito horas por noite sem parar, no *rush* dos fins de tarde ou nas horas de pique na saída dos teatros, vestindo calças velhas sujas de graxa, uma jaqueta rota forrada de pele e sapatos gastos com a sola descosturada. Mas agora, para a viagem de volta, ele comprou um terno novo, azul com riscas, com colete e tudo – apenas 11 dólares na Terceira Avenida, e ainda um relógio e uma corrente para o relógio e uma máquina de escrever portátil com a qual iria começar a escrever numa pensão qualquer de Denver assim que arranjasse um emprego por lá. Fizemos uma refeição de despedida, feijão com salsichas no Riker's da Sétima Avenida, e logo depois Dean entrou no ônibus cujo letreiro dizia "Chicago", que saiu fora rugindo noite adentro. Lá se foi o nosso vaqueiro. Prometi seguir na mesma direção tão logo a primavera desabrochasse e os campos se cobrissem de flores.

E foi exatamente assim que toda minha experiência na estrada de fato começou, e as coisas que estavam por vir são fantásticas demais para não serem contadas.

Sim, e eu queria conhecer Dean melhor não apenas porque eu era um escritor e precisava de novas experiências, ou porque minha vida de vagabundagem pelo campus tinha completado seu ciclo e se tornara absurda, mas porque, de alguma forma, apesar da nossa profunda diferença de caráter, ele me fazia lembrar um irmão há muito esquecido; a simples visão de seu rosto ossudo e sofrido, com longas costeletas, seu pescoço forte, musculoso e suado, evocava recordações da minha infância naqueles depósitos de lixo sombrios e nas margens e reentrâncias do rio Passaic em Paterson. Suas roupas de trabalho imundas lhe caíam tão graciosamente que nem mesmo um alfaiate conseguiria cortá-las melhor – só era preciso ganhá-las do Alfaiate Orgânico da Felicidade Natural, como Dean o fazia em sua faina e sua fadiga. Na sua maneira vibrante de falar eu escutava outra vez as vozes de velhos amigos e irmãos agrupados sob as pontes, ao redor das motocicletas, entre os varais da vizinhança, nos sonolentos degraus do fim da tarde, quando garotos tocavam violão enquanto seus irmãos mais velhos trabalhavam nos moinhos. Todos os meus amigos de então eram "intelectuais" – Chad, o antropologo nietzschiano, Carlo Marx e sua maluca conversa surrealista em voz baixa e olhos fixos, Old Bull Lee e sua crítica cáustica, corrosiva e arrastada contra tudo e contra todos – ou então eram criminosos foragidos como Elmer Hassel com aquele seu risinho sarcástico, que se repetia em Jane Lee, atirada sobre o pano oriental de seu sofá, torcendo o nariz para a *New Yorker*. Mas a inteligência de Dean era muito mais brilhante, formal e completa, sem nada daquela intelectualidade tediosa. E a "criminalidade" dele não era algo enfadonho ou escarnecedor, mas uma vibrante e positiva explosão de alegria americana, era o Oeste, o vento do oeste, um cântico às planícies, algo novo, há muito profetizado, vindo de longe (ele só roubava carros para dar umas voltas). Além disso, todos os meus amigos nova-iorquinos estavam numa viagem baixo-astral, naquele pesadelo negativista de combater o sistema, citando suas tediosas razões literárias, psicanalíticas ou políticas, enquanto Dean simplesmente mergulhava nessa mesma sociedade, faminto de pão e amor; e ele estava pouco se lixando pra tudo isso, "desde que eu descole uma gata mansa e linda com aquele lugar delicioso entre as pernas, garoto" ou "contanto que eu arranje o que comer, meu filho, sacou? Estou com *fome, morrendo* de fome, vamos *comer*, agora, já!" – e lá íamos nós comer, no primeiro lugar que surgisse, como diz o Eclesiastes: "Eis sua porção sob o sol".

Um parente do sol do Oeste, Dean. Mesmo que minha tia me avisasse que ele fatalmente me traria problemas, eu podia escutar um novo chamado e vislumbrar um novo horizonte, e acreditei neles com todo o fervor da minha juventude; uns pequenos contratempos ou mesmo a eventual rejeição de Dean, que mais tarde me abandonaria em sarjetas famintas e camas enfermas – o que me importava? Eu era um jovem escritor e tudo o que queria era cair fora.

Em algum lugar ao longo da estrada eu sabia que haveria garotas, visões e tudo mais; na estrada, em algum lugar, a pérola me seria ofertada.

2

Em julho de 1947, tendo economizado uns cinquenta dólares da minha velha pensão de veterano, eu estava pronto para ir à Costa Oeste. Meu amigo Remi Boncoeur havia escrito uma carta de São Francisco dizendo que eu deveria embarcar com ele num navio para uma volta ao mundo. Ele jurava que conseguiria me arranjar um lugar na casa de máquinas. Respondi dizendo que já estaria satisfeito com um velho cargueiro qualquer, contanto que pudesse curtir umas longas navegadas pelo Pacífico e voltar com dinheiro suficiente para me sustentar na casa de minha tia enquanto terminava meu livro. Ele disse que tinha uma cabana em Mill City e que lá eu teria todo o tempo do mundo para escrever enquanto a gente aguardasse a aporrinhação burocrática antes de pegar o navio. Ele estava morando com uma garota chamada Lee Ann; disse que ela era uma cozinheira maravilhosa e que tudo daria certo. Remi era um velho colega da escola preparatória, um francês criado em Paris e um cara realmente muito louco – nessa época eu não imaginava o quanto! Assim, ele aguardava minha chegada para dentro de uns dez dias. Minha tia estava inteiramente de acordo com minha viagem para o Oeste; ela disse que aquilo me faria bem, eu havia trabalhado duro durante o inverno e ficado demais dentro de casa; ela não reclamou nem mesmo quando eu lhe disse que teria que pegar umas caronas. Tudo o que ela esperava era que eu voltasse inteiro. E assim, certa manhã, deixando meu grosso manuscrito incompleto sobre a escrivaninha e dobrando pela última vez meus confortáveis lençóis caseiros, parti com meu saco de viagem no qual poucas coisas fundamentais foram enfiadas, e caí fora em direção ao oceano Pacífico com cinquenta dólares no bolso.

Eu tinha ficado delirando em cima de mapas dos Estados Unidos durante meses, em Paterson, e até lendo livros sobre os pioneiros e saboreando nomes instigantes como Platte e Cimarron e tudo mais, e no mapa rodoviário havia uma longa linha vermelha chamada Rota 6 que conduzia da ponta do cabo Cod direto a Ely, Nevada, e daí mergulhava em direção a Los Angeles. Simplesmente vou ficar na 6 o tempo inteiro até Ely, disse a mim mesmo e confiantemente dei a partida. Para pegar a Rota 6, eu deveria subir até Bear Mountain. Sonhando com as curtições de Chicago, Denver e finalmente de San Fran, peguei o metrô da Sétima Avenida até o fim da linha na rua 242 e lá tomei o trólebus para Yonkers; do centro de Yonkers um novo trólebus me conduziu até os limites da cidade, na margem leste do rio Hudson. Se você jogar uma rosa no rio Hudson, em sua misteriosa nascente nas Adirondacks, imagine todos os lugares pelos quais ela viajará antes de desaparecer no mar para sempre – pense no sublime vale do Hudson! Meu polegar apontava montanha acima. Cinco caronas esparsas me conduziram à ambicionada ponte de Bear Mountain, onde a Rota 6 penetra em curva depois de deixar a Nova Inglaterra. Começou a chover torrencialmente assim que fui deixado ali. Era uma zona montanhosa. Atravessando o rio, a Rota 6 fazia um enorme retorno e desaparecia na imensidão. Não só não havia nenhum tráfego como também chovia a cântaros e eu não tinha onde me abrigar. Tive que correr para baixo de alguns pinheiros para me cobrir, o que não chegou a ser uma ideia genial; comecei a chorar e a praguejar e a esmurrar a própria cabeça por ser tão estúpido. Estava uns sessenta quilômetros ao norte de Nova York e, durante todo o caminho, já estava cismado com o fato de, nesse meu primeiro grande dia, estar avançando apenas para o norte em vez de seguir para o Oeste dos meus sonhos. Agora, ali estava eu empacado justamente no limite mais setentrional dessa jornada obsessiva. Corri uns quinhentos metros até um posto de gasolina abandonado, construído num elegante estilo inglês, e parei debaixo de um telhado gotejante. Muito acima de minha cabeça a hirsuta e imponente Bear Mountain enviava os trovões que gelavam minha alma. Tudo o que eu podia distinguir eram árvores nebulosas e a desolada vastidão elevando-se aos céus. "Que merda estou fazendo aqui em cima?", xinguei, implorando por Chicago. "Agora mesmo estão todos lá numa boa, curtindo isso e aquilo, e eu aqui, quando é que vou chegar lá?" – essas coisas. Finalmente um carro parou no posto abandonado; o homem e as duas mulheres que estavam nele queriam consultar um mapa. Aproximei-me no ato e gesticulei na chuva; eles se questionaram; claro que eu parecia um maníaco, com meu cabelo todo molhado e os sapatos encharcados. Meus sapatos, que perfeito idiota eu sou, eram umas alpargatas mexicanas de corda trançada, absolutamente impróprias para a cruel noite chuvosa da América, para a noite voraz da estrada. Mas eles me deixaram entrar e me levaram *de volta* para Newburgh, o que aceitei como uma alternativa melhor do que ficar a noite inteira preso na desoladora Bear Mountain. "Além disso", disse o homem, "praticamente não há tráfego pela 6. Se você realmente quer ir para Chicago, seria melhor sair pelo túnel Holland em Nova York e seguir em direção a Pittsburgh", e eu sabia que ele estava certo. Era meu sonho se ferrando, a ideia idiota de que seria simplesmente maravilhoso seguir uma única e grande linha vermelha através da América, em vez de tentar várias estradas e rotas.

Em Newburgh tinha parado de chover. Caminhei até o rio, e tive que voltar para Nova York num ônibus junto com uma delegação de professores primários que retornavam de um fim de semana nas montanhas – todo aquele papo furado, blá, blá, blá, e eu simplesmente puto comigo mesmo, lamentando todo o dinheiro que tinha gasto e louco para pegar o rumo do Oeste, o que, na verdade, tinha tentado fazer durante o dia e a noite inteira, indo para cima e para baixo, para o norte e para o sul, como uma coisa que não engrena. Jurei que estaria amanhã em Chicago e pra não deixar dúvidas decidi pegar um ônibus até Chicago, gastando quase todo o meu dinheiro, mas eu estava pouco me lixando, contanto que estivesse em Chicago amanhã.

3

Foi uma viagem ordinária com bebês chorões e sol escaldante, e caipiras embarcando cada vez que o ônibus parava em tudo quanto é cidade da Pensilvânia, até que atingimos as planícies de Ohio e então as rodas realmente rodaram, direto até Ashtabula e rasgando Indiana noite adentro. Cheguei em Chi no romper da aurora, arranjei um quarto na ACM e caí na cama com uns poucos trocados no bolso. Curti Chicago depois de um bom dia de sono.

O vento do lago Michigan, be-bop no Loop, longas caminhadas ao redor de South Halsted e North Clark e, na madrugada silenciosa, uma longa jornada pela selva de pedra, quando uma radiopatrulha me seguiu como se eu fosse suspeito. Nessa época, 1947, o bop se alastrava loucamente pela América. Os caras no Loop continuavam soprando, mas com um ar fatigado porque o bop estava em algum ponto entre o período ornitológico de Charlie Parker e o outro período que começou com Miles Davis. E enquanto eu estava sentado ali ouvindo aquele som noturno que o bop viera representar para todos nós, pensei nos meus amigos espalhados de um canto a outro da nação e em como todos eles na verdade viviam dentro dos limites de um único e imenso quintal, fazendo alguma coisa frenética, correndo dum lado para outro. E pela primeira vez na minha vida, na tarde seguinte, segui para o Oeste. Era um lindo dia ensolarado, perfeito para cair na estrada. Para fugir da impossível complexidade do tráfego de Chicago, peguei um ônibus até Joliet, Illinois, cruzei pela penitenciária de Joliet, escapei em direção à periferia da cidade depois de uma caminhada por suas minúsculas ruas frondosas e me aprumei, deixando meu dedo apontar o caminho. De ônibus, todo o percurso de Nova York até Joliet, e eu tinha gasto mais da metade de minha grana.

Minha primeira carona foi num caminhão carregado de dinamite, com bandeira vermelha e tudo, uns cinquenta quilômetros pela esverdeada amplitude do Illinois, com o caminhoneiro apontando o lugar onde a Rota 6, onde a gente estava, se juntava com a Rota 66 antes de ambas mergulharem nas inimagináveis vastidões do Oeste. Por volta das três da tarde, depois de uma torta de maçã e um sorvete num bar de beira de estrada, uma mulher parou seu pequeno cupê para mim. Corri atrás do carro num frêmito de expectativa. Mas era só uma mulher de meia-idade que poderia ser minha mãe, e tudo o que ela queria era alguém para ajudá-la a dirigir até Iowa. Iowa! Era uma boa! Não ficava muito longe de Denver e assim que eu chegasse a Denver poderia relaxar. Ela dirigiu as primeiras horas, e a certa altura insistiu em parar sei lá onde para visitarmos uma velha igreja como se fôssemos turistas, e só depois assumi o volante, e mesmo não sendo o melhor motorista do mundo dirigi direto pelo restante do Illinois até Davenport, Iowa, via Rock Island. E foi então que vi pela primeira vez na vida meu amado rio

Mississippi, raso sob a bruma do verão, quase seco, exalando o odor de sua fertilidade, que cheira como o próprio corpo vivo da América, porque ele a lava. Rock Island, uns trilhos de trem, uns barracos, o insignificante centro da cidade e, do outro lado da ponte, Davenport, o mesmo visual, o mesmo cheiro de serragem sob o sol abafado do Meio Oeste. E então a mulher teve que seguir por outra estrada até sua cidade natal em Iowa e eu saltei fora.

O sol se punha, eu andava, tinha bebido umas cervejas geladas, ia em direção aos arrabaldes da cidade, e foi uma longa caminhada. Todos os homens voltavam do trabalho para casa, usando chapéus de ferroviários, chapéus de beisebol, todos os tipos de chapéus, como depois do expediente em qualquer cidade de qualquer lugar. Um deles me deu uma carona até o topo de uma colina e me deixou numa vasta encruzilhada, isolada na beira da pradaria. Era bonito lá. Os únicos carros que passavam eram carros de fazendeiros; eles me lançavam olhares desconfiados e sacolejavam no descampado; o gado ia para casa. Nem um só caminhão. Somente uns poucos carros, sibilantes. Um garotão passou com seu carango envenenado e um cachecol esvoaçante. O sol se pôs por completo e lá estava eu, de pé, envolto pela escuridão purpúrea. Agora eu estava com medo. Não havia luz alguma nos campos de Iowa, em um minuto eu não seria visto por mais ninguém. Felizmente um sujeito que voltava a Davenport me deu uma carona até o centro da cidade. Só que lá estava eu, de volta ao ponto de partida.

Fui sentar na rodoviária e refletir sobre a situação. Devorei outra torta de maçã e mais um sorvete – na verdade, foi praticamente só o que comi durante toda a viagem através do país, já que, além de deliciosa, é uma refeição nutritiva, claro. Decidi arriscar. Peguei um ônibus no centro de Davenport, depois de passar meia hora paquerando a garçonete no bar da rodoviária, e retornei aos limites da cidade, mas desta vez perto dos postos de gasolina. Aqui os grandes caminhões roncavam, vrumm, e em dois minutos um deles parou aos solavancos para me apanhar. Corri até lá exultante. E que caminhoneiro, cara! Um motorista enorme e durão, com os olhos esbugalhados e uma voz rouca e arranhada, daqueles que davam as maiores porradas com a porta, e ele pisava fundo fazendo aquela máquina rodar sem dar a menor bola para mim. Então pude descansar um pouco minha alma fatigada, já que um dos maiores tormentos de se viajar de carona é ter de falar com incontáveis pessoas, distraí-las até que elas percebam que não cometeram um erro ao te apanhar, e isso resulta num esforço enorme se o percurso é longo e você não está a fim de dormir em hotéis. O cara simplesmente berrava, mais alto do que o ronco do motor, e tudo o que eu tinha a fazer era gritar uma resposta, e assim relaxamos. Ele deixou aquele monstrengo rolar até Iowa City sem esforço aparente, sempre berrando histórias engraçadíssimas, contando como burlava a lei em cada cidade que tinha limites de velocidade estritos, repetindo milhares de vezes: "Esses malditos tiras nunca conseguiram meter no *meu* rabo". Quando rodávamos pelas proximidades de Iowa City ele ligou a sinaleira e diminuiu a velocidade para que eu saltasse, o que fiz, carregando minha mochila, e, ao perceber o sinal, o outro caminhão parou para me apanhar e assim num piscar de olhos lá estava eu de novo numa espaçosa cabina elevada, preparadíssimo para avançar centenas de quilômetros noite adentro, me sentindo esplendorosamente bem. E esse novo caminhoneiro era tão louco quanto o primeiro e gritava tanto quanto aquele, e tudo o que eu tinha a fazer era me recostar e deixar rolar. Agora sim podia ver a silhueta de Denver agigantando-se à minha frente como uma Terra Prometida, lá fora entre as estrelas, através das pradarias do Iowa e pelas planícies do Nebraska, e tive uma visão grandiosa de São Francisco mais adiante, joias luzindo à noite. Ele fincou o pé na tábua contando histórias por algumas horas até que numa cidade do Iowa, onde anos mais tarde Dean e eu fomos detidos sob suspeita de estarmos dirigindo um Cadillac roubado, ele dormiu no assento por uns instantes. Eu também dormi, e dei uma pequena caminhada por entre solitárias paredes de tijolos iluminadas por uma única lâmpada, com a pradaria brotando ao final de cada estreita esquina e o milho exalando seu perfume como se fosse o orvalho da noite.

Ele acordou num sobressalto. Lá fomos nós e, uma hora depois, entre o milharal esverdeado, surgiu à nossa frente a névoa cinzenta que recobre Des Moines. Ali ele quis tomar seu café da manhã e diminuir o ritmo, então decidi entrar direto em Des Moines, que ficava a uns seis quilômetros, pegando uma carona com dois garotos da universidade local, e foi estranho sentar num carro confortável e novo em folha e ouvi-los falar sobre seus exames enquanto deslizávamos suavemente para dentro da cidade. Agora eu queria dormir o dia inteiro. Fui à ACM batalhar um quarto, não havia nenhum, por instinto perambulei até os trilhos de trem – e tem um monte deles em Des Moines –, acabei numa velha pensão sombria junto à oficina das locomotivas e passei um longo dia dormindo numa grande cama branca, dura e limpa, com palavrões rabiscados na parede bem ao lado do meu travesseiro e as surradas persianas amarelas emoldurando a enfumaçada paisagem ferroviária. Acordei com o sol rubro do fim de tarde; e aquele foi um momento marcante em minha vida, o mais bizarro de todos, quando não soube quem eu era – estava longe de casa, assombrado e fatigado pela viagem, num quarto de hotel barato que nunca vira antes, ouvindo o silvo das locomotivas, e o ranger das velhas madeiras do hotel, e passos ressoando no andar de cima, e todos aqueles sons melancólicos, e olhei para o teto rachado e por quinze estranhos segundos realmente não soube quem eu era. Não fiquei apavorado; eu simplesmente era uma outra pessoa, um estranho, e toda a minha existência era uma vida mal-assombrada, a vida de um fantasma. Eu estava na metade da América, meio caminho andado entre o Leste da minha juventude e o Oeste do meu futuro, e é provável que tenha sido exatamente por isso que tudo se passou bem ali, naquele entardecer dourado e insólito.

Mas já era hora de parar com as lamentações e partir, então apanhei minha mochila, disse adeus ao velho recepcionista sentado ao lado de sua escarradeira, e fui comer. Devorei outra torta de maçã com sorvete – estavam ficando cada vez melhores à medida que eu avançava Iowa adentro: a torta crescia e o sorvete ficava ainda mais saboroso. Naquela tarde em Des Moines, para onde quer que eu olhasse via inúmeros bandos de garotas lindíssimas – elas voltavam para suas casas depois das aulas –, mas agora eu não tinha tempo para pensamentos desse tipo e jurei que cairia na farra assim que chegasse a Denver. Denver! Carlo Marx já estava lá, Dean também; e, claro, Chad King e Tim Gray, já que era a cidade natal deles; e também Marylou, e eu tinha ouvido falar de uma turma muito louca que incluía Ray Rawlins e Babe Rawlins, sua linda irmã loira; e as irmãs Bettencourt, duas garçonetes que Dean conhecia; e até Roland Major, um velho colega com o qual eu me correspondia nos tempos da universidade, andava por lá também. Eu ansiava por eles, transpirando alegria e expectativa. Por isso, passei direto por essas lindas gatinhas, as garotas mais gostosas do mundo moram em Des Moines.

Um cara com uma espécie de caixa de ferramentas sobre rodas, um caminhão recheado com todos os tipos de ferramentas, que ele dirigia ficando de pé como um leiteiro moderno, me deu uma carona colina acima, onde peguei imediatamente outra carona de um fazendeiro e seu filho que iam para Adel, em Iowa. Nessa cidade, sob um olmo enorme nas proximidades de um posto de gasolina, fiz amizade com outro caroneiro, um típico nova-iorquino, um irlandês que havia passado a maior parte de sua vida profissional dirigindo um caminhão do correio e que agora partia ao encontro de uma garota em Denver e uma nova vida. Acho que ele estava fugindo de alguma coisa em Nova York, provavelmente da lei. Ele era um legítimo beberrão com o narigão vermelho, moço, uns trinta anos, e normalmente teria logo me enchido o saco caso eu já não estivesse preparado para qualquer espécie de amizade humana. Ele vestia um suéter surrado e calças largas e não possuía nada que lembrasse uma mochila – só uma escova de dentes e uns lenços. Ele disse que a gente deveria pegar carona juntos. Eu deveria ter dito não, porque ele parecia péssimo para a estrada. Mas ficamos juntos e pegamos carona com um homem taciturno até Stuart, Iowa, cidade na qual realmente atolamos. Paramos em frente à bilheteria da estação ferroviária, esperando pelo tráfego que ia para o Oeste até o sol se pôr, uma boas cinco horas, matando tempo, primeiro falando sobre nós mesmos, em seguida ele me contou umas sacanagens, depois ficamos apenas chutando umas pedrinhas e dizendo todo tipo de bobagem. Enchemos o saco. Decidi gastar umas moedas em cerveja; fomos a um velho *saloon* em Stuart e bebemos algumas. Lá ele ficou tão bêbado quanto sempre ficava em sua caminhada noturna pela Nona Avenida, voltando para casa, e berrou alegremente ao meu ouvido todos os sonhos sórdidos de sua vida. Até que gostei dele; não porque era um cara legal, como provaria mais tarde, mas porque se entusiasmava com tudo. Retornamos à estrada em meio à escuridão, e logicamente poucos passaram e nenhum parou. Isso se prolongou até as três da manhã. Gastamos um tempo tentando dormir num banco da estação ferroviária, mas o telégrafo martelou loucamente a noite inteira e os enormes trens de carga fizeram ruídos estrondosos. E o pior é que nem ao menos sabíamos saltar para dentro dos trens em movimento, nunca havíamos feito aquilo antes, também não conseguíamos imaginar se eles estavam indo para o Leste ou para o Oeste, nem tínhamos como descobrir, tampouco concluímos se seria melhor saltar num vagão aberto, num fechado ou num vagão refrigerado e todo o resto. E assim, quando o ônibus para Omaha passou, pouco antes do amanhecer, entramos nele e nos juntamos aos passageiros adormecidos. Paguei minha passagem e a dele também.

Chamava-se Eddie. De alguma forma, me fazia lembrar do sujeito que era casado com minha prima do Bronx. Foi por isso que me liguei nele. Afinal, era como se eu estivesse junto com um velho amigo, um sujeito simpático e sorridente, com o qual poderia ficar dizendo bobagens horas a fio.

Chegamos a Council Bluffs ao amanhecer; consegui abrir um olho. Durante o inverno inteiro, eu estivera lendo sobre os grandes comboios de carroções que se reuniam aqui para confabulações, antes de pegarem as trilhas do Oregon e de Santa Fé; mas agora, é claro, havia apenas chalés suburbanos engraçadinhos construídos em duas ou três variações do mesmo estilo alinhados sob o céu pálido de um amanhecer fosco. E então Omaha, e aí, meu Deus, vi o primeiro caubói da minha vida, silhuetado pelas paredes gélidas dos armazéns frigoríficos que vendem carne por atacado, com um chapéu descomunal e botas texanas e, se não fosse pelo traje, mais pareceria um típico picareta da Costa Leste recostado em um muro banhado pelo amanhecer. Saltamos do ônibus e fomos direto até o topo da colina, a extensa colina formada ao longo de milênios pelo poderoso rio Missouri, junto ao qual Omaha foi construída, e logo chegamos à zona rural, já com os dedões em prontidão. Pegamos uma carona curta com um fazendeiro rico, com outro chapéu descomunal, e ele disse que o vale do Platte era tão soberbo quanto o vale do Nilo, no Egito, e assim que ele disse isso avistei árvores exuberantes serpenteando ao longo do curso sinuoso do Platte, envoltas por esplêndidos campos verdejantes, e por pouco não acabei concordando com ele. Então, quando já estávamos em pé noutra encruzilhada, e o céu começava a ficar nublado, outro caubói, este com um metro e noventa de altura e com um chapéu bem mais modesto, se aproximou perguntando se um de nós sabia dirigir. Claro que Eddie sabia, e ele tinha carteira de motorista e eu não. O caubói tinha dois carros e desejava levá-los de volta para Montana. A mulher o aguardava em Grand Island, e ele queria alguém que dirigisse um dos carros até lá, quando então ela assumiria o volante. Daí em diante eles iriam para o norte e esse seria o limite da nossa carona com ele. Mas eram uns bons 200 quilômetros para dentro do Nebraska e, lógico, embarcamos nessa. Eddie ia sozinho, o caubói e eu o seguíamos, só que assim que saímos dos limites da cidade, Eddie enfiou o pé na tábua, 140 quilômetros por hora com um desembaraço fantástico. "Puta merda! O que esse cara tá fazendo?", gritou o caubói, e saiu atrás dele, voando. Parecia uma corrida. Por um instante, cheguei a pensar que Eddie estava a fim de dar o fora com o carro – e pelo que sabia dele, era exatamente isso o que pretendia. Mas o caubói colou nele e tocou a mão na buzina. Eddie diminuiu um pouco. O caubói buzinou novamente para que ele parasse. "Porra, garoto, deste jeito você vai gastar os meus pneus. Será que não dá pra ir com mais calma?"

"É sério mesmo? Eu estava realmente a 140?", disse Eddie. "Nem percebi, essa estrada é tão lisinha..."

"Pega um pouco mais leve e chegaremos inteiros em Grand Island."

"Pode crer." E retomamos a jornada. Eddie se acalmou e até deve ter ficado um pouco sonolento. E assim rodamos uns duzentos quilômetros através do Nebraska, acompanhando o Platte tortuoso, com seus campos verdejantes.

"Durante a depressão", me disse o caubói, "eu costumava saltar nos trens de carga pelo menos uma vez por mês. Naquele tempo, havia centenas de homens nos vagões abertos e até mesmo em cima dos vagões de carga, e não eram apenas os vagabundos não, havia gente de todo tipo, estavam todos desempregados, iam de um lugar pro outro, alguns apenas vagando. Era assim por todo o Oeste. Naquela época, os guarda-freios nunca nos incomodavam. Não sei como é hoje. Nebraska, eta lugarzinho inútil! Na metade dos anos 30, isso aqui não passava de uma enorme nuvem de poeira até onde os olhos pudessem ver. Não dava para respirar. O solo era preto. Eu estava aqui naqueles tempos. Por mim, poderiam devolver Nebraska pros índios. Odeio esse maldito lugar mais do que qualquer outro do mundo. Agora moro em

Montana, em Missoula. Apareça lá uma hora dessas e verá o paraíso terrestre." No fim da tarde, quando ele cansou de falar, adormeci – ele até que era um bom papo.

Paramos na estrada para comer. O caubói foi consertar um estepe e Eddie e eu sentamos numa espécie de bar-restaurante caseiro. Ouvi uma gargalhada espalhafatosa, a maior gargalhada do mundo, e aí entrou aquele típico velho fazendeiro tosco e casca-grossa do Nebraska, acompanhado por um bando de rapazes; a zoeira que eles faziam ecoava pelas planícies, recobrindo por completo aquele mundo descolorido no qual eles viviam. Quando ele ria, todo mundo ria junto. Ele parecia não ter a menor preocupação na vida e tratava todo mundo com o maior respeito. Disse para mim mesmo: "Uau, escuta só a risada desse cara!". O Oeste é isso aí, cara, olha eu aqui no Oeste. Os passos dele retumbavam pelo bar enquanto ele chamava por Maw; ela fazia a torta de cereja mais deliciosa do Nebraska, e é claro que eu já havia devorado uma, e com uma montanha de sorvete por cima. "Maw, me arranja logo um grude aí antes que comece a comer a mim mesmo cru ou faça alguma besteira semelhante." Ele se atirou num banco, às gargalhadas. "E cubra tudo com feijão, ha, ha, ha!" Era o espírito do Oeste, sentado bem ali ao meu lado. Desejei conhecer sua vida nua e crua, descobrir que diabos estivera ele fazendo durante todos esses anos, além de gritar e gargalhar daquele jeito. Eiii-ah, disse para mim mesmo, e aí o caubói voltou e nós nos mandamos para Grand Island.

Chegamos lá num piscar de olhos. Ele encontrou sua mulher e os dois se mandaram para o destino deles, onde quer que fosse, e Eddie e eu retomamos a estrada. Pegamos uma carona com dois garotões – uns vaqueiros, caipiras adolescentes dirigindo um calhambeque todo remendado – e eles nos deixaram mais adiante em algum lugar, sob uma garoa fina. Aí um velho que não disse uma palavra – e só Deus sabe por que ele nos apanhou – nos levou até Shelton.

E ali Eddie prostrou-se na estrada, sem ânimo, em frente a um bando de índios Omaha, mirrados, com os olhos fixos e vazios, acocorados, sem ter para onde ir ou o que fazer. Os trilhos do trem ficavam do outro lado da estrada junto a uma caixa d'água onde se lia "Shelton". "Puta que pariu", disse Eddie, surpreendido, "já estive nesta cidade antes. Foi há um tempão atrás, durante a guerra, era de noite, tarde da noite, todos dormiam; saí do trem para fumar e ali estávamos nós em meio a nada, na mais completa escuridão, e eu olhei para o alto e vi esse nome 'Shelton' escrito nessa caixa d'água aí. Íamos para o Pacífico, todo mundo roncava, cada um daquele bando de bundões, e nós paramos apenas por alguns instantes, para abastecer ou algo assim, e logo seguimos adiante. Puta merda, Shelton outra vez! Odeio esse lugar desde sempre." E ali estávamos nós, encalhados em Shelton. De alguma forma, como em Davenport, Iowa, todos os carros que passavam eram carros de fazendeiros ou, de vez em quando, um carro de turistas, o que é ainda pior, com velhos dirigindo e suas esposas consultando mapas e apontando pontos turísticos ou então recostadas em bancos reclináveis olhando para tudo com aquela cara de desconfiança.

A garoa aumentou e Eddie ficou gelado; ele vestia pouquíssima roupa. Catei uma camisa de flanela xadrez no fundo do meu saco de viagem e ele a vestiu. Sentiu-se um pouco melhor. Eu já estava resfriado. Comprei umas pastilhas para a garganta numa espécie de loja indígena caindo aos pedaços. Fui a um minúsculo posto de correio, de dois metros por quatro, e enviei um postal barato para minha tia. Retornamos à estrada opaca. Ali, bem na nossa frente, a caixa d'água onde estava escrito "Shelton". O ônibus para Rock Island passou zunindo. Vimos as caras dos passageiros do Pullman num relance. O trem silvou pelas planícies seguindo na direção dos nossos desejos. Começou a chover mais forte.

Um sujeito alto e esguio, com um chapéu de porte médio, parou seu carro no lado oposto da estrada e caminhou em nossa direção; parecia o xerife. Silenciosamente preparamos nossas desculpas. Ele se aproximou vagarosamente: "Ei, rapazes, vocês estão indo para algum lugar específico ou estão apenas indo?". Não entendemos bem a pergunta. Era uma pergunta boa pra cacete.

"Por quê?"

"O negócio é o seguinte: tenho um pequeno parque de diversões a uns poucos quilômetros daqui e estou precisando de uns garotões que estejam a fim de trabalhar e ganhar um dinheirinho. Tenho uma concessão para roleta e outra para o jogo de argolas – sabe como é, aquelas que você atira e ganha o objeto no qual ela se encaixa. Vocês estão dispostos a trabalhar para mim? Dá para embolsar 30 por cento de cada bolada..."

"Mais cama e comida?"

"Cama sim, comida não. Vocês terão que comer na cidade. Vamos viajar um pouco por aí." Refletimos por uns instantes. "É uma boa oportunidade", falou, e esperou pacientemente que nos decidíssemos. Nos sentimos uns tolos sem saber o que responder, mas, para dizer a verdade, eu não estava nem um pouco a fim daquela história de parque de diversões. Estava era louco para chegar em Denver e encontrar a rapaziada.

Disse: "Não sei não, cara. Estou a fim de cair fora o mais rápido possível e acho que não vai dar tempo". Eddie repetiu a mesma coisa, o velho gesticulou displicentemente, perambulou de volta para seu carro e se mandou. E foi isso aí. Rimos por uns instantes e ficamos imaginando como seria aquilo. Tive visões de uma noite sombria e poeirenta se esparramando sobre as planícies e as caras das famílias do Nebraska desfilando à minha frente, com crianças rosadas olhando para tudo com espanto e admiração, e sei que me sentiria o maior calhorda do mundo se tivesse que lográ-los naqueles malditos caça-níqueis. Rodas-gigantes girando na escuridão da planície e, pelo amor de Deus, a música entristecida dos carrosséis ecoando pelas montanhas e eu ansioso para chegar logo ao meu destino, tendo de dormir numa cama de aniagem em algum vagão todo enfeitado.

Eddie acabou se revelando um companheiro um tanto avoado demais para a estrada. Uma geringonça antiga, engraçada, cruzou por nós; era dirigida por um velho, feita num tipo de alumínio, acho eu, quadrada como uma caixa – um trailer, não há dúvida, mas um trailer artesanal estranho e maluco feito no Nebraska. Ia tão devagar que parou. Corremos até lá a mil por hora; o velho disse que só podia levar um de nós. Sem uma palavra, Eddie jogou-se para dentro da caixa metálica e sumiu lentamente de vista – e ainda por cima usando minha camisa de flanela xadrez. Poxa, que dia de sorte, joguei um beijo de despedida para a camisa; de qualquer maneira ela só tinha valor sentimental. Voltei a esperar neste nosso inferno particular que é Shelton por um longo, longo tempo, muitas horas mesmo, e eu temia que a noite chegasse repentinamente, mas, na verdade, apesar de já estar um pouco escuro, ainda era bem cedo. Denver, Denver, como, quando, de que maneira eu finalmente chegaria a Denver? Já estava quase desistindo de ficar na estrada e planejando uma chegada ao café mais próximo quando um carro quase novo, dirigido por um rapagão, parou para mim. Corri como um louco.

"Pra onde você tá indo?"

"Pra Denver."

"Bom, posso te levar uns duzentos quilômetros."

"Grande, cara, grande. Você acaba de me salvar a vida."

"Eu também costumava pegar carona, por isso sempre pego quem encontro na estrada."

"Eu faria o mesmo, se tivesse carro."

E nós continuamos conversando, ele me falou sobre sua vida, que não era das mais interessantes, e eu adormeci um pouco, só acordando nos arredores de Gothenburg, onde ele me deixou.

4

A mais incrível carona da minha vida estava prestes a aparecer: um caminhão, com uma plataforma de madeira na traseira com seis ou sete caras jogados em cima. Os motoristas, dois garotos agricultores loiros do Minnesota, estavam recolhendo toda e qualquer alma solitária que encontrassem estrada afora – eles formavam a mais simpática, sorridente e jovial dupla caipira que se pode imaginar, os dois vestindo um macacão, uma camiseta e nada mais, ambos ágeis e com pulsos grossos e um amplo sorriso de "cuméquitá?" resplandecendo pra tudo e pra todos que cruzassem o caminho deles. Eu corri, perguntei: "Tem lugar pra mais um?". Eles disseram: "Claro, sobe, tem lugar pra todo mundo".

Eu ainda não estava na caçamba quando o caminhão arrancou zunindo, cambaleei, um caroneiro me agarrou, e eu me sentei. Alguém me passou uma garrafa com uma bebida forte como veneno, o último gole dela. Tomei um bom trago no ar selvagem, lírico e chuvoso do Nebraska. "Iuupii, lá vamos nós", gritou um garoto com um boné de beisebol, e eles fizeram o caminhão disparar até uns 120 quilômetros por hora e ultrapassaram todo mundo na estrada. "A gente tá nesta merda desse caminhão desde Des Moines. Esses caras nunca param. Às vezes a gente tem que gritar durante horas pra que eles nos deixem dar uma mijada. Se não, a gente é obrigado a mijar no vento e aí tem que se segurar, meu irmão, se segurar mesmo."

Olhei para a tripulação. Havia dois jovens lavradores do Dakota do Norte com bonés de beisebol vermelhos – que é o chapéu-padrão de todos os jovens agricultores do Dakota do Norte –, eles iam em direção às colheitas; o velho deles os deixara cair na estrada o verão inteiro. Havia dois garotos urbanoides de Columbus, Ohio, jogadores de futebol no time da escola; eles mascavam chicletes e pestanejavam, cantarolando com os cabelos ao vento; disseram que estavam aproveitando o verão para viajar de carona pelos Estados Unidos. "A gente tá indo pra Los Angeles", berraram.

"O que é que vocês vão fazer lá?"

"Porra, a gente não tem a menor ideia. Que diferença faz?"

Havia ainda um sujeito alto e magro, com um olhar furtivo. "De onde você é?", perguntei. Eu estava deitado junto a ele na plataforma; o caminhão não tinha cercas de proteção nem nada, era impossível sentar sem ser cuspido fora. Ele se virou vagarosamente, abriu a boca e disse: "Mon-ta-na".

Por fim, ali estava também Mississippi Gene, e o protegido dele. Mississippi Gene era um cara moreno e mirrado que saltava nos trens de carga por todos os cantos do país; um vagabundo de trinta anos mas com a aparência muito mais jovem – na verdade, era quase impossível dizer com certeza que idade tinha. Ele ficava sentado sobre as tábuas corridas da caçamba, as pernas cruzadas, contemplando a imensidão das planícies, sem dizer uma só palavra durante centenas de quilômetros até que, finalmente, em determinado momento, virou-se pra mim e perguntou: "Pra onde *você* tá indo?".

"Denver", eu disse.

"Tenho uma irmã lá, mas já faz muitos anos que não vejo ela." Sua fala era pausada e melodiosa. Era um sujeito paciente. O protegido dele era um garoto alto e loiro, de dezesseis anos, igualmente envolto em trapos, quer dizer, ambos vestiam roupas surradas de andarilhos, escurecidas pela fuligem das locomotivas, pela imundície dos vagões de carga, por noites ao relento. O garoto loiro também era do tipo silencioso e parecia estar fugindo de alguma coisa, e a julgar pela maneira que umedecia os lábios, com um ar preocupado, olhando sempre para frente, é provável que seu problema fosse com os homens da lei. Montana Slim falava com eles ocasionalmente, com um sorriso insinuante e sarcástico. Eles não lhe davam bola. Slim era todo insinuações. Eu estava apreensivo com o seu largo sorriso calhorda, que ele escancarava à sua frente e deixava suspenso ali, como se fosse meio abobado.

"Cê tem algum dinheiro aí?"

"Poxa, não tenho. Talvez só o suficiente prum trago de uísque até chegar a Denver. E você?"

"Sei onde conseguir."

"Onde?"

"Em qualquer lugar. Você sempre pode enrolar alguém num beco, não pode?"

"É, de repente, pode."

"Não vacilo muito quando tou mesmo necessitado de um troco. Rumo a Montana, pra ver o meu velho. Vou saltar desta barca em Cheyenne e dar um jeito de subir até lá. Estes dois garotos malucos tão indo pra Los Angeles."

"Sem escala?"

"É isso aí, direto e sem escalas. Se você tá a fim de ir pra LA acaba de conseguir uma carona."

Cogitei dessa possibilidade. A ideia de voar através do Nebraska e do Wyoming noite adentro, pelo deserto de Utah de manhã, e então provavelmente pelo deserto de Nevada à tardinha, e chegar realmente a Los Angeles dentro de um espaço de tempo bastante previsível quase me fez mudar de planos. Mas eu tinha mais era que ir para Denver. Por isso, também teria de saltar em Cheyenne e dali pegar uma carona para o sul, uns 150 quilômetros mais ou menos.

Fiquei contente quando os dois colonos de Minnesota que eram donos do caminhão decidiram dar uma parada em North Platte para comer. Queria dar uma olhada neles. Saltaram da cabina e sorriram para nós todos: "Hora de dar uma mijadinha", disse um. "Hora de comer", disse o outro. Só que eles eram os únicos do bando com dinheiro suficiente pra comprar comida. Nos arrastamos todos atrás deles para dentro de um restaurante dirigido por um bando de mulheres e nos sentamos entre hambúrgueres e xícaras fumegantes de café enquanto eles devoravam enormes pratos feitos como se tivessem retornado à cozinha da mamãe. Eram irmãos, transportavam máquinas agrícolas de Los Angeles para Minnesota e faziam um bom dinheiro com aquilo. Aí, em sua viagem para a costa, quando estavam sem carga, davam carona a todos que iam encontrando pela estrada. Já tinham feito umas cinco viagens, era trabalho pesado. Mas eles gostavam de tudo, nunca deixavam de sorrir. Tentei puxar conversa, uma ideia estúpida de minha parte, querer fazer amizade com os capitães do nosso navio, e as únicas respostas que recebi foram dois sorrisos ensolarados, adornados por largos dentes radiantes criados a milho.

Todos os seguiram ao restaurante, menos os dois jovens vagabundos, Gene e seu garoto. Quando retornamos, eles ainda estavam sentados no caminhão, solitários e soturnos. A noite estava caindo agora. Os dois garotos do caminhão fumavam; decidi aproveitar a chance para ir comprar uma garrafa de uísque e me manter aquecido no gélido e ventoso ar noturno. Eles sorriram quando lhes falei. "Vá em frente, não perca tempo."

"Na volta dou uns goles pra vocês", tranquilizei-os.

"Oh, não. A gente não bebe jamais. Vai firme."

Montana Slim e os dois colegiais perambularam comigo pelas ruas de North Platte até que encontrei um boteco qualquer. Eles contribuíram com um pouco, Slim outro pouco e eu pude comprar quase um litro. Homens altos e taciturnos nos observavam passar, plantados em frente a pequenos edifícios de fachada falsa; na rua principal se alinhavam uns chalés retilíneos e empertigados. Além de cada rua melancólica se descortinavam vistas imensas das planícies. Senti algo estranho no ar de North Platte, eu não sabia bem o que era. Em cinco minutos saberia. Voltamos para o caminhão e caímos fora. Escureceu num instante. Todos tomaram um trago e, de repente, olhei para os lados e os campos verdejantes das fazendas do Platte começaram a desaparecer, e no lugar deles surgiram planos e amplos desertos de areia e arbustos ressequidos se esparramando tão longe quanto os olhos pudessem alcançar. Fiquei estarrecido.

"Que porra é essa, homem?", perguntei pro Slim.

"Este é o começo das pradarias, garoto. Me passa outro trago."

"Iuuupii", gritaram os colegiais. "Tchau, Columbus. O que o Sparkie e os garotos diriam se estivessem aqui. Uau!"

Os motoristas tinham se revezado, o irmão mais moço acelerava o caminhão até a velocidade máxima. A estrada mudou também: calombos na pista, acostamentos estreitos com valões de um metro e meio de fundura de ambos os lados e o caminhão corcoveando de um lado para outro da estrada – milagrosamente apenas quando não havia nenhum carro vindo na direção oposta –, e eu pensei que iríamos acabar dando um salto mortal. Mas eles eram exímios motoristas. E como aquele caminhão se aproveitava destes calombos do Nebraska – calombos que se prolongavam até o Colorado! Então percebi que finalmente já estava no Colorado, ainda não oficialmente, mas podia pressentir Denver a apenas algumas centenas de quilômetros a sudoeste dali. Gritei de tanta felicidade. A garrafa circulava. O céu povoou-se de magníficas estrelas resplandecentes. As distantes colinas arenosas se obscureceram. Me sentia veloz como uma flecha, capaz de vencer todas as distâncias.

De repente Mississippi Gene se virou para mim do seu transe contemplativo de pernas cruzadas, moveu os lábios, se aproximou e disse: "Essas planícies me fazem lembrar o Texas".

"Você é do Texas?"

"Não senhor, sou de Green-vell, Muzz-sippy." E foi bem assim que ele falou.

"E o menino, de onde é?"

"Ele se meteu em encrencas lá no Mississippi, então me ofereci para ajudar. Ele jamais rodou sozinho por aí. Tomo conta dele da melhor forma que posso. É apenas uma criança." Embora Gene fosse branco, havia algo da sabedoria de um velho negro experiente nele, e algo que lembrava demais Elmer Hassel, o viciado de Nova York, mas era como se fosse um Hassel das estradas de ferro, um épico Hassel andarilho, cruzando e tornando a cruzar a nação anualmente, o Sul no inverno, o Norte no verão, apenas porque não havia nenhum lugar onde pudesse permanecer sem cair no tédio e também porque não havia lugar algum para ir senão todos os lugares, rodando sempre sob as estrelas, especialmente as do Oeste.

"Estive em Ogden algumas vezes. Se você quiser ir até lá, tenho alguns amigos com os quais a gente pode se juntar."

"De Cheyenne, estou indo pra Denver."

"Porra, segue direto de uma só vez. Não é todo dia que a gente pega uma carona como esta."

Ali estava mais uma proposta tentadora. O que havia de tão bom em Ogden? "O que é Ogden?", perguntei.

"É o lugar por onde a maioria dos rapazes passa e sempre se encontra; você pode achar qualquer um lá."

Na juventude eu estivera em alto-mar em companhia de um sujeito alto e esquelético de Louisiana, chamado Big Slim Hazard, William Holmes Hazard, um vagabundo por opção. Quando criança tinha visto um vagabundo se aproximar para pedir um pedaço de torta à sua mãe, ela lhe deu, e quando o vagabundo sumiu na estrada, o garoto, ainda pequeno, perguntou: "Mãe, quem era esse homem?". "Ora, um vagabundo." "Mama, quando crescer também quero ser vagabundo." "Cale a boca, menino. Um Hazard não nasceu para isso." Mas ele jamais esqueceu aquele dia, e quando cresceu, depois de jogar futebol durante uma curta temporada na LSU, tornou-se de fato um vagabundo. Big Slim e eu passamos muitas noites contando histórias e cuspindo pedaços de tabaco mascado em sacos de papel. Havia reminiscências tão indubitáveis de Big Slim Hazard no jeito de Mississippi Gene, que resolvi perguntar: "Nunca te aconteceu de cruzar com um cara chamado Big Slim Hazard por aí?".

E ele respondeu: "Um sujeito alto com uma risada forte?"

"É, parece ele. Nasceu em Ruston, Louisiana."

"É isso aí! Às vezes chamavam ele de Louisiana Slim. Sim senhor, é claro que eu conheço o Big Slim."

"E ele trabalhava nos poços de petróleo do Leste do Texas?"

"No Leste do Texas, está certo. E agora lida com gado em alguma fazenda por aí."

E era exatamente isso; mas eu ainda não conseguia acreditar que Gene realmente pudesse conhecer Slim, que durante anos eu meio que estivera procurando. "E ele também já trabalhou nos rebocadores em Nova York?"

"Bem, sobre isso eu nada sei."

"Vai ver que você só conheceu ele no Oeste."

"Certo! Na verdade, jamais estive em Nova York."

"Puxa vida, estou surpreso que você o conheça. Este país é enorme. No entanto, tinha certeza de que você deveria conhecer ele."

"Sim, senhor, conheço Big Slim muito bem. Sempre generoso com sua grana, quando tem alguma. Um cara durão e valente, também. Vi Slim desmontar um guarda nos arredores de Cheyenne, com um único soco." Isso soava a Big Slim; ele estava sempre cortando os ares com seu soco definitivo. Parecia Jack Dempsey; mas um Jack Dempsey jovem e beberrão.

"É demais!", gritei envolto pela brisa, e tomei outro trago e agora realmente estava me sentindo maravilhosamente bem. Cada gole era enxugado pelo vento esvoaçante de um caminhão sem capota, enxugado de seus efeitos maléficos enquanto o efeito bom afundava em meu estômago. "Cheyenne, lá vou eu", cantarolei. "Ei, Denver, te prepara pra receber este garoto."

Montana Slim virou-se para mim, apontou para os meus sapatos e comentou: "Você não acha que isso aí dava um bom adubo?", sem um traço de riso, é claro, e a rapaziada ouviu e gargalhou. Eram os sapatos mais ridículos de toda a América. Trouxera-os comigo especificamente porque não queria que meus pés suassem na estrada abafada e, a não ser pela chuva em Bear Mountain, eles demonstraram ser os melhores sapatos possíveis para minha viagem. Assim, também ri com eles.

O sapato já estava roto e desgastado, soltando tiras coloridas como um abacaxi maduro, deixando meus dedos à mostra. Bem, bebemos mais um gole e gargalhamos. Como num sonho passamos por minúsculas cidades de beira de estrada cintilando na escuridão e por longas filas de mãos camponesas ociosas e caubóis noturnos. Eles nos observavam passar num rápido meneio de cabeça e nós os víamos batendo com as mãos nas coxas através da escuridão espessa do outro lado da cidade – formávamos uma tripulação muito louca.

Muitos homens estavam na região naquela estação do ano – era a época das colheitas. Os garotos de Dakota ficaram irrequietos. "Acho que vamos saltar na próxima parada para mijar, parece que tem um monte de trabalho por aqui."

"O negócio é ir seguindo para o norte quando a colheita for acabando nesta região", aconselhou Montana Slim, "e continuar colhendo até chegar ao Canadá." Os garotos concordaram sem muito entusiasmo, não levaram muita fé naquele conselho.

Enquanto isso, o jovem fugitivo loiro seguia sentado daquele mesmo jeito; vez por outra Gene abandonava seu transe budista por cima das esvoaçantes planícies sombrias e sussurrava afetuosamente ao ouvido do garoto. O menino assentia. Gene estava cuidando dele, de sua melancolia e de seus receios. Eu me perguntava onde é que eles iriam se meter e o que fariam. Não tinham nem cigarros. Eu esbanjava meu maço com eles. Estava apaixonado por eles. Eram agradáveis e encantadores. Jamais pediam, mas eu continuava oferecendo. Montana Slim tinha seus próprios cigarros, mas nunca passava o maço. Zunimos através doutra cidade de beira de estrada, cruzamos por mais uma fila de homens altos e esguios vestindo jeans, agrupados sob a luz pálida como mariposas no deserto, e reingressamos na escuridão absoluta, e as estrelas sobre nossas cabeças eram puras e reluzentes por causa do ar progressivamente rarefeito à medida que nos elevávamos para o topo do platô do Oeste, quase meio metro por quilômetro – pelo menos é o que eles diziam –, e em momento algum havia árvores escondendo as estrelas na linha do horizonte. E cheguei a ver uma vaca mal-humorada com a cara branca parada à beira da estrada enquanto deslizávamos para longe. Era como viajar de trem, de tão seguro e estável.

Logo passamos por uma cidade, reduzimos a velocidade e Montana Slim disse: "Ah, hora do pipi", mas os caras de Minnesota não pararam e nós cruzamos direto. "Porra, tenho que mijar", disse Slim.

"Dá uma chegadinha ali no canto", sugeriu alguém.

"Bem, eu vou mesmo", disse ele e lentamente, enquanto todos nós observávamos, dirigiu-se de cócoras para a parte de trás da caçamba equilibrando-se o melhor que podia, até que suas pernas bambolearam. Alguém bateu na janela da cabina pra chamar a atenção dos irmãos. Seus sorrisos amplos reluziram quando eles se viraram. E no instante em que Slim estava pronto para entrar em ação, cauteloso como tinha sido até então, eles começaram a ziguezaguear o caminhão a uns 120 quilômetros por hora. Ele caiu por um momento e nós vimos o esguicho de uma baleia dançar no ar, ele se esforçou e conseguiu se acocorar outra vez. Eles gingaram o caminhão. Brumm, lá se foi ele, caindo de lado e se molhando todo. Sob o ronco do motor podíamos ouvi-lo praguejar debilmente, como o lamento distante de um homem ao longe, através das colinas. "Merda... merda..." Ele nem percebera que havíamos feito aquilo propositadamente; apenas se esforçava, com uma careta digna de Jó. Quando havia acabado, literalmente, estava totalmente molhado e tinha agora que traçar sua trêmula trajetória de retorno, com a cara mais lastimável do mundo, e todos dando gargalhadas, incluindo os caras de Minnesota, na cabina, menos o tristonho garoto loiro. Estendi-lhe a garrafa, para que se refizesse.

"Que merda", disse, "eles estavam fazendo isso de propósito?"

"Certamente."

"Porra, eu nem imaginava. Em Nebraska não tive tanta dificuldade pra fazer a mesma coisa."

Subitamente chegamos à cidade de Ogallala, e aqui nossos camaradas da cabine gritaram: "Hora do pipi", repletos de imensa satisfação. Slim parou taciturnamente ao lado do caminhão, lamentando a oportunidade perdida. Os dois garotos de Dakota deram adeus para todos, e eu imaginei que eles começariam a colheita ali mesmo. Vimos os dois desaparecerem noite adentro, em direção às cabanas na periferia da cidade, onde luzes cintilavam e os vigilantes noturnos de jeans decidiam quem seria contratado. Eu tinha de comprar mais cigarros. Gene e o garoto loiro me seguiram para esticar as pernas. Me dirigi ao lugar mais inverossímil do mundo, uma espécie de bar solitário das planícies, construído para os garotos locais e meninas adolescentes. Eles estavam dançando, uns poucos, ao som de uma *jukebox*. Quando entramos houve um silêncio constrangedor. Gene e o Loiro deram uma paradinha, sem olhar para ninguém; tudo o que desejavam eram cigarros. Mas havia também umas garotas bonitas por ali. E uma delas pôs os olhos no Loiro, ele nem notou, e se notasse não teria ligado, de tão triste e distante.

Comprei um maço para cada um deles, que me agradeceram. O caminhão estava pronto para partir. Agora era quase meia-noite, e estava frio. Gene, que já havia cruzado o país mais vezes do que poderia contar nos dedos dos pés e das mãos, explicou que o melhor que tínhamos a fazer era entrarmos todos debaixo de uma grande lona, caso contrário iríamos congelar. Dessa forma, e com o resto da garrafa, nos conservamos aquecidos enquanto o ar uivava cada vez mais gélido em nossos ouvidos. Quanto mais subíamos as High Plains, mais radiantes ficavam as estrelas. Agora já estávamos no Wyoming. Deitado de costas, eu olhava fixamente em direção ao esplêndido firmamento, me deliciando com aqueles momentos e pensando o quão distante tinha ficado a desolada Bear Mountain, e excitadíssimo só de pensar no que me aguardava lá adiante, em Denver – o que quer que fosse. Mississippi Gene começou a cantarolar uma canção. Cantava com a voz calma e melodiosa, com um sotaque caipira, e era uma canção simples, apenas: "Tenho uma garota que ronrona, ela tem só 16 aninhos, é a gatinha mais mimada que você já viu", repetindo esse refrão e misturando outras frases no meio, falando sobre o quão longe ele estivera e como gostaria de voltar para ela, mas a tinha perdido para sempre.

Eu disse: "Gene, que canção maravilhosa".

"É a mais linda que conheço", ele respondeu, com um sorriso.

"Espero que você chegue aonde pretende e seja feliz lá."

"De um jeito ou de outro, sempre acabo me dando bem."

Montana Slim estava adormecido. Acordou e me disse: "Ei, Moreno, que tal você e eu curtirmos Cheyenne juntos esta noite antes de você se mandar pra Denver?".

"Claro." Eu estava bêbado o suficiente para aceitar qualquer coisa.

Enquanto o caminhão penetrava nos subúrbios de Cheyenne, podíamos perceber as luzes avermelhadas das antenas da estação de rádio local, e repentinamente lá estávamos nós aos solavancos entre uma verdadeira multidão que se esparramava por ambos os lados da rua, lotando as calçadas. "Raios, é o Festival do Oeste Selvagem", disse Slim. Multidões de executivos gordos com chapéus enormes e botas texanas, com suas pesadas esposas vestidas de vaqueiras, percorriam as calçadas de madeira da velha Cheyenne, barulhentos e afobados. Lá longe reluzia a luz viscosa dos bulevares do centro novo de Cheyenne, mas a celebração concentrava-se na parte velha. Estouravam tiros de festim. Os saloons estavam abarrotados até a calçada. Eu estava surpreso, mas ao mesmo tempo percebia como aquilo tudo era ridículo: na minha primeira investida no Oeste estava vendo a que mecanismos absurdos eles recorriam para manter viva sua orgulhosa tradição. Tivemos de saltar do caminhão e nos despedir de todos, os garotos de Minnesota não estavam interessados em curtir o ambiente. Foi triste vê-los partir; percebi que jamais voltaria a rever qualquer um deles, mas na estrada era assim mesmo. "Vocês vão ficar gelados até o cu esta noite", avisei, "e torrados, no deserto, amanhã à tarde."

"Pra mim tá tudo bem, contanto que a gente se livre desta noite gelada", disse Gene. E o caminhão arrancou, abrindo caminho entre a multidão, sem que ninguém prestasse atenção na excentricidade dos garotos debaixo da lona observando a cidade como se fossem bebês sob as cobertas. Observei-os desaparecer dentro da noite.

5

Montana Slim e eu começamos a percorrer os bares. Eu tinha uns sete dólares, cinco dos quais desperdicei estupidamente naquela noite. Primeiro circulamos entre todos aqueles turistas fantasiados de caubói, fazendeiros e executivos de petróleo, pelos bares, pelas calçadas, pelos umbrais, e aí sacudi Slim por uns instantes, ele perambulava pela rua um pouco aturdido de tanto uísque e de tanta cerveja; era aquele tipo de bêbado cujos olhos ficam vidrados, e de uma hora para outra começa a contar coisas para alguém completamente desconhecido. Entrei num boteco que vendia chili e a garçonete era mexicana e gostosa. Comi e logo em seguida escrevi um pequeno bilhete amoroso no verso da conta. O boteco estava às moscas, todos estavam bebendo em algum outro lugar. Eu disse para ela virar a nota. Ela leu e riu. Era um pequeno poema a respeito de como eu gostaria que ela fosse para a noite comigo.

"Eu adoraria, chiquito. Mas tenho um encontro com meu namorado."

"Não dá para dispensar ele?"

"Não, não posso", respondeu, entristecida, e eu adorei o jeito com que ela falou. "Outra hora qualquer eu apareço", e ela respondeu: "Quando quiser, garoto". Mesmo assim fiquei matando o tempo por ali, sorvendo outra xícara de café só para ficar olhando pra ela. Seu namorado entrou com ar rabugento e quis saber a que hora ela largaria o serviço. Ela começou a fazer tudo afobadamente para cerrar logo as portas. Tive de cair fora. Sorri para ela ao partir. Na rua, o ambiente continuava tão selvagem quanto sempre, com a diferença que aqueles gordos arrotadores estavam ficando ainda mais bêbados e barulhentos. Até que era engraçado. Havia uns caciques índios vagando por ali, com penteados enormes e um ar solene em rostos enrubescidos pela bebida. Vi Slim cambaleando pelas redondezas e me juntei a ele.

Ele disse: "Acabei de escrever um postal para o meu pai, em Montana. Será que você conseguiria encontrar uma caixa postal onde enfiá-lo?". Era uma estranha solicitação; ele me entregou o postal e cambaleou entre as portas vaivém do saloon. Peguei o cartão, me dirigi à caixa postal e dei uma olhadela rápida nele: "Querido pai, quarta-feira estarei em casa. Tudo bem comigo e espero que com você também. Richard". Isso me deu uma nova impressão a respeito dele; que afetuoso e cortês ele era com seu velho! Voltei ao bar e o reencontrei. Arranjamos duas garotas, uma linda jovem loira e uma morena gorda. Elas eram burras e chatas, mas a gente queria faturar elas mesmo assim. Arrastamos as garotas a uma boate insignificante que já estava fechando, e lá eu gastei nada mais nada menos do que dois dólares em uísque para elas e cerveja pra nós. Eu estava ficando bêbado e nem ligava. Estava tudo bem. Meus anseios e intenções voltavam-se todos para aquela pequena loira. Queria penetrá-la com toda minha energia. Eu a abracei e quis dizer isso a ela. A boate fechou e nós perambulamos por raquíticas ruas poeirentas. Olhei para o céu, puras e maravilhosas estrelas ainda estavam ali, cintilando. As garotas queriam ir até a rodoviária, e assim fomos nós todos, só que aparentemente elas pretendiam encontrar um marinheiro qualquer que estava lá esperando por elas, um primo da gorda, e o marinheiro tinha alguns amigos com ele; eu disse para a loira: "Qual é a tua?". Ela disse que queria ir para casa, no Colorado, bem no limite sul de Cheyenne. "Eu te levo de ônibus", falei.

"Não, o ônibus para na estrada e eu tenho que caminhar sozinha por aquela pradaria de merda. Passei a tarde inteira olhando pra esta bosta e não estou a fim de caminhar por ela hoje à noite."

"Ei, escuta, a gente pode curtir uma bela caminhada entre as flores da pradaria."

"Não tem flor nenhuma lá", ela respondeu. "Quero mesmo é ir pra Nova York. Estou de saco cheio disto aqui. Nunca há lugar algum pra ir, a não ser Cheyenne, e em Cheyenne não tem nada pra fazer."

"Também não há nada pra fazer em Nova York."

"Um cacete que não", disse ela, franzindo os lábios.

A rodoviária estava abarrotada. Gente de todo tipo estava esperando os ônibus ou simplesmente parada ali; havia vários índios que observavam tudo com olhares impassíveis. A garota desvencilhou-se da minha conversa fiada e se juntou ao marinheiro e à turma dele. Slim estava cochilando num banco, sentei ali. Os pisos das estações rodoviárias são exatamente iguais no país inteiro, sempre cobertos de baganas e catarros, e eles provocam uma melancolia profunda que só mesmo as rodoviárias poderiam ter. Por uns instantes não houve diferença entre estar aqui ou em Newark, a não ser pela extraordinária imensidão lá de fora, que eu tanto amava. Lamentava a maneira com a qual eu tinha rompido a pureza de toda minha viagem, sem economizar nem um centavo, desperdiçando totalmente o tempo feito um bestalhão enrabichado por aquela garota estúpida e gastando todo meu dinheiro. Isso me fez ficar furioso. Eu não dormia há tantas horas que cansei de me atormentar e de blasfemar e fui direto dormir; me ajeitei num banco com meu saco de lona como travesseiro e dormi até as oito horas da manhã ao som de murmúrios oníricos e dos ruídos distantes da estação, entre centenas de pessoas passando.

Acordei com uma puta dor de cabeça. Slim tinha se mandado – para Montana, eu acho. Saí à rua. E ali, no ar azulado, vi ao longe, pela primeira vez, os enormes cumes nevados das Montanhas Rochosas. Respirei profundamente. Tinha de chegar a Denver de uma vez por todas. Mas primeiro tomei meu desjejum, bastante modesto: torradas, café e um ovo, e então saí da cidade para a estrada. O Festival do Velho Oeste ainda prosseguia; havia um rodeio, e a baderna e a agitação estavam para começar outra vez. Deixei isso tudo para trás. Queria encontrar a rapaziada em Denver. Cruzei uma passarela sobre a estrada de ferro, e cheguei a um monte de barracos onde duas estradas se bifurcavam, ambas conduzindo a Denver. Peguei a que ficava mais próxima das montanhas, assim poderia olhar para elas, e me dirigi para lá. Ganhei uma carona instantânea de um cara de Connecticut que viajava num calhambeque, pintando todo o país, ele era filho de um editor do Leste. Ele falava e falava; eu estava enjoado do trago e da altitude. Em determinado momento quase tive de pôr a cabeça para o lado de fora da janela. Mas quando ele me largou em Longmont, Colorado, eu já estava me sentindo bem de novo, começando até a lhe contar a respeito do espírito das minhas viagens. Ele me desejou boa sorte.

Era lindo em Longmont. Sob uma gigantesca árvore velha havia um gramado que pertencia a um posto de gasolina. Perguntei ao servente se podia dormir ali, ele disse "claro que sim", então estiquei uma camisa de flanela, deitei minha cabeça sobre ela, com um cotovelo por cima e, por alguns instantes, com um olho espiando a neve no topo das montanhas rochosas, sob o sol cálido, caí no sono por duas deliciosas horas. O único desconforto foi uma fortuita formiga do Colorado. E aqui estou eu no Colorado! Eu me rejubilava o tempo inteiro. Maravilha! Estou conseguindo! E depois de um sono reconfortante repleto de sonhos recobertos por teias de aranha sobre minha vida passada no Leste, me levantei, me lavei no banheiro dos homens do posto de gasolina e me arranquei em largas passadas, renovado e em plena forma. Comprei um *milk-shake* espesso e saboroso, num bar de beira de estrada, só pra jogar algo gelado no meu estômago quente e atormentado.

Por acaso, uma lindíssima garota do Colorado bateu aquele *shake* pra mim; ela era toda sorrisos também; me senti gratificado, aquilo me refez dos excessos da noite anterior. Disse a mim mesmo: Uau! Denver deve ser ótima. Retornei àquela estrada calorenta e zarpei num carro novo em folha dirigido por um jovem executivo de Denver, um cara duns 35 anos. Ele ia a 120 por hora. Eu formigava inteiro; contava os minutos e subtraía os quilômetros. Justo em frente, atrás dos trigais esvoaçantes reluzindo sob as neves distantes do Estes, eu enfim veria Denver. Eu me imaginei num bar qualquer da cidade, essa noite, com a turma inteira; aos olhos deles eu pareceria misterioso e maltrapilho, como um profeta que havia cruzado a terra inteira para trazer a palavra enigmática, e a única palavra que eu teria a dizer era: "Uau!". O cara e eu mantivemos uma longa e ardente conversação a respeito dos nossos respectivos projetos de vida e, antes que pudesse perceber, já estávamos passando pelos mercados que vendem frutas por atacado nos arredores de Denver; havia chaminés, fumaça, vias férreas; prédios avermelhados, de tijolos à vista, e os edifícios de concreto do centro da cidade, afastados e cinzentos; e aqui estava eu em Denver. Ele me deixou na rua Larimer. Eu me arrastei por ali com o maior e o mais malicioso sorriso de satisfação do mundo, perambulando entre velhos vagabundos e surrados caubóis da rua Larimer.

6

Naquele tempo eu não conhecia Dean tão bem quanto agora, por isso a primeira coisa que fiz foi procurar Chad King. Telefonei para a casa dele, falei com sua mãe – ela disse: "Alô, Sal, o que é que você está fazendo em Denver?". Chad era um garoto magro e loiro com uma cara esquisita de bruxo-cientista que combinava bem com seu interesse em antropologia e índios pré-históricos. Seu nariz se projetava suave e quase docemente sob a chama dourada de seus cabelos; ele possuía a graça e a beleza de um figurão do Oeste, que sabia tudo sobre botequins de beira de estrada e ainda jogava um pouco de futebol. Quando ele falava, um trêmulo som metálico ecoava: "O lance que eu sempre gostei nos índios das planícies, Sal, é a maneira como eles ficavam terrivelmente envergonhados depois de ostentarem seus inúmeros escalpos. Na *Vida no Oeste Selvagem*, de Ruxton, há um índio que fica completamente vermelho de vergonha por possuir tantos escalpos e corre como um louco pelas planícies vangloriando-se escondido de suas proezas. Porra, isso me encanta".

A mãe de Chad o localizou na tarde sonolenta de Denver trabalhando em cestas feitas pelos índios, no museu local. Liguei, ele veio e me apanhou no seu velho Ford cupê, o mesmo que usava para viajar pelas montanhas, onde escavava à procura de objetos indígenas. Ele entrou na rodoviária vestindo jeans e com um sorriso de orelha a orelha. Eu estava sentado sobre meu saco de viagem, no chão, conversando justamente com o mesmo marinheiro que tinha estado comigo na rodoviária de Cheyenne, perguntando para ele o que havia acontecido com a loira. Ele estava de saco tão cheio que nem me respondeu. Chad e eu entramos em seu pequeno cupê e a primeira coisa que ele tinha a fazer era arranjar uns mapas na prefeitura. Depois, queria rever um velho professor e por aí afora, enquanto tudo o que eu desejava era beber umas cervejas. E, no fundo de minha mente, tinha um desejo ardoroso: saber por onde andava Dean e o que é que ele estava fazendo. Por alguma razão indefinida, Chad tinha decidido não ser mais amigo de Dean, e nem sequer sabia onde ele morava.

"Carlo Marx tá na cidade?"

"Tá, sim." Mas Chad também já não falava mais com ele. Este era o começo do afastamento de Chad King da nossa turma. Eu deveria tirar uma soneca na casa dele aquela tarde. Havia notícias de que Tim Gray tinha um apartamento só esperando por mim na avenida Colfax, e que Roland Major já estava morando lá, aguardando que me juntasse a ele.

Senti uma espécie de conspiração no ar, e esta conspiração confrontava dois grupos da gangue: Chad King, Tim Gray e Roland Major, junto com os Rawlins, basicamente dispostos a ignorar Dean Moriarty e Carlo Marx. Eu estava bem no meio deste curioso confronto.

Era uma guerra com conotações sociais. Dean era filho de um bêbado, um dos mais trôpegos vagabundos da rua Larimer, e ele próprio, na verdade, tinha crescido na Larimer e imediações. Estava habituado a defender seu pai em juízo, depondo nos tribunais aos seis anos de idade para vê-lo em liberdade. Costumava esmolar em frente aos becos da Larimer e entregar sorrateiramente o dinheiro ao pai, que o aguardava esparramado entre garrafas quebradas, ao lado de um velho companheiro. Então, quando cresceu, Dean começou a frequentar os salões de bilhar de Glenarm; bateu o recorde de carros roubados em Denver e foi parar num reformatório. Dos onze aos dezessete anos ele esteve geralmente no reformatório. Sua especialidade era roubar carros, dar umas paqueradas nas garotas que saíam do colégio no fim da tarde, levá-las para as montanhas, faturá-las e voltar para dormir em alguma banheira disponível de um hotel qualquer da cidade. Seu pai, que fora um funileiro respeitado e trabalhador, tinha se transformado num alcoólatra de vinho, o que é ainda pior do que um alcoólatra de uísque, e limitava-se a viajar nos trens de carga, indo para o Texas durante o inverno e retornando a Denver no verão. Dean tinha irmãos pelo lado de sua mãe já falecida – ela morrera quando ele era pequeno –, mas eles não gostavam dele. Seus únicos amigos eram os caras do bilhar. Dean, que possuía a energia vibrante de uma nova espécie de santo americano, e Carlo, junto com a turma do bilhar, eram os monstros do *underground* daquela temporada em Denver e, simbolizando isso magnificamente bem, Carlo tinha apartamento num subsolo da rua Grant, onde nós nos encontramos e varamos muitas noites até o amanhecer – Carlo, Dean, eu, Tom Snark, Ed Dunkel e Roy Johnson. Mais tarde, novas informações a respeito desses outros aí.

Em minha primeira tarde em Denver, dormi no quarto de Chad King enquanto sua mãe prosseguia com as tarefas domésticas lá embaixo e Chad trabalhava na biblioteca. Era uma tarde abafada das altas planícies, em julho. Eu não teria conseguido dormir se não fosse por uma invenção do pai de Chad. Ele era um homem bondoso e gentil, já com seus setenta anos, velho e frágil, magro e enrugado, sempre contando histórias com lenta e pausada satisfação; e boas histórias, também, a respeito de sua infância nas planícies do Dakota do Norte, no século passado, quando montava pôneis em pelo e perseguia coiotes com um porrete como passatempo. Mais tarde, tornou-se professor nas escolas rurais do enclave de Oklahoma e, finalmente, um homem de negócios com muitas propriedades em Denver. Possuía ainda seu velho escritório em cima de uma garagem, ali pela redondeza – a escrivaninha de tampo móvel ainda estava lá, junto com incontáveis papéis empoeirados que registravam seu antigo entusiasmo e seu enriquecimento. Ele tinha inventado um tipo especial de ar-condicionado. Instalara um ventilador comum no batente de uma janela e, de alguma forma, conduzia água fria através de uma serpentina bem em frente às lâminas giratórias. O resultado era perfeito – numa área de um metro ao redor do ventilador, a água transformava-se em vapor neste dia pachorrento, enquanto que a parte térrea da casa continuava tão quente quanto sempre. Mas eu estava dormindo na cama de Chad, justamente embaixo do ventilador, com um grande busto de Goethe me observando, e caí no sono confortavelmente, para acordar apenas 20 minutos depois, morrendo de frio. Puxei um cobertor e ainda assim sentia frio. Até que ficou tão gelado que não pude mais dormir, então desci. O velho perguntou-me se sua invenção funcionava. Respondi que sem dúvida funcionava bem até demais. Gostei do velho. Ele estava cheio de recordações. "Certa vez inventei um removedor de manchas que foi plagiado pelas grandes companhias do Leste. Há alguns anos que tento reaver a patente. Se ao menos eu tivesse dinheiro para contratar um advogado decente..."

Mas era tarde demais para contratar um advogado decente; e ele permanecia ali sentado com o seu desalento. À noite, houve um jantar extraordinário, a mãe de Chad preparou carne de veado que o tio dele tinha caçado nas montanhas. Mas por onde andava Dean?

7

Os dez dias seguintes foram, como disse W. C. Fields, "repletos de perigo iminente" – e loucos. Fui morar com Roland Major no apartamento realmente luxuoso que pertencia aos pais de Tim Gray. Cada um tinha seu próprio quarto, e havia ainda uma quitinete com comida na geladeira e uma imensa sala de estar onde Major sentava com seu chambre de seda, criando seus mais recentes contos hemingwayanos – um colérico, corado e robusto inimigo de tudo que, ainda assim, possuía o sorriso mais charmoso e sincero do mundo quando a vida real se encontrava com ele suavemente durante a noite. E assim ele sentava-se à sua escrivaninha e eu saltitava ao redor, sobre o tapete grosso e fofo, vestindo somente minhas calças de algodão. Ele tinha acabado de escrever uma história sobre um cara que chega a Denver pela primeira vez. Seu nome é Phil. Seu companheiro de viagem é um sujeito calado e misterioso chamado Sam. Phil sai para curtir Denver e dá de cara com um bando de caras metidos a artistas. Retorna ao quarto de hotel. Diz lugubremente: "Sam, eles estão por aqui, também". E Sam está apenas olhando pela janela, com melancolia: "Sim", diz ele, "eu sei". A questão era que Sam não precisava sair à rua e olhar para saber disso. Caras metidos a artistas estavam espalhados por toda a América, sugando seu sangue. Major e eu éramos grandes amigos; ele me julgava a coisa mais distante possível de um cara metido a artista. Major adorava bons vinhos, exatamente como Hemingway. Ele relembrava sua recente viagem à França: "Ah, Sal, se você pudesse sentar comigo em frente a uma garrafa gelada de Poignon Dix-Neuf em pleno país basco, então você descobriria que existem outras coisas além de trens de carga".

"Eu sei disso. Mas o negócio é que eu amo trens de carga, adoro o som de seus nomes: Missouri Pacific, Great Northern, Rock Island Line. Por Deus, Major, se eu pudesse te contar tudo que aconteceu comigo vindo de carona até aqui."

Os Rawlins moravam uns quarteirões mais adiante. E eram uma família encantadora – a mãe relativamente jovem, proprietária de parte de um hotel decadente e mal-assombrado, com cinco filhos e duas filhas. O filho rebelde era Ray Rawlins, amigo de infância de Tim Gray. Ray veio me buscar estrepitosamente, e a simpatia foi mútua já ao primeiro olhar. Caímos fora e bebemos pelos bares de Colfax. Uma das irmãs de Ray era uma loira linda chamada Babe – tenista, gatinha surfista do Oeste. Era a garota de Tim Gray. E Major, que estava apenas passando por Denver e o fazendo em alto estilo naquele apartamento, estava saindo com Betty, a irmã de Tim Gray. Eu era o único cara sem uma garota. Perguntava a todo mundo: "Por onde anda Dean?". Eles me davam sorridentes respostas negativas.

Então, finalmente aconteceu. O telefone tocou, e era Carlo Marx. Deu o endereço de seu apartamento subterrâneo. Eu perguntei: "O que você está fazendo em Denver? Quer dizer, o que você está *fazendo*? O que está acontecendo?".

"Oh, espera só até eu te contar."

Voei ao encontro dele. Estava trabalhando à noite nas lojas de departamentos May; o louco do Ray Rawlins tinha ligado para lá, de um bar qualquer, fazendo os porteiros correrem atrás dele com a notícia de que alguém havia morrido. Carlo imediatamente pensou que quem tinha morrido era eu. Aí, Rawlins disse pelo telefone: "Sal tá em Denver", e deu meu endereço e o número do meu telefone.

"E Dean, onde é que está?"

"Deixa eu te contar: Dean está em Denver." E ele me disse que Dean estava transando com duas garotas ao mesmo tempo, eram elas Marylou, sua primeira esposa, que o aguardava num quarto de hotel, e Camille, uma nova gata, que ficava esperando por ele num outro quarto de hotel. "Entre uma e outra ele corre ao meu encontro para tratarmos dos negócios inacabados."

"E que negócios são esses?"

"Dean e eu embarcamos juntos numa viagem tremenda. Estamos tentando nos comunicar com absoluta honestidade, transmitindo com absoluta exatidão tudo que passa pelas nossas cabeças. Tivemos que tomar benzedrina. Sentamos na cama, com as pernas cruzadas, frente a frente. Finalmente expliquei a Dean que ele é capaz de fazer tudo o que quiser, tornar-se o prefeito de Denver, casar com uma milionária ou se transformar no maior poeta desde Rimbaud. Mas ele continua correndo pelas ruas pra curtir aquelas malucas corridas de autorama. Eu vou junto. Ele grita e pula, excitado. Você sabe, Sal, Dean é mesmo ligado nessas coisas." Marx então disse "Hmmm" para si mesmo e refletiu sobre aquilo.

"E qual é o programa?", perguntei. A vida de Dean era repleta de programas.

"O programa é o seguinte: eu saí do trabalho faz meia hora. Neste exato instante Dean tá comendo Marylou no hotel, o que me dá tempo pra me vestir e me arrumar. À uma em ponto, ele foge de Marylou e corre até Camille – claro que nenhuma das duas nem sequer imagina o que está acontecendo –, daí, dá uma trepada rápida com ela, o que me dá tempo pra chegar à uma e meia no nosso encontro. Então ele sai comigo – não sem antes ter que implorar para Camille, que já tá começando a me odiar – e a gente vem pra cá pra conversar até as seis horas da manhã. Geralmente ficamos até mais tarde, mas a coisa está se tornando terrivelmente complicada, e ele está pressionado pelo tempo. Daí, às seis da manhã, volta para os braços de Marylou – e amanhã ele vai passar o dia inteiro correndo em função dos papéis necessários pro divórcio deles. É só o que Marylou quer, mas enquanto a coisa não se concretiza, ela insiste em trepar. Ela diz que o ama – e Camille também."

Então Carlo me contou como Dean tinha conhecido Camille. Roy Johnson, o cara do bilhar, encontrou a garota num bar e a levou prum hotel; com o orgulho embaralhando suas ideias, decidiu convidar a turma toda para aparecer e conhecê-la. Sentaram-se todos ao redor, conversando com Camille. Dean não fez nada além de olhar pela janela. Então, quando todos estavam indo embora, Dean simplesmente olhou para Camille, apontou para o próprio pulso e fez "quatro" com os dedos (querendo dizer que estaria de volta às quatro horas) e se mandou. Às três, a porta estava trancada para Roy Johnson. Às quatro foi aberta para Dean. Eu estava louco para encontrar logo esse maluco. Além do mais, ele tinha prometido me deixar bem encaminhado, sacava todas as garotas de Denver.

Carlo e eu percorremos ruelas na noite de Denver. O ar estava tão agradável, as estrelas tão lindas e as promessas de cada beco pavimentado tão grandiosas, que eu pensava tratar-se de um sonho. Chegamos à pensão onde Dean estava dando uns amassos em Camille. Era um velho prédio de tijolos à vista, circundado por garagens de madeira e velhas árvores fincadas atrás das cercas. Subimos escadas acarpetadas. Carlo bateu na porta e então voou para se esconder, não queria que Camille o visse. Eu parei em frente à porta. Dean atendeu, nu em pelo. Vi uma morena sobre a cama e uma linda coxa lustrosa recoberta por uma lingerie de renda preta. Ela me olhou com serena perplexidade.

"Uau, Sa-a-al!", disse Dean. "Bem, agora – ah – humm – sim, é claro, quer dizer que você chegou – seu filho da puta, finalmente decidiu cair nesta velha estrada. Bem, agora; olha só – a gente tem que – sim, sim, imediatamente – nós devemos, nós realmente devemos... Oh, Camille." E ele se enroscou nela. "Aqui está Sal, meu velho companheiro de

Nova Yor-r-k, esta é a primeira noite dele em Denver e é absolutamente necessário que eu dê uma saída com ele e lhe arranje uma garota."

"Mas a que horas você vai voltar?"

"Agora é (olhando pro seu relógio), exatamente, uma e quatorze. Eu devo estar de volta exatamente às *três e quatorze* em ponto, para nossa hora 'd' de delírio conjunto, delírio verdadeiramente encantador, querida, e aí, como você sabe, como já te contei e a gente concordou, tenho que visitar aquele advogado pilantra e consultar ele a respeito daqueles papéis – justamente no meio da noite, por mais estranho que possa parecer conforme já te expliquei minuciosamente" (isso era uma desculpa para seu encontro com Carlo, que permanecia escondido). "Portanto, neste exato minuto, devo me vestir, enfiar as calças e cair na vida, quer dizer, na vida do mundo exterior, pelas ruas e o que mais acontecer. Como já estamos combinados, agora já é uma e quinze e o tempo está correndo, correndo."

"Tá legal, tudo bem, Dean, mas por favor volte às três."

"Exatamente como te garanti, querida, mas lembre-se que não é às três, mas três e quatorze. Estamos combinados na mais maravilhosa profundeza de nossas almas, querida?" E se jogou sobre ela, cobrindo-a de beijos várias vezes. Pendurado na parede havia um belo nu de Dean, com seu pau enorme e tudo – um desenho feito por Camille. Eu estava atônito. Tudo era tão louco.

Mergulhamos na noite; Carlo juntou-se a nós num beco e penetramos na mais estranha, estreita e tortuosa ruela urbana que jamais vi, profundamente encravada no coração do bairro mexicano de Denver. Falávamos aos berros na quietude adormecida. "Sal", disse Dean, "tenho a garota perfeita esperando por você neste exato instante – se é que ela já saiu do trabalho" (olhando pro seu relógio). "Uma garçonete, Rita Bettencourt, boa menina, meio encucada por conta de algumas dificuldades sexuais que tentei consertar, mas acho que você saberá dar um jeito, seu grande filho da puta. Portanto, vamos logo pra lá. Vamos levar umas cervejas. Não, elas devem ter algumas lá, e porra!", disse ele, socando a palma da mão. "Fiquei de comer Mary, a irmã dela, hoje à noite."

"O quê?", disse Carlo. "Pensei que a gente ia conversar."

"Vamos, vamos, mais tarde."

"Oh, essa depressão de Denver", suspirou Carlo aos céus.

"Ele não é o ca-ra mais puro e singelo do mundo?", disse Dean me esmurrando nas costelas. "Olha pra ele. *Olha só* pra ele." E Carlo reiniciou sua dança desengonçada pelas ruas da vida, como eu já o tinha visto fazer tantas vezes por todos os cantos de Nova York.

E tudo o que pude dizer foi: "Afinal de contas, o que é que a gente tá fazendo em Denver?"

"Amanhã, Sal, sei exatamente onde conseguir trabalho pra você", disse Dean, mudando para um tom mais responsável. "Por isso, vou te ligar assim que Marylou me der uma folga, cruzar por aquele apartamento de vocês, dar um alô pro Major e te levar num trólebus (merda, não tenho carro) até os mercados de Camargo, onde você começará a trabalhar direto e, já na sexta-feira, receberá o cheque de pagamento. Nós estamos totalmente duros; faz semanas que não tenho tempo para trabalhar. Mas na noite de sexta-feira, sem dúvida alguma, nós três – o velho trio Carlo, Dean e Sal – vamos curtir as corridas de autorama e, para isso, posso conseguir carona com um cara que conheço e que mora no centro..." e mais e mais noite adentro.

Chegamos à casa onde as irmãs garçonetes moravam. A que me cabia ainda estava trabalhando. A irmã que Dean queria estava lá. Sentamos no sofá dela. Eu tinha ficado de telefonar para Ray Rawlins por volta daquela hora. Liguei. Ele veio num instante. Chegando à porta, tirou a camisa e a camiseta e começou a abraçar Mary Bettencourt, que nunca tinha visto antes. Garrafas rolavam pelo chão. De repente, eram três horas da manhã. Dean saiu voando pros seus momentos de delírio junto a Camille. Voltou a tempo. A outra irmã apareceu. Agora realmente precisávamos de um carro; e já estávamos fazendo barulho demais. Ray Rawlins telefonou prum amigo que tinha carro. Ele veio. Nós nos amontoamos na barca; Carlo tentava conduzir sua conversação programada com Dean no banco de trás. Mas tudo era confuso demais. "Vamos todos pro meu apartamento", gritei. E fomos. No instante em que o carro estacionou ali na frente, saltei fora e plantei uma bananeira. Todas as minhas chaves caíram, jamais voltei a encontrá-las. Corremos aos gritos para dentro do prédio. Vestido em seu robe de seda, Roland Major lá estava parado na porta, barrando nossa entrada.

"Não vou permitir festinhas desse tipo no apartamento de Tim Gray!"

"O quê?", gritamos todos. Houve confusão. Rawlins rolava pela grama com uma das garçonetes. Major não iria nos deixar entrar mesmo. Prometemos telefonar para Tim Gray, para confirmar a festa e convidá-lo também. Mas em vez disso corremos de volta pros botecos do centro de Denver. De repente, me vi sozinho na rua, sem dinheiro nenhum. Meu último dólar se fora.

Caminhei oito quilômetros pela Colfax até minha confortável cama no apartamento. Major teve de me deixar entrar. Eu me perguntava se, neste instante, Carlo e Dean estariam dialogando, de coração a coração. Mais tarde eu teria a resposta. As noites de Denver são amenas, dormi feito uma pedra.

8

E aí todo mundo começou a planejar uma fantástica caminhada pelas montanhas. A coisa teve início de manhã, junto com um telefonema que confundiu tudo – meu velho companheiro da estrada, Eddie, deu um tiro no escuro e resolveu me telefonar; ele se lembrava de alguns nomes que eu tinha mencionado. Finalmente teria oportunidade de recuperar minha camisa. Eddie estava com sua garota, numa casa longe da Colfax. Ele queria saber se eu sabia onde ele podia arranjar trabalho, e eu lhe disse para aparecer, deduzindo que Dean saberia. Dean chegou, afobado, enquanto Major e eu tomávamos um desjejum rápido. Ele não queria nem sentar. "Tenho mil coisas para fazer, na verdade mal tenho tempo de te levar pra Camargo, mas vamos lá, homem."

"Vamos esperar Eddie, meu amigo da estrada."

Major se divertia com a nossa apressada atribulação. Ele tinha vindo a Denver para escrever descansadamente. Tratava Dean com profundo respeito. Dean nem ligava. Major falava assim com Dean: "Moriarty, que história é essa que escutei, que você anda dormindo com três garotas ao mesmo tempo?" Dean se ajeitou no tapete e disse: "É, é isso mesmo" e consultou seu relógio enquanto Major fungava. Eu me sentia envergonhado por estar saindo com Dean assim tão apressadamente. Major insistia em julgá-lo um estúpido mentecapto. Evidentemente ele não era, e eu queria dar um jeito de provar isso a todo mundo.

Encontramos Eddie. Dean também não prestou atenção nele, e lá fomos nós de trólebus em pleno meio-dia calorento de Denver, procurando trabalho. Eu estava odiando a ideia. Eddie falava e falava, como sempre. Encontramos um sujeito no mercado que concordou em contratar nós dois, o trabalho começava às quatro da manhã e se prolongava até as seis da tarde. O homem disse: "Gosto de rapazes que gostam de trabalhar".

"Você acaba de encontrar o homem certo", garantiu Eddie, mas eu já não estava tão seguro quanto a mim. "Simplesmente não dormirei nunca", decidi. Havia tantas outras coisas interessantes para fazer.

Eddie apareceu na manhã seguinte, eu não. Afinal, eu tinha uma cama e Major recheara de comida a geladeira, e em troca dela eu cozinhava e lavava os pratos. A estas alturas, já estava envolvido em tudo. Uma noite aconteceu uma festança na casa dos Rawlins. A mãe deles estava viajando. Ray Rawlins convidou todo mundo que conhecia, avisando para que trouxessem uísque; em seguida correu sua agenda atrás dos números das garotas, me obrigando a fazer a maior parte das chamadas; um bando inteiro de garotas apareceu. Liguei para Carlo para saber o que Dean estava fazendo. Dean iria às três da manhã para a casa de Carlo. Depois da festa, fui para lá.

O apartamento subterrâneo de Carlo ficava na rua Grand, numa velha pensão com tijolos à vista, próxima a uma igreja. Você se mete num beco, desce uns degraus de pedra, abre uma tosca porta de madeira e penetra numa espécie de porão até chegar à porta de madeira compensada dele. Parecia o quarto de um santo russo: a vela ardendo, a cama, paredes de pedras úmidas e uma espécie de ícone maluco que ele próprio havia feito. Ele recitou um de seus poemas para mim. Chamava-se "A depressão de Denver". Certa manhã Carlo acordou e escutou "pombos vulgares" grasnando do lado de fora de seu cubículo, viu "tristes rouxinóis" encurvando os galhos, que lhe fizeram lembrar a mãe. Um manto cinzento caiu sobre a cidade. As montanhas, as magníficas Rochosas, que podiam ser vistas a oeste de qualquer lugar da cidade, eram feitas de *papier-mâché*. O universo inteiro estava demente, absurdo e extremamente estranho. Ele descrevia Dean como "o menino do arco-íris" perturbado e atormentado em sua agonizante loucura. Referia-se a ele como o "Eddie Édipo", "forçado a raspar chicletes das vidraças". Ele matutava em seu porão debruçado sobre o enorme diário no qual registrava tudo o que acontecia – tudo que Dean fazia e dizia.

Dean apareceu na hora marcada. "Tudo certo", anunciou. "Vou me divorciar de Marylou, casar com Camille e viver com ela em São Francisco. Mas apenas depois que você e eu, querido Carlo, formos ao Texas dar uma sacada no velho gatuno Old Bull Lee, que jamais encontrei, mas de quem vocês dois já me falaram tanto... Só então irei pra San Fran."

Aí eles iniciaram a coisa deles. Sentaram sobre a cama com as pernas cruzadas e olharam firme um para o outro. Eu me joguei numa cadeira próxima e observei a cena inteira. Começaram com um pensamento abstrato, discutiram sobre ele; recordaram-se de alguma outra ideia abstrata que havia sido esquecida no decorrer dos acontecimentos; Dean se desculpou, mas prometeu que poderia relembrar a cena, até com gravuras, se preciso.

Carlo disse: "E justamente quando passávamos por Wazee, eu queria te dizer o que tinha achado a respeito do teu acesso de loucura por causa do autorama e nesse exato instante, lembra, você apontou para aquele velho vagabundo com as calças frouxas e disse que ele era igual a seu pai?".

"Sim, sim, claro que me lembro; e não só isso, mas também que aquilo foi o começo de uma tremenda viagem minha, algo realmente muito louco, que eu precisava te contar, e havia esquecido, mas agora você acaba de me relembrar..." e duas novas questões haviam nascido. Eles as analisaram com atenção. Então Carlo perguntou se Dean estava sendo honesto, mais especificamente se ele estava sendo honesto *consigo* mesmo, no fundo de sua alma.

"Por que você levantou essa questão outra vez?"

"Este é o último detalhe que quero saber..."

"Mas você está escutando, caro Sal? Você que está sentado aí. Vamos perguntar ao Sal. Que será que ele tem a dizer?"

E eu disse: "Esse último detalhe é inatingível, Carlo. Ninguém jamais consegue atingir esse último detalhe. Mas continuamos vivendo na esperança de alcançá-lo de uma vez por todas".

"Não, não, não. Você está dizendo uma bobagem completa, ideias românticas e refinadas de Wolfe", contestou Carlo.

E Dean disse: "De forma alguma foi isso que eu quis dizer. Mas vamos deixar Sal ter suas próprias ideias. E, na verdade, você não acha, Carlo, há uma certa dignidade na maneira com que ele está sentado ali, apenas nos curtindo, esse maluco cruzou o país inteiro – o velho Sal não quer falar, não vai dizer nada".

"Não é que eu não vá falar", protestei. "Simplesmente não sei o que vocês estão pretendendo e onde querem chegar. Só sei que isso é demais pra qualquer cabeça."

"Você só diz coisas pessimistas."

"Então o que vocês estão querendo fazer?"

"Diga pra ele."

"Não, diga você."

"Não há nada a ser dito", eu disse e ri. Estava com o chapéu de Carlo. Puxei-o sobre meus olhos. "Quero dormir", falei.

"Pobre Sal, sempre quer dormir." Me mantive calado. Eles recomeçaram. "Quando você me pediu emprestado aquele troco pra completar a conta daquela galinha assada..."

"Não, cara, foi pro *chili*. O Texas Star, lembra?"

"Eu estava confundindo com a terça-feira. Quando você me pediu emprestado aquele dinheiro, você disse, escute bem, você disse 'Carlo, esta é a última vez que me aproveitarei de você', como se quisesse insinuar que eu tinha concordado que já era hora de parar com esse abuso."

"Não, não, não, não quis dizer nada disso – agora escute aqui, meu caro amigo, vamos rememorar tudo, se é que você consegue, voltando até aquela noite em que Marylou estava chorando lá no quarto e quando, ao me virar pra você, revelando meu ar de sinceridade postiça, que sabíamos ser fingido, mas que tinha suas razões, quer dizer, através desta representação, eu demonstrei que... mas peraí, não é nada disso."

"Claro que não é nada disso. Acontece que você esqueceu. Mas vou parar de te acusar. Sim, isso é o que eu tenho a dizer..." E mais e mais noite afora prosseguiram falando desse jeito. Na aurora, eu os espiei. Estavam tentando elucidar o último assunto da manhã. "Quando eu te disse que tinha que dormir *por causa* da Marylou, quer dizer, porque precisava estar com ela às dez da manhã, não usei nenhum tom de voz ditatorial pra contestar teus argumentos a respeito da inutilidade de dormir mas apenas, *unicamente,* veja bem, pelo mero fato de que simplesmente, sem sombra de dúvida, absoluta e incontestavelmente, tenho que dormir agora, e é o seguinte: meus olhos estão se fechando, estão vermelhos, doídos, cansados, gastos."

"Oh, menino", suspirou Carlo.

"Temos mais é que ir dormir agora mesmo. Vamos desligar a máquina."

"É impossível desligar a máquina", gritou Carlo, com o tom de voz mais alto possível. Os primeiros pássaros cantarolavam.

"Agora, quando eu levantar minha mão", disse Dean, "nós vamos parar de falar, já que, sem dúvida alguma, compreendemos que estamos simplesmente parando de falar para simplesmente irmos dormir".

"Você não pode parar a máquina assim."

"Parem as máquinas", eu disse. Eles olharam para mim.

"Ele estava acordado o tempo inteiro, escutando tudo. Que é que você estava pensando disso tudo, Sal?" Respondi que, pra mim, eles eram uma dupla de maníacos extraordinários, e que tinha passado a noite inteira os escutando como um sujeito que observa o mecanismo de um relógio que, embora esteja no topo do Berthoud Pass, é constituído de peças tão minúsculas quanto as do relógio mais delicado do mundo. Eles sorriram. Apontei meu dedo para eles e alertei: "Se vocês continuarem assim, vão acabar pirando. Mas enquanto continuarem, me mantenham a par de tudo."

Caí fora e peguei um trólebus até meu apartamento, e as montanhas de *papier-mâché* de Carlo Marx tornavam-se cada vez mais rubras à medida que o sol nascia, enorme, nas planícies do Leste.

9

Ao entardecer eu estava envolvido naquela caminhada pelas montanhas e, por cinco dias, não vi Dean e Carlo. Babe Rawlins podia usar o carro do seu patrão durante os fins de semana. Levamos paletós, que penduramos ao lado da janela do carro, e nos largamos para Central City. Ray Rawlins dirigindo, Tim Gray estirado lá atrás, Babe na frente. Foi a minha primeira visão do interior das Rochosas. Central City é uma velha cidade mineira que já fora chamada de a Mais Rica Milha Quadrada do Mundo, o lugar onde uma verdadeira montanha de prata havia sido descoberta pelos velhos e ávidos garimpeiros que percorriam as colinas. Eles enriqueceram da noite para o dia e construíram um lindo teatro lírico entre os barracos erguidos num declive escarpado. Lillian Russell tinha vindo aqui, e as estrelas da ópera europeia também. Desde então Central City tornara-se uma cidade-fantasma, até que os caras da Câmara de Comércio, esses sujeitos enérgicos do novo Oeste, decidiram reviver o lugar. Reformaram o teatro, e todas as estrelas de verão do Metropolitan vieram se apresentar aqui. Foram férias inesquecíveis para todo mundo. Vinham turistas de todos os lugares, até mesmo estrelas de Hollywood. Rodamos montanha acima e encontramos as ruas estreitas repletas de turistas pedantes. Lembrei de Sam, o personagem de Major, e Major tinha razão. O próprio Major estava lá lançando seu vasto sorriso social para todos, murmurando sinceros "ohs" e "ahs" para tudo. "Sal", gritou ele me agarrando pelo braço, "olha só esta velha cidade. Imagina como ela era há uns cem – que nada, apenas há uns oitenta, sessenta anos; havia até uma ópera aqui!"

"*Yeah*", disse eu, imitando um de seus personagens, "mas *eles* estavam aqui."

"Os calhordas", blasfemou. Mas ele logo caiu fora em busca de alguma curtição, com Betty Gray a tiracolo.

Babe Rawlins era uma loira arrojada. Conhecia um velho barraco de mineiro nos arredores da cidade, onde nós, os rapazes, poderíamos dormir durante o fim de semana; tudo o que tínhamos de fazer era limpá-lo. Poderíamos também promover festanças enormes lá. Era uma espécie de velha cabana recoberta por uns três centímetros de poeira por dentro; tinha varanda e um poço nos fundos. Tim Gray e Ray Rawlins arregaçaram as mangas e puseram mãos à obra, um trabalho de peso que lhes tomou a tarde inteira e ainda parte da noite. Mas eles tinham um engradado de cerveja e estava tudo bem.

Quanto a mim, estava convidado para ir à ópera aquela tarde, de braço dado com Babe. Vesti o terno de Tim. Apenas alguns dias atrás eu chegara a Denver como um vagabundo; agora estava impecavelmente trajado, levando uma loira linda e elegante pelo braço, cumprimentando autoridades e conversando, sob candelabros, no saguão. Imaginei o que Mississippi Gene diria, se pudesse me ver.

A ópera era *Fidélio*. "Que desânimo", bradou o barítono erguendo-se de uma masmorra sob os gemidos de uma pedra. Vibrei com aquilo. Era justamente assim que eu via a vida. Estava tão interessado na ópera que por instantes esqueci as circunstâncias de minha doida vida, me perdendo na lúgubre e fantástica sonoridade de Beethoven e na preciosa coloração de Rembrandt que se desprendia de seu enredo.

"Bem, Sal, o que você achou da montagem deste ano?" Denver D. Doll me perguntou na rua, orgulhosamente. Ele era filiado à associação de ópera.

"Que desânimo, que desânimo!", disse eu. "Verdadeiramente extraordinário."

"Agora o próximo passo é conhecer os integrantes do elenco", prosseguiu ele com sua entonação oficial, mas no decorrer dos acontecimentos, felizmente, se esqueceu disso, e sumiu.

Babe e eu retornamos ao barraco. Tirei aqueles panos e fui me juntar aos rapazes na limpeza. Era um trabalho enorme. Roland Major sentou no centro da sala da frente, que já estava limpa, recusando-se a nos ajudar. Na mesinha à sua frente, estava uma garrafa de cerveja e seu copo. Enquanto dávamos duro com baldes d'água e vassouras, ele rememorava. "Ah, se ao menos algum dia você pudesse me acompanhar e beber um Cinzano ouvindo os músicos de Bandol, então realmente iria viver. E há ainda os verões da Normandia, os tamancos, o velho e delicioso Calvados. Vamos lá, Sam", sussurrava a um companheiro invisível. "Tire o vinho do gelo e veja se ficou fresco o suficiente enquanto estivemos pescando." Influência direta de Hemingway, é o que era.

Chamávamos as garotas que cruzavam pela rua. "Vamos lá, nos ajudem a limpar este troço. Estão todas convidadas pra nossa festa hoje à noite." Elas aderiam à causa. Repentinamente havia uma verdadeira multidão trabalhando para nós. Por fim, os cantores do coro da ópera, garotos, a maioria, apareceram e puseram mãos à obra. O sol se pôs.

Findo nosso dia de trabalho, Tim, Rawlins e eu decidimos nos arrumar para a grande noite. Cruzamos a cidade até a pensão onde as estrelas da ópera estavam hospedadas. Podíamos ouvir através da noite o início da performance noturna. "Beleza", disse Rawlins. "Agarrem umas toalhas e barbeadores e vamos nos arrumar um pouco." Pegamos também escovas de cabelo, perfumes, loções de barba e entramos carregados no banheiro. Tomamos banho cantarolando. "Não é incrível?", seguia dizendo Tim Gray. "Usar o banheiro, as toalhas, as loções de barba e os barbeadores elétricos das estrelas da ópera?"

Era uma noite magnífica. Central City fica a três mil metros de altura; primeiro você fica embriagado pela altitude, depois cansa, e então a agitação toma conta de sua alma. Nós nos aproximamos das luzes ao redor do teatro por uma rua escura e estreita, e então demos uma brusca guinada à esquerda e chegamos aos velhos *saloons* com suas portas balançantes. A maior parte dos turistas estava na ópera. Demos a largada com algumas cervejas extragrandes. Havia até um pianista. Da porta de serviço descortinava-se uma linda vista das escarpas montanhosas ao luar. Soltei um urro. A noite tinha começado.

Corremos de volta para o nosso barraco de mineiro. Tudo estava sendo preparado para a grande festa. As garotas, Babe e

Betty, prepararam um aperitivo, feijão e salsichas frankfurt, e aí nós dançamos e mergulhamos na cerveja com fervor. Finda a ópera, multidões de garotas amontoaram-se no nosso ponto. Rawlins, Tim e eu lambemos os beiços. Nós as abraçávamos e dançávamos. Não havia música, apenas dança. O lugar lotou inteiramente. As pessoas começaram a trazer garrafas. Caíamos fora para curtir os bares e voltávamos voando. A noite estava se tornando mais e mais desvairada. Desejava que Dean e Carlo estivessem ali – aí percebi que estariam deslocados e infelizes. Eles eram exatamente como o homem melancólico da pedra que geme na masmorra, erguendo-se dos subterrâneos, os sórdidos *hipsters* da América, uma inovadora geração *beat*, com a qual eu estava me ligando lentamente.

Os garotos do coro apareceram. Começaram a cantar "Sweet Adeline". Cantavam também frases como "Me passe a cerveja" e "O que você está fazendo com essa cara amarrada?" e estupendos, longos e graves uivos de "Fi-dé-lio". "Oh, Deus, que desânimo", cantarolei. As garotas eram demais. Elas saíam para o pátio e se roçavam com a gente. Havia camas nos demais quartos, os que permaneciam sujos e empoeirados. Eu estava sentado num deles com uma garota e conversava com ela quando, subitamente, houve uma grande invasão dos jovens que trabalhavam de lanterninhas no teatro, eles se agarravam nas garotas e as beijavam sem as preliminares adequadas. Adolescentes, bêbados, cabelos revoltos, excitados – arruinaram nossa festa. Em cinco minutos toda e qualquer garota se fora, uma notável festa de confraternização devastada por ruídos das garrafas de cerveja rolando e berros.

Ray, Tim e eu decidimos correr os bares. Major tinha se mandado, Babe e Betty haviam caído fora. Cambaleamos pela noite. A multidão dos espectadores do teatro se acumulava nos bares, lotados até o teto. Major gritava acima das cabeças. Denver D. Doll, impaciente, de óculos, apertava todas as mãos, dizendo: "Boa tarde, como vai você?". Quando a meia-noite chegou, ele ainda dizia: "Boa tarde, como vai?". Em determinado momento, o vi saindo com uma autoridade.

Em seguida, retornou em companhia de uma mulher de meia-idade; no minuto seguinte estava conversando com uma dupla de lanterninhas, no meio da rua. Um minuto depois já estava apertando minha mão sem me reconhecer, dizendo: "Feliz Ano-Novo, meu garoto". Ele não estava bêbado de álcool, apenas embriagado daquilo que realmente gostava: multidões fervilhantes. Todos o conheciam. "Feliz Ano-Novo", anunciava, e às vezes "Feliz Natal". Disse isso a noite inteira. No Natal, ele desejava Feliz Páscoa.

No bar havia um tenor respeitadíssimo; Denver D. Doll tinha insistido para que eu o conhecesse, o que eu estava tentando evitar; seu nome era D'Annunzio ou coisa parecida. A esposa estava com ele. Sentaram à mesa, carrancudos. No bar havia também uma espécie de turista argentino. Rawlins deu um encontrão nele para pegar lugar. Ele se virou e rosnou. Rawlins me estendeu seu copo e, com um único soco, o derrubou sobre o corrimão de bronze. O homem apagou por uns instantes. Houve gritos. Tim e eu escoltamos Rawlins para a rua. A confusão era tamanha que o xerife não pôde nem mesmo abrir caminho através da multidão para encontrar a vítima. Ninguém podia identificar Rawlins. Fomos para outros bares. Major, cambaleante, subiu por uma rua escura. "Que porra, qual é o problema? Alguma briga? É só me chamar." Gargalhadas retumbavam vindas de todos os lados. Eu me perguntava o que o Espírito das Montanhas estaria pensando, e olhei para cima e vi pinheiros ao luar, fantasmas de velhos mineiros, e fiquei assombrado. Em todo o sombrio lado leste da cordilheira reinava o silêncio e o sussurro do vento, exceto na ravina onde berrávamos; do outro lado da cordilheira estava o grande talude ocidental e o imenso platô que se prolongava até Steamboat Springs, baixando depois em direção ao deserto do leste do Colorado e para o deserto de Utah; tudo agora envolto pela escuridão, enquanto gritávamos e enlouquecíamos em nosso retiro montanhoso, americanos loucos e bêbados numa terra majestosa. Estávamos no teto da América e tudo o que podíamos fazer era gritar, acho eu – através da noite, em direção ao leste, sobre as planícies onde provavelmente, em algum lugar, um velho de cabelos brancos estava caminhando com o Verbo em nossa direção e chegaria a qualquer momento e nos faria calar.

Rawlins insistiu em retornar ao bar onde havia brigado. Tim e eu não gostamos da ideia, mas nos grudamos nele. Ele se dirigiu a D'Annunzio, o tenor, e jogou um copo de uísque com gelo na cara dele. Nós o arrastamos para fora. Um barítono do coro juntou-se a nós e fomos prum botequim no centro de Central City. Aqui, Ray chamou a garçonete de piranha. Um grupo de homens mal-encarados circulava pelo bar; eles odiavam turistas. Um deles disse: "É melhor vocês darem o fora daqui antes que eu conte até dez". A gente deu. Cambaleamos de volta para o barraco e fomos dormir.

Pela manhã acordei e me virei na cama; uma enorme nuvem de poeira desprendeu-se do colchão. Eu me espreguicei na janela; tudo estava em desordem. Tim Gray também estava na cama. Espirramos e tossimos. Nosso café da manhã consistiu em cerveja choca. Babe voltou de seu hotel e arrumamos nossas coisas para partir.

Tudo parecia estar em colapso. Quando nos dirigíamos para o carro, Babe escorregou e caiu de cara no chão. Pobre garota, estava fatigada. Seu irmão, Tim e eu a ajudamos. Entramos no carro; Major e Betty juntaram-se a nós. Começou a triste viagem de volta a Denver.

Subitamente, baixamos da montanha e vislumbramos o extenso mar das planícies de Denver, quente como um forno. Começamos a cantar. Eu estava inquieto para me mandar para São Francisco.

10

Naquela noite encontrei Carlo e para meu espanto ele contou que tinha estado em Central City com Dean.

"O que vocês fizeram lá?"

"Oh, a gente curtiu os bares e aí Dean roubou um carro e a gente despencou serra abaixo, fazendo as curvas a uns 150 quilômetros por hora."

"Não vi vocês lá."

"A gente não sabia que você estava lá."

"Bem, cara, estou indo pra São Francisco."

"Dean preparou Rita pra você esta noite."

"Bom, se é assim, abro mão de tudo." Eu não tinha nem um tostão. Mandei uma carta via aérea para minha tia pedindo uns cinquenta dólares e garantindo que esta seria a última grana que iria pedir, a partir de agora, e tão logo eu pegasse aquele barco, ela começaria a receber dinheiro meu.

Então fui encontrar com Rita Bettencourt e a levei outra vez ao apartamento. Depois de uma longa conversa na escuridão da sala de estar, consegui levá-la pro meu quarto. Era uma garota legal, simples e sincera, só que terrivelmente grilada com sexo. Disse a ela que sexo era bonito. E queria lhe provar isso. Ela me deu chance de provar, mas fui impaciente demais e acabei não provando nada. Ela suspirava no escuro. "O que você espera da vida?", perguntei, eu vivia perguntando isso às garotas.

"Não sei", respondeu. "Apenas servir as mesas e esperar que tudo dê certo." Ela bocejou. Pus minha mão em sua boca e lhe disse que não bocejasse. Tentei explicar a ela o quão excitado eu estava pela vida e as coisas que poderíamos fazer juntos; dizendo isso, e pensando em deixar Denver dentro de dois dias. Ela se virou, entediada. Ficamos deitados de costas, olhando para o forro e refletindo sobre o que Deus deveria estar pensando quando fez a vida ser tão triste assim. Planejamos vagamente um encontro em Frisco.

Meus momentos em Denver estavam chegando ao fim, pude sentir isso quando a acompanhava a pé até a sua casa; na volta estiquei-me na grama em frente a uma velha igreja junto a uns vagabundos e a conversa deles me fez desejar voltar à estrada. De vez em quando um deles se levantava e abordava um transeunte para pedir um troco. Falavam a respeito das colheitas que estavam se deslocando para o Norte. O papo era caloroso e gentil. Fiquei com vontade de ver Rita novamente e lhe dizer uma porção de coisas, e realmente fazer amor desta vez, e tranquilizar seus temores em relação aos homens. Garotas e rapazes da América têm curtido momentos realmente tristes quando estão juntos; a artificialidade os força a se submeterem imediatamente ao sexo, sem os devidos diálogos preliminares. Não me refiro a galanteios – mas sim um profundo diálogo de almas, porque a vida é sagrada e cada momento é precioso. Ouvi os sons da locomotiva de Denver e Rio Grande uivando no rumo das montanhas. Quis seguir ainda mais longe atrás de minha estrela.

Major e eu sentamos melancólicos conversando madrugada adentro. "Você já leu *As Verdes Colinas da África*? É o melhor de Hemingway." Desejamos sorte um ao outro. Nos encontraríamos em Frisco. Vi Rawlins sob uma árvore sombria na calçada: "Tchau, Ray. Quando é que a gente se vê de novo?" Fui procurar Carlo e Dean – não consegui encontrá-los em lugar nenhum. Tim Gray jogou as mãos para o céu e disse: "Quer dizer que você tá caindo fora, Yo". A gente se chamava de Yo. "É", disse eu. Vadiei por Denver durante os dias que se seguiram. Para mim, era como se cada vagabundo da rua Larimer fosse o pai de Dean Moriarty; o velho Dean Moriarty, o Funileiro. Fui ao hotel Windsor, onde pai e filho tinham morado e onde, certa noite, Dean fora terrivelmente despertado pelo aleijado sem pernas do carrinho com rodas, que dividia o quarto com eles. Ele veio deslizando flamante sobre o chão, em cima de suas rodas horrorosas, para tentar tocar o garoto. Vi a anã que vendia jornal na esquina da Curtis com a 15ª. Perambulei pelos cabarés deprimentes da rua Curtis; garotos em jeans e camisas vermelhas; cascas de amendoim, marquises de cinema, estandes de tiro ao alvo. Além das cintilâncias da rua estava a escuridão, e para além da escuridão, o Oeste. Eu tinha de ir.

Ao amanhecer, encontrei Carlo. Li partes de seu vasto diário, dormi lá e na manhã cinzenta e chuvosa, o alto, quase dois metros, Ed Dunkel apareceu com Roy Johnson, um garoto bonitão, e Tom Snark, o craque manco do bilhar. Eles se sentaram por ali e com sorrisos desconcertados escutaram Carlo Marx ler sua louca poesia apocalíptica. Eu me afundei na cadeira, acabado. "Oh, sim, os pássaros de Denver", bradou Carlo. Saímos em fila e fomos até um daqueles típicos becos sem saída de Denver, entre incineradores fumegando lentamente. "Eu brincava de rolar argola bem aqui neste beco", me dissera Chad. Queria tê-lo visto fazer isso; queria ter conhecido Denver dez anos antes, quando todos eles eram crianças cheias de promessas, rolando suas argolas em becos ruidosos numa ensolarada manhã primaveril com as cerejeiras das Rochosas em flor – a turma inteira. E Dean, sujo e esfarrapado, vagando solitário num transe absorto.

Roy Johnson e eu caminhamos na garoa; fui à casa da namorada de Eddie recuperar minha camisa de flanela xadrez, aquela de Shelton, Nebraska. Ela estava lá, toda abotoada, toda a imensa tristeza de uma camisa. Roy Johnson disse que iria me encontrar em Frisco. Todos estavam indo para Frisco. Descobri que meu dinheiro tinha chegado. O sol apareceu e Tim Gray pegou um trólebus comigo até a rodoviária. Comprei uma passagem para San Fran, gastando metade dos cinquenta, e embarquei às duas da tarde. Tim Gray me acenava enquanto o ônibus rodava, deixando para trás as lendárias e animadas ruas de Denver. "Meu Deus, terei de voltar um dia para ver o que ainda tem pra acontecer!", prometi. Num telefonema de último instante Dean me disse que ele e Carlo talvez se juntassem a mim na Costa; pensei a respeito e concluí que durante a passagem por Denver não tinha conversado com Dean mais que cinco minutos.

11

Eu estava duas semanas atrasado ao encontro com Remi Boncoeur. A viagem de ônibus de Denver a Frisco foi monótona, a não ser por minha alma cada vez mais irrequieta à medida que nos aproximávamos de Frisco. Cheyenne de novo, desta vez ao entardecer, e aí para o Oeste por cima da serra; cruzando a cordilheira à meia-noite em Creston, chegando a Salt Lake City na aurora – uma cidade cheia de borrifadores nos jardins, o lugar menos provável para Dean ter nascido; daí para Nevada sob o sol escaldante, Reno ao cair da noite, suas reluzentes ruas chinesas; e então por sobre a Sierra Nevada, pinheiros, estrelas, albergues nas montanhas sugerindo romances em Frisco – uma garotinha no banco de trás perguntando para a mãe com a voz chorosa: "Mamãe, quando chegaremos em casa, lá em Truckee?". E então Truckee mesmo, a familiar Truckee, e aí baixando as montanhas em direção às planícies de Sacramento. De repente, percebi que estava na Califórnia. Ar cálido e próspero soprando entre as palmeiras – ar que se pode beijar – e as palmeiras, elas mesmas. E então, ao longo do célebre rio Sacramento por uma superfreeway até as montanhas outra vez; para cima e para baixo e, subitamente, a vasta amplitude da baía (era justamente antes do amanhecer) com as sonolentas luzes de Frisco tremeluzindo em suas águas. Sobre a ponte da baía de Oakland dormi profundamente pela primeira vez desde Denver; sacudido rudemente na estação rodoviária da esquina da Market com a Quarta, fui jogado na lembrança de estar a cinco mil e duzentos quilômetros da casa de minha tia em Paterson, Nova Jersey. Vaguei como um fantasma desbotado e ali estava ela, Frisco – longas e desoladas ruas com os fios do trólebus envoltos por completo na névoa pálida. Perambulei alguns quarteirões. Vagabundos esquisitos (esquina da Mission com a Terceira) me pediram moedas ao amanhecer. Ouvi música vindo de algum lugar. "Malandro, vou curtir tudo isso mais tarde. Mas agora preciso encontrar Remi Boncoeur."

　　Mill City, onde Remi vivia, era um conjunto de barracos num vale, barracos que faziam parte de um projeto de habitação para trabalhadores de um estaleiro naval construído durante a guerra; ficava num cânion e num cânion profundo, abundantemente arborizado por todas as encostas. Havia lojas e barbearias e alfaiatarias para os moradores do conjunto. Era, pelo menos é isso o que eles diziam, a única comunidade na América onde brancos e negros viviam juntos voluntariamente; e era assim mesmo, lugar tão louco e festivo como aquele jamais voltei a ver. Na porta da cabana de Remi estava a nota que ele havia pendurado ali fazia três semanas:

"Sal Paradise! (em letras enormes, impressas) Se não houver ninguém em casa, entre pela janela.

Assinado, Remi Boncoeur".

A esta altura, a nota estava cinzenta e desgastada pelo tempo.

Pulei a janela e ali estava ele, dormindo com sua garota, Lee Ann – numa cama que roubara de um navio mercante, conforme me contou mais tarde; imagine o engenheiro de bordo de um navio mercante saindo sorrateiramente no meio da noite, pela amurada, com uma cama, sobrecarregado e se esforçando nos remos até atingir a praia. Isso é pouco para definir Remi Boncoeur.

A razão pela qual vou contar tudo o que se passou em San Fran é porque essas coisas se relacionam com todo o resto que aconteceu até o fim da linha. Remi Boncoeur e eu nos conhecemos na faculdade há muitos anos; mas a coisa que realmente nos ligou foi minha ex-mulher. Remi a encontrou antes. Ele foi ao meu quarto no dormitório certa noite e disse: "Paradise, levanta, o velho maestro veio te ver". Eu me levantei e deixei cair umas moedas no chão enquanto vestia minha calça. Eram quatro da tarde; eu dormia o tempo todo na faculdade. "Tá legal, tá legal, não espalha todo teu ouro por aí. Encontrei a garota mais encantadora do mundo e vou ao Covil do Leão com ela hoje à noite." E ele me arrastou para conhecê-la. Uma semana mais tarde ela estava comigo. Remi era um francês elegante, alto e moreno (parecia uma espécie de comerciante do mercado negro de Marselha dos anos 20); como era francês, falava com sotaque de jazz americano; seu inglês era perfeito, seu francês era perfeito. Ele gostava de se vestir elegantemente, com tendências ao estilo universitário, e sair com loiras extravagantes e gastar um monte de grana. Não que ele nunca tenha me culpado por ter ficado com sua garota; era apenas um fato que sempre nos uniu; esse cara sempre foi leal a mim e sempre me demonstrou carinho, só Deus sabe por quê.

Quando o encontrei em Mill City naquela manhã ele tinha entrado naquela fase ruim e desgastante que sempre rola para a rapaziada por volta dos vinte e poucos anos. Ele estava matando tempo à espera de um navio e, para levantar uma grana, tinha um emprego como guarda especial dos barracos espalhados pelo cânion. Sua garota Lee Ann era desbocada e o repreendia diariamente. Eles passavam a semana inteira economizando cada tostão e aos sábados saíam para gastar cinquenta dólares em três horas. Remi andava de cuecas pelo barraco, com um louco boné do Exército na cabeça. Lee Ann usava rolos no cabelo. Trajados assim, eles gritavam um com o outro a semana inteira. Nunca vi tanta discussão desde que nasci. Mas no sábado à noite, sorrindo delicadamente um para o outro, caíam fora como se fossem um casal bem-sucedido de personagens hollywoodianos e iam para a cidade.

Remi acordou e me viu entrando pela janela. Sua enorme gargalhada, uma das maiores gargalhadas do mundo, ressoou nos meus ouvidos. "Haaaa, Paradise, entrando pela janela, está seguindo as instruções ao pé da letra. Por onde você andou, está duas semanas atrasado!" Ele me deu um tapa nas costas, um soco nas costelas de Lee Ann, se encostou na parede, chorando de tanto rir, dando porradas na mesa, tão fortes que toda a Mill City podia escutar, e aquele magnífico e longo "Haaaa" ecoava pelo cânion. "Paradise", gritou, "o primeiro, único e indispensável Paradise."

Eu tinha acabado de passar pela pequena vila de pescadores de Sausalito, e a primeira coisa que eu disse foi: "Deve haver um monte de italianos em Sausalito".

"Deve haver um monte de italianos em Sausalito!",

gritou ele a plenos pulmões. "Haaa!", estremeceu, caiu sobre a cama, quase rolou no chão. "Você ouviu o que o Paradise disse? Deve haver um monte de italianos em Sausalito? Haaa-haaa! Hoo! Uau! Fiuu!" Ficava tão vermelho quanto uma beterraba gargalhando. "Oh, você me mata, Paradise. Você é o cara mais engraçado do mundo, e agora você está aqui, finalmente chegou até aqui, ele entrou pela janela, você viu o que ele fez, Lee Ann, ele seguiu as instruções e entrou pela janela. Haaa! Hooo!"

O estranho era que ao lado de Remi morava um negro chamado Sr. Snow, cuja risada, juro por Deus, era indubitavelmente, sem a menor sombra de dúvida, a maior risada do mundo. Esse Sr. Snow começava a rir na mesa do jantar quando sua velha esposa dizia algo corriqueiro; ele se levantava, aparentemente sufocando, se escorava na parede, olhava para cima para tomar fôlego e recomeçava; cambaleava porta afora, apoiando-se na parede dos vizinhos, bêbado de tanto rir, avançava trôpego entre as sombras de Mill City, erguendo seu ruidoso chamado triunfante ao deus diabólico que devia tê-lo incitado a agir assim. Não sei se jamais chegou a terminar seu jantar. Existe a possibilidade de que, sem saber, Remi estivesse assimilando o jeito de ser desse homem surpreendente, Sr. Snow. E mesmo que Remi estivesse tendo problemas no trabalho e uma terrível vida sentimental ao lado de uma mulher com a língua afiada, pelo menos tinha aprendido a rir melhor do que quase qualquer pessoa no mundo, e eu percebi o quanto nos divertiríamos em Frisco.

O lance era o seguinte: Remi dormia com Lee Ann na cama do lado de lá do quarto, e eu dormia no canto perto da janela. Eu não deveria tocar em Lee Ann. Remi saiu logo fazendo um discurso a este respeito: "Não quero encontrar vocês dois se apertando quando pensam que eu não estou vendo. Vocês não podem ensinar uma nova melodia ao velho maestro. Esse é um ditado criado por mim". Olhei para Lee Ann. Era um pedaço de mulher, um ser da cor do mel, mas em seus olhos havia ódio por nós dois. Sua ambição era casar com um homem rico. Ela tinha vindo de uma pequena cidade no Oregon. Lamentava o dia em que havia se metido com Remi. Num de seus fins de semana de ostentação monumental, ele gastou cem dólares com ela, fazendo ela pensar que havia encontrado um herdeiro. Mas em vez disso ela estava encalhada nesse barraco, e pela falta de qualquer outra possibilidade, tinha de permanecer ali. Ela tinha um emprego em Frisco, era obrigada a pegar o ônibus Greyhound no entroncamento todos os dias e ir para a cidade. Jamais perdoou Remi por causa disso.

Eu deveria ficar no barraco e escrever um original brilhante para um estúdio de Hollywood. Remi voaria para Hollywood num foguete com aquele abacaxi debaixo do braço e faria de todos nós homens ricos, Lee Ann iria junto; ele iria apresentá-la ao pai de um amigo seu, que era um diretor famoso e amigo íntimo de W. C. Fields. Assim, passei a primeira semana no barraco de Mill City, escrevendo furiosamente algum conto sombrio a respeito de Nova York que eu imaginava iria satisfazer algum diretor de Hollywood, mas o problema daquele conto é que estava saindo triste demais. Remi mal conseguiu lê-lo, mas mesmo assim o levou para Hollywood algumas semanas mais tarde. Lee Ann estava entediada demais e nos odiava demais para se dar ao trabalho de ler. Passei incontáveis horas chuvosas tomando café e rabiscando. Finalmente disse a Remi que não ia dar pé; eu queria um emprego; dependia deles até para o cigarro. Uma sombra de decepção transpassou o semblante de Remi: ele sempre ficava desapontado com as coisas mais corriqueiras. Tinha um coração de ouro.

Ele me arranjou o mesmo emprego que tinha, o de guarda dos barracos. Passei pela rotina de praxe e, para minha surpresa, os canalhas me admitiram. Fiz o juramento para o chefe de polícia local, ganhei uma insígnia, um porrete, e agora era um vigilante especial. Imaginei o que Dean, Carlo e Old Bull Lee diriam a respeito. Tinha de ter calças azul-marinho para usar com uma jaqueta preta e um boné de tira;

durante as duas primeiras semanas precisei vestir as calças de Remi; e como ele era muito alto e estava com a barriga enorme por comer vorazmente de tanto tédio, fiquei nadando dentro das roupas e, como Charlie Chaplin, saí para minha primeira noite de trabalho. Remi me emprestou sua lanterna e sua 32 automática.

"Onde você arranjou essa pistola?", perguntei.

"Quando eu estava indo para a Costa no último verão, saltei do trem em North Platte, Nebraska, para esticar as pernas e o que vi na vitrine senão esta maravilhosa pistolinha, que tratei de comprar imediatamente, mal tendo tempo de voltar a pegar o trem."

E eu tentei lhe contar o que North Platte significava para mim, comprando o uísque com os rapazes; ele me deu tapas nas costas e disse que eu era o sujeito mais engraçado do mundo.

Com a lanterna para iluminar meu caminho, escalei as paredes íngremes do cânion que ficava ao sul e saí lá em cima na estrada, onde havia um fluxo de carros deslizando para Frisco durante a noite, despenquei para o lado de lá, quase caindo, e fui dar direto numa baixada, na ravina onde havia uma pequena casa de fazenda à beira de um riacho e onde a cada santa noite o mesmo cachorro latia para mim. Então era uma rápida caminhada por uma empoeirada estrada prateada sob as árvores sombrias da Califórnia – uma estrada como a que aparece na *Marca do Zorro,* uma estrada como todas as que se pode ver nos *westerns* classe B. Eu costumava sacar a pistola e brincar de caubói na escuridão. Daí, escalava outro morro e lá estava o galpão. Esse galpão era o alojamento temporário para trabalhadores da construção civil que iam para o exterior. Os caras ficavam lá, esperando seus respectivos navios. A maioria ia para Okinawa. A maioria estava fugindo de alguma coisa – geralmente da lei. Eram grupos de caras rudes vindos do Alabama, malandros de Nova York, todos os tipos de gente vinda dos mais variados lugares. E sabendo muito bem o quão horrível seria trabalhar um ano inteiro em

Okinawa, eles se embriagavam. A função dos guardas especiais era fazer com que eles não pusessem os barracos abaixo. O nosso quartel-general ficava no prédio principal, que não passava de um casebre de madeira com escritórios separados por divisórias internas. E ali sentávamos sobre a escrivaninha de tampo móvel, tirando as pistolas da cintura e bocejando, e os velhos policiais contavam suas histórias.

Era um bando de homens horríveis, homens de alma policial, todos exceto Remi e eu. Remi só queria levantar uma grana para sobreviver, e eu também, mas esses caras queriam prender as pessoas e receber elogios do chefe de polícia da cidade. Diziam até que se você não fizesse pelo menos uma prisão por mês seria demitido. Eu engolia a seco ante a sinistra possibilidade de ter de prender alguém. E o que aconteceu, na verdade, foi que eu acabei ficando tão bêbado quanto qualquer um naqueles barracões na noite em que estourou a grande confusão.

Foi na noite em que o horário tinha sido arranjado de tal forma que terminei ficando totalmente sozinho durante seis horas – o único tira na área; e todo mundo nos barracões parecia ter escolhido justamente aquela noite para se embebedar. Isso porque o navio deles partiria pela manhã; bebiam como marinheiros na madrugada antes de a âncora ser içada. Eu estava sentado no escritório, com os pés sobre a escrivaninha, lendo as aventuras no Oregon e Norte do país no *Blue Book*, quando repentinamente me dei conta de que havia um febril sussurro de atividade na noite usualmente calma. Saí à rua. Luzes cintilavam em praticamente cada uma daquelas malditas cabanas. Homens gritavam, garrafas eram quebradas. Não havia escolha para mim: era comer ou sair de cima. Peguei a lanterna, dirigi-me à mais barulhenta de todas as portas e bati. Alguém abriu uma fresta mínima.

"O que *você* quer?"

"Estou fazendo a ronda nestes barracos esta noite e vocês, rapazes, deveriam ficar o mais quietos possível", eu disse, ou uma advertência estúpida deste tipo. Bateram a porta na minha cara. Permaneci olhando fixo para a madeira bem na ponta do meu nariz. Era como num filme de caubói; tinha chegado a hora de me afirmar. Bati outra vez. Então, eles escancararam a porta. "Escutem", disse, "não quero ficar enchendo o saco de vocês, rapazes, mas vou perder meu emprego se vocês fizerem barulho demais."

"Quem é você?"

"Sou um guarda daqui."

"Nunca te vi antes."

"Bem, aqui está a minha insígnia."

"Que você tá fazendo com essa pistola enfiada no rabo?"

"Não é minha", me desculpei. "Pedi emprestada."

"Pelo amor de Deus, dá um gole nisso aqui", disse um deles. Não vi nada de mal nisso. Dei dois.

Disse: "Tudo bem, garotos? Vocês vão ficar calados, rapazes? Senão vou levar uma mijada, vocês já sabem".

"Tudo bem, moleque", eles disseram. "Vá fazer as tuas rondas. Volta pra tomar mais um trago se quiser."

E exatamente assim, fui de porta em porta, e logo fiquei tão bêbado quanto qualquer um deles. Ao amanhecer, minha tarefa era hastear a bandeira americana num mastro de dezoito metros, e nesta manhã eu a coloquei de cabeça para baixo e fui para casa dormir. Quando retornei, à noite, os guardas regulares estavam sentados no escritório, carrancudos.

"E então, moleque, o que foi toda aquela barulheira por aqui ontem à noite? Houve reclamações do pessoal que mora naquelas casas fora do cânion."

"Não sei", disse. "Parece bem calmo agora."

"Todo o contingente se foi. Você deveria ter mantido a ordem por aqui na noite passada, o chefe está furioso com você. E outra coisa: você sabe que pode parar na cadeia por hastear a bandeira americana de cabeça para baixo num mastro oficial?"

"De cabeça para baixo?" Fiquei apavorado; claro que

não tinha me dado conta. Fazia aquilo mecanicamente todas as manhãs.

"Sim senhor", disse um rato gordo que havia passado 22 anos como guarda em Alcatraz. "Você pode ir para a cadeia por fazer uma coisa dessas." Os outros assentiram, taciturnos. Estavam sempre com o rabo sentado em alguma cadeira; tinham orgulho daquele emprego. Manuseavam suas armas e falavam sobre elas. Estavam loucos para atirar em alguém. Em Remi e em mim.

O tira que havia sido guarda em Alcatraz era barrigudo e tinha uns sessenta anos, já estava aposentado mas não conseguia se manter longe da atmosfera que havia nutrido sua alma ressequida durante toda a sua vida. Todas as noites ele ia para o trabalho dirigindo seu Ford 1935, batia o ponto na hora exata e sentava na escrivaninha. Labutava arduamente para completar o simples formulário que tínhamos de preencher todas as noites – rondas, horário, o que havia acontecido e assim por diante. Então ele se recostava e contava histórias: "Você tinha que estar aqui dois meses atrás quando eu e Sledge" (esse era um outro rato, mais jovem, cujo sonho era ser *Texas Ranger,* mas que era obrigado a se contentar com sua sina atual) "prendemos um bêbado no Barraco G. Menino, você devia ter visto o sangue espirrar. Esta noite vou te levar lá e mostrar as manchas na parede. A gente fazia ele voar de uma parede contra a outra. Primeiro Sledge encheu ele de porrada, depois eu, daí ele se acalmou e nos acompanhou, calado. Esse cara jurou que iria nos matar assim que saísse da prisão – ele pegou trinta dias. Já se passaram *sessenta* e ele ainda não apareceu." E esse era o ponto alto da história. Eles o haviam amedrontado tanto que ele amarelou demais para voltar e tentar matá-los.

O velho tira prosseguia recordando prazerosamente os horrores de Alcatraz. "Costumávamos fazê-los marchar para tomar o café da manhã como se fossem um pelotão do exército. Não havia um só homem fora do compasso. Tudo funcionava como um relógio. Você devia ter visto. Fui guarda lá durante

22 anos. Nunca tive nenhum problema. Aqueles garotos sabiam que não estávamos para brincadeiras. Uma porção de caras ficam frouxos quando estão guardando prisioneiros, e são geralmente eles que se metem em problemas. Agora, veja só o seu caso – pelo que tenho observado a seu respeito, você me parece um pouco tolerante *demais* com os homens." Ele ergueu seu cachimbo e lançou um olhar penetrante em minha direção. "Eles se aproveitam disso, você sabe."

Eu sabia. Disse a ele que não havia nascido para ser tira.

"Sim, mas esse é o trabalho para o qual você se *candidatou*. Se você não se decidir de uma vez por todas, nunca será nada na vida. Este é o seu dever. Você fez um juramento. Não pode fazer concessões em assuntos assim. A lei e a ordem têm que ser mantidas."

Eu não sabia o que dizer, ele tinha razão; só que tudo o que eu pretendia era escapulir à noite e desaparecer nalgum lugar, sumir e descobrir o que todos estavam fazendo espalhados pelo país.

O outro tira, Sledge, era alto, musculoso, o cabelo escovinha preto e um tique nervoso no pescoço – como um boxeador que está sempre socando uma das mãos contra a outra. Ele se vestia como um antigo *Texas Ranger*. Usava o revólver bem abaixo da cintura, com um cinto de munições, e carregava uma espécie de chicote pequeno e pedaços de couro dependurados por todos os lados, como se fosse uma câmara de tortura ambulante: sapatos reluzentes, jaqueta comprida, chapéu armado, tudo, menos as botas. Estava sempre dando demonstrações de força – me agarrava pelas pernas e me erguia do chão com a maior agilidade. Se fosse uma questão de força, eu poderia arremessá-lo direto para o teto com o mesmo golpe e eu sabia bem disso; mas nunca lhe disse nada por medo que ele me desafiasse para um corpo a corpo. Uma luta com um cara daqueles terminaria em tiroteio. E eu tinha certeza de que ele atirava melhor; nunca tive uma pistola na vida. Até carregar uma já me atemorizava. Ele queria desesperadamente prender pessoas. Certa noite, estávamos sozinhos na guarda e ele chegou vermelho de raiva.

"Disse pruns caras lá nos barracos ficarem quietos e eles continuam fazendo barulho. Já avisei duas vezes pra eles. Sempre dou duas chances prum homem. Três, jamais. Você vem comigo e nós vamos prender eles."

"Bom, deixe que *eu* lhes dê uma terceira chance", eu disse. "Vou falar com eles."

"Não, senhor, nunca dou mais do que duas chances para um homem." Suspirei. Lá fomos nós. Fomos ao quarto dos infratores, e Sledge abriu a porta e mandou todo mundo ficar em fila indiana. Foi constrangedor. Todos nós ficamos vermelhos. Essa é a história da América. Todo mundo faz o que pensa que deve fazer. Portanto, o que há de mau com um grupo de homens falando alto e bebendo à noite? Mas Sledge queria provar algo. Fez questão de me levar junto no caso de eles o atacarem. Eles bem que poderiam. Eram irmãos, todos do Alabama. Caminhamos de volta ao posto, Sledge na frente e eu atrás.

Um dos garotos disse para mim: "Diz pra esse orelhudo olho do cu maneirar com a gente. Podemos ser demitidos e nunca chegar em Okinawa."

"Vou falar com ele."

No posto eu disse a Sledge que esquecesse tudo. Ele falou, para que todos escutassem, enrubescendo: "Eu não dou mais que duas chances, para ninguém."

"Que porra!", disse o cara do Alabama. "Pra você não faz diferença, mas a gente pode perder o emprego." Sledge não disse nada e preencheu o formulário de prisão. Só prendeu um deles; chamou a radiopatrulha na cidade. Eles vieram e o levaram embora. Os outros irmãos caíram fora num piscar de olhos. "O que a mãe vai dizer disso?", comentaram. Um deles virou-se para mim: "Diz pra esse texano filho da puta que se o meu irmão não sair da cadeia até amanhã de noite, vamos encher ele de porrada". Contei ao Sledge de uma maneira neutra, e ele não disse nada. O irmão foi solto sem problemas e nada aconteceu. O contingente embarcou; um novo grupo de loucos chegou. Não fosse por Remi Boncoeur eu não teria ficado nem duas horas nesse emprego.

Mas Remi Boncoeur e eu ficávamos sozinhos na guarda durante muitas noites, e então tudo reluzia. Fazíamos nossa primeira ronda da noite sossegadamente, com Remi experimentando todas as portas para ver se elas estavam trancadas, sempre na expectativa de encontrar uma aberta. Ele dizia: "Há anos alimento o plano de transformar um cachorro num superladrão que invadiria os quartos destes caras e arrancaria os dólares dos bolsos deles. Teria que treiná-lo para pegar apenas as verdinhas; faria com que ele cheirasse dinheiro o dia inteiro. Se houvesse alguma maneira humanamente possível, eu o treinaria para pegar só notas de vinte dólares". Remi estava cheio de planos loucos; falou daquele cachorro durante semanas. Somente uma vez ele encontrou uma porta destrancada. Não gostei da ideia, por isso continuei perambulando pelo corredor. Remi abriu-a furtivamente. Deu de cara com o supervisor dos barracos. Remi odiava a cara daquele homem. Ele havia me perguntado: "Como é mesmo o nome daquele escritor russo que você está sempre falando – aquele que forrava os sapatos com jornais e andava com uma cartola encontrada numa lata de lixo?". Isso era um exagero em cima do que eu havia lhe contado sobre Dostoievski. "Ah, é isso – é *isso* aí – Dostioffski. Um sujeito com uma cara como a daquele supervisor só pode ter um nome – é Dostioffski." A única porta destrancada que ele jamais encontrou pertencia justamente ao Dostioffski. D. estava dormindo quando ouviu alguém furungando na sua maçaneta. Levantou-se, de pijama. Veio até a porta parecendo duas vezes mais feio do que normalmente. Quando Remi abriu, deparou com uma cara suada e desfigurada pelo ódio e por uma fúria obtusa.

"O que significa isso?"

"Eu estava só experimentando essa porta. Pensei que era o – ah – o quarto de limpeza. Estava procurando um esfregão."

"O que você *quer dizer* com 'estava procurando um esfregão'?"

"Bem, ah, ah."

Eu me aproximei e disse: "Um dos homens vomitou no corredor, lá em cima. A gente tem que limpar".

"Este *não* é o quarto de limpeza. Este é o *meu* quarto. Outro incidente como esse e vocês serão investigados e expulsos daqui! Entenderam bem?"

"Um cara vomitou lá em cima", repeti.

"O quarto de limpeza fica no fim do corredor, lá embaixo." E apontou para o local, esperando que fôssemos até lá e pegássemos um pano, o que fizemos, e o levamos como idiotas lá para cima.

Eu disse: "Porra, Remi, você tá sempre nos metendo em encrenca. Por que não se controla? Por que tem que ficar roubando o tempo inteiro?"

"É que o mundo me deve algumas coisinhas, apenas isso. Você não pode ensinar novas melodias a um velho maestro. Continua falando assim que eu vou começar a te chamar de Dostioffski."

Remi era como um garotinho. Em algum momento de seu passado, nos seus dias solitários na escola, na França, haviam tirado tudo dele; seus pais adotivos o enfiavam em internatos e o deixavam metido lá; ele era intimidado e expulso de um colégio atrás do outro; caminhava pelas estradas francesas à noite inventando blasfêmias com seu inocente suprimento de palavras. Agora, estava à solta, disposto a recuperar tudo o que perdera; mas não havia limite para sua perda; essa cisma iria se arrastar ao infinito.

O refeitório dos barracões era a nossa despensa. Olhávamos ao redor para conferir se ninguém estava observando, especialmente para ver se nenhum dos nossos amigos tiras estava ali à espreita para nos dar um flagra; e então eu me agachava, Remi colocava um pé em cada um dos meus ombros e lá se ia para cima. Abria a janela, que nunca estava trancada, já que ao entardecer ele tomava todas as providências para isso, e se enfiava por ela, aterrissando justamente em cima da mesa da padaria. Eu era um pouco mais ágil e apenas saltava e engatinhava lá para dentro. Íamos então para o balcão do bar. Ali, realizando um sonho de infância, eu arrancava a tampa do *freezer* e enfiava minha mão até o pulso, apanhando um monte de picolés, que saía lambendo direto. Daí pegávamos as caixas de sorvete e as enchíamos, cobríamos tudo com cobertura de chocolate e às vezes de morangos também, e então rondávamos pelas cozinhas, abrindo geladeiras para ver o que podíamos carregar nos bolsos. Frequentemente eu cortava um naco de rosbife e o enrolava num guardanapo. "Você sabe o que o presidente Truman disse?", comentava Remi. "Devemos reduzir o custo de vida."

Uma noite aguardei por um longo tempo enquanto ele enchia uma caixa enorme com um monte de guloseimas. Mas daí não conseguimos passá-la pela janela. Remi teve de desencaixotar tudo e colocar todas as coisas de volta em seus lugares. Mais tarde, nessa noite, quando saímos da guarda e eu estava sozinho na base, algo estranho aconteceu. Eu estava dando uma volta pela trilha do cânion, esperando encontrar um veado (Remi tinha visto veados por ali, aquela terra ainda era selvagem mesmo em 1947), quando ouvi um barulho assustador na escuridão. Algo arfava e bufava. Pensei que fosse um rinoceronte vindo para cima de mim no escuro. Saquei a pistola. Uma figura alta apareceu nas trevas do cânion; tinha uma cabeça enorme. De repente me dei conta que era Remi com uma imensa caixa de mantimentos no ombro. Ele arfava e gemia por causa do grande peso da caixa. Em algum lugar ele havia encontrado a chave do refeitório e pilhou tudo o que podia, escapando pela porta da frente. Eu disse: "Remi, pensei que você estava em casa, que porra é essa que você está fazendo?".

E ele respondeu: "Paradise, já te disse um milhão de vezes que o presidente Truman falou que *nós devemos reduzir o custo de vida*". E eu o ouvi bufar e arfar para dentro da escuridão. Já descrevi aquela terrível trilha até nosso barraco, morro acima e vale abaixo. Ele escondeu os mantimentos no capim alto e retornou até onde eu estava: "Sal, não consigo fazer isso sozinho. Vou dividir tudo em duas caixas e você vai me ajudar".

"Mas eu tou de guarda!"

"Não faz mal. Eu vigio enquanto você não estiver. As coisas estão ficando pretas por aqui. A gente tem que fazer isso da melhor maneira possível, e isso é tudo o que importa." Ele esfregou o rosto. "Uff! Já te disse e repito, Sal, somos camaradas, e estamos metidos nisso juntos. Simplesmente não há duas maneiras de encarar essa história. Os Dostioffskis, os tiras, as Lee Anns, todos os maus espíritos deste mundo estão a fim da nossa cabeça. Depende da gente impedir que eles nos imponham ordens. Eles têm algo mais do que apenas um braço imundo debaixo das mangas. Lembre-se disso, você não pode ensinar uma nova melodia ao velho maestro."

Finalmente perguntei: "Afinal, o que a gente vai ter que fazer pra embarcar num navio e cair fora?". Nós andávamos fazendo essas coisas há dez semanas, eu estava ganhando 55 paus por semana e enviando uma média de quarenta para minha tia. Nesse tempo todo, só havia passado uma única noite em São Francisco. Minha vida estava uma enrascada só, naquela cabana, com as brigas de Remi e Lee Ann, e as noites naqueles barracos.

Remi tinha sumido na escuridão para pegar outra caixa. Eu me arrastei com ele por aquela velha estrada do Zorro. Fizemos uma pilha de mantimentos de um quilômetro de altura na mesa da cozinha de Lee Ann. Ela acordou e esfregou os olhos.

"Você sabe o que o presidente Truman disse?" Ela estava encantada. Subitamente comecei a perceber que todo mundo na América é ladrão de nascença. Eu mesmo estava ficando contagiado. Comecei até a testar as portas. Os outros tiras estavam ficando desconfiados da gente, eles viam nos nossos olhos, um instinto infalível os fazia pressentir o que se passava por nossas cabeças. Anos de experiência tinham lhes ensinado a desconfiar de tipos como Remi e eu.

Durante o dia Remi e eu saímos com a pistola e tentamos caçar umas codornas, nas colinas. Cacarejando, Remi conseguiu chegar a um metro dos pássaros e disparou com a 32. Errou. Sua tremenda gargalhada ecoou pelas florestas da Califórnia e pela América. "Chegou a hora de você e eu visitarmos o Rei Banana."

Era um sábado; nos arrumamos e descemos para a estação de ônibus do entroncamento. Fomos até São Francisco e perambulamos pelas ruas. A imensa gargalhada de Remi ressoava por todos os lugares onde passávamos. "Você precisa escrever uma história sobre o Rei Banana", ele me aconselhou. "Não tente trapacear seu velho mestre escrevendo sobre outro assunto qualquer. O Rei Banana é o nosso prato. Lá está o Rei Banana." O Rei Banana era um velho que vendia bananas numa esquina. Eu estava de saco completamente cheio. Mas Remi ficava me dando socos nas costelas e até me puxando pelo colarinho. "Ao escrever sobre o Rei Banana, você estará escrevendo sobre algo genuinamente humano." Eu lhe falei que estava cagando para o tal Rei Banana. "Enquanto você não estiver preparado para perceber a importância fundamental do Rei Banana, não saberá absolutamente nada sobre as coisas genuinamente humanas deste mundo", disse Remi enfaticamente.

Havia um velho cargueiro enferrujado flutuando na baía que servia como baliza para os demais barcos. Remi estava a fim de remar até lá, e assim, certa tarde, Lee Ann preparou um lanche e nós alugamos um barco e fomos lá. Remi trouxe umas ferramentas, Lee Ann esticou-se ao sol sobre a ponte de comando, peladona. Eu a observava do tombadilho. Remi foi direto para a casa das máquinas, entre as caldeiras lá embaixo, onde ratos disparavam por todos os cantos, e começou a martelar e a malhar em busca de revestimentos de cobre que não estavam mais lá. Sentei na arruinada cantina dos oficiais.

Era um navio muito antigo que havia sido lindamente decorado, com ornamentos de madeira e baús embutidos. Era um fantasma da São Francisco de Jack London. Fiquei na mesa de refeições ensolarada, em devaneios. Ratos corriam pela despensa. Certa vez um capitão de olhos azuis jantara ali.

Acompanhei Remi nas entranhas lá embaixo. Ele arrancava tudo o que estava meio solto. "Absolutamente nada. Pensei que haveria cobre, pensei que encontraria pelo menos uma chave inglesa ou duas. Este navio foi saqueado por um bando de ladrões." O barco estava encalhado na baía há anos. O cobre tinha sido roubado por mãos que já não eram mais mãos.

Disse a Remi: "Eu adoraria dormir neste velho navio uma noite qualquer, quando a neblina o recobrisse, seus ferros rangessem e a gente pudesse ouvir o uivo das balizas, ao longe".

Ele ficou perplexo; sua admiração por mim duplicou. "Sal, eu te pago cinco dólares se você tiver peito para encarar uma dessas. Você não percebe que essa coisa pode estar assombrada pelos fantasmas de velhos capitães? Eu não só te pago cinco dólares como também te trago de barco até aqui, preparo um lanche, te dou cobertores e uma vela."

"Combinado!", falei. Remi correu para contar a Lee Ann. Eu queria saltar dum mastro e aterrissar dentro daquela mulher, mas mantive minha promessa a Remi. Desviei os olhos dela!

Nesse meio tempo comecei a ir a Frisco mais frequentemente. Tentei tudo que está nos manuais para transar com uma garota. Até passei uma noite inteira com uma menina num banco de parque, fiquei lá até amanhecer, e nada. Era uma loira de Minnesota. Havia também um monte de bichas na cidade. Fui a San Fran com minha arma várias vezes. E quando um veado se aproximava de mim num mictório de bar, eu puxava a arma e dizia: "Hein? Hein? O que foi que você falou?" Ele saltava fora. Jamais entendi por que fazia aquilo; eu conhecia bichas pelo país inteiro. Era apenas a solidão de São Francisco e o fato de eu possuir uma arma. Tinha de mostrá-la a alguém. Passei por uma joalheria e tive um impulso repentino de dar um tiro na vitrina, pegar os mais lindos anéis e braceletes, dar para Lee Ann. Daí a gente poderia fugir para Nevada. Estava chegando a hora de deixar Frisco ou eu acabava maluco.

Escrevi longas cartas para Dean e Carlo, que estavam agora na cabana de Old Bull num pântano do Texas. Eles disseram que estariam prontos para me encontrar em San Fran assim que isso-e-aquilo estivesse acertado. Ao mesmo tempo, tudo começou a desmoronar entre Remi, Lee Ann e eu. Chegaram as chuvas de setembro e com elas o baixo-astral. Remi e Lee Ann tinham voado para Hollywood com meu roteiro original babaca e nada havia acontecido. O famoso diretor estava bêbado e não lhes deu a menor bola; eles ficaram pela casa dele na praia de Malibu; começaram a discutir na frente dos convidados e pegaram o avião de volta.

A gota d'água foi no hipódromo. Remi juntou todo seu dinheiro, uns cem dólares, me enfiou dentro de algumas de suas roupas, pegou Lee Ann pelo braço e lá fomos nós para o hipódromo de Golden Gate, perto de Richmond, do outro lado da baía. Para mostrar de que tamanho é o coração desse cara, basta dizer que ele enfiou a metade das nossas comidas roubadas num gigantesco saco marrom de papel e as levou pruma viúva pobre que conhecia num conjunto habitacional em Richmond que era bastante parecido com o nosso, fervilhante sob o sol da Califórnia. Nós fomos junto. Tristes crianças esfarrapadas rondavam por ali. A mulher agradeceu a Remi. Era irmã de algum marinheiro que ele conhecera vagamente. "Não há de quê, Sra. Carter!", disse Remi no seu mais elegante e educado tom de voz. "No lugar de onde isso veio, tem muito mais."

Seguimos para o hipódromo. Ele fez apostas inacreditáveis de vinte dólares para ganhar logo, e antes da sétima prova estava quebrado. Com nossos dois últimos dólares comestíveis, fez uma última aposta e perdeu. Tivemos de voltar para São Francisco de carona. Lá estava eu na estrada outra vez. Um burguês nos deu carona em seu carro flamejante. Sentei na frente junto a ele. Remi estava tentando contar uma história de que havia perdido sua carteira atrás da tribuna de honra do hipódromo. "A verdade", disse eu, "é que nós perdemos todo nosso dinheiro nas apostas e para evitar mais mordidas deste hipódromo, de agora em diante só faremos nossas apostas com o *bookmaker*, não é Remi?" Remi ficou completamente vermelho. O cara finalmente acabou admitindo que era um cartola do hipódromo de Golden Gate. Nos largou em frente ao finíssimo Palace Hotel; nós o vimos desaparecer por entre os candelabros, com os bolsos cheios de dinheiro e a cabeça erguida.

"Argh! Uuuh!", uivou Remi pelas ruas noturnas de Frisco. "Paradise, arranja carona com o cara que manda no hipódromo e *jura* que vai mudar para os *bookmakers*. Lee Ann! Lee Ann!" Ele a golpeou e esmurrou. "Positivamente é o cara mais engraçado do mundo. Deve haver um monte de italianos em Sausalito. Haaa-rarará!" Ele se enroscou num poste para rir.

Começou a chover naquela noite enquanto Lee Ann nos lançava olhares furiosos. Não havia um só centavo em casa. A chuva tamborilava no telhado. "Vai durar uma semana", disse Remi. Ele havia tirado seu belo terno; estava mais uma vez com suas míseras cuecas, o boné do Exército e a camiseta. Seus enormes e melancólicos olhos castanhos encaravam as tábuas do assoalho. A pistola repousava sobre a mesa. Podíamos ouvir o Sr. Snow morrendo de rir, em algum lugar, dentro da noite chuvosa.

"Fico de saco tão cheio e tão puta da vida por causa desse filho da puta!", blasfemou Lee Ann. Ela estava pronta para criar problemas. Começou a alfinetar Remi. Ele estava ocupado examinando seu pequeno livro preto, no qual havia os nomes das pessoas, a maioria marinheiros, que deviam grana para ele. Ao lado dos nomes ele escrevia palavrões em letra vermelha. Temia o dia em que eu acabasse entrando para aquele livro. Ultimamente estava enviando tanto dinheiro para minha tia que só comprava quatro ou cinco dólares de mantimentos para a casa por semana. E seguindo o que dissera o presidente Truman, eu acrescentava uns dólares a mais à conta. Mas Remi achava que a divisão não estava sendo justa; por isso, começou a pendurar as contas, longas tiras de notas com os preços e os produtos especificados, na parede do banheiro para que eu visse e me tocasse. Lee Ann estava convencida de que Remi devia estar escondendo dinheiro dela, e que eu também, naturalmente. Ela ameaçou abandoná-lo.

Remi lambeu os beiços. "Onde você pensa que vai?"

"Jimmy."

"*Jimmy*? O caixa do hipódromo? Você escutou isso, Sal, Lee Ann quer se mandar daqui e pôr a coleira num caixa de hipódromo. Não se esqueça de levar sua vassoura, querida, os cavalos vão comer um monte de aveia essa semana com os meus cem dólares."

As coisas evoluíram a proporções ainda piores; a chuva desabava. Originalmente, quem morava primeiro naquele lugar era Lee Ann; então ela mandou Remi fazer as malas e cair fora. Ele começou a juntar seus trapos. Me vi sozinho naquele barraco chuvoso com aquela bruxa indômita. Tentei intervir. Remi empurrou Lee Ann. Ela deu um salto em direção à pistola; Remi me passou a pistola e mandou que eu a escondesse, havia um tambor com seis balas nela. Lee Ann começou a gritar e então finalmente pôs sua capa de chuva e saiu para a lama em busca de um tira, e que tira, se não aquele nosso velho amigo de Alcatraz. Por sorte ele não estava em casa. Ela voltou encharcada. Escondi-me no meu canto com a cabeça entre os joelhos. Meu Deus, o que é que eu estava fazendo a cinco mil quilômetros de casa? Por que eu tinha vindo até aqui? Onde estava aquele meu vagaroso navio para a China?

"E tem mais, seu porco", gritou Lee Ann. "Esta noite será a última em que eu farei teus imundos miolos de galinha com ovo e teu nojento carneiro com *curry,* e então você poderá encher essa pança suja e ficar cada vez mais gordo e escroto bem na frente dos meus olhos."

"Tudo bem", foi só o que disse Remi, calado. "Tá muito bem. Quando juntei meus trapos contigo, não esperava um mar de rosas e não estou surpreso hoje. Tentei fazer alguma coisa por você – tentei o máximo por vocês dois; vocês me desiludiram. Estou terrivelmente desapontado com vocês", prosseguiu ele com absoluta sinceridade. "Pensei que algo brotaria do nosso relacionamento, algo bonito e duradouro. Tentei, voei até Hollywood, arranjei um emprego pro Sal, te comprei vestidos maravilhosos, tentei te apresentar às pessoas mais finas de São Francisco. Vocês recusaram tudo, vocês se recusaram a realizar meus mais ínfimos desejos. Não pedi nada em troca. Mas agora peço um último favor, e então jamais pedirei outro. No próximo sábado à noite meu padrasto vem a São Francisco. E tudo o que eu peço é que vocês venham comigo e tentem representar que tudo é exatamente do jeito que eu descrevi. Noutras palavras, você, Lee Ann, é minha namorada, e você, Sal, é meu amigo. Consegui cem dólares emprestados para o sábado à noite. Farei tudo para que meu padrasto se divirta e possa partir sem o menor motivo com que se preocupar comigo."

Aquilo me surpreendeu. O padrasto de Remi era um médico de renome que havia clinicado em Viena, Paris e Londres. Eu disse: "Você tá querendo dizer que vai gastar cem dólares com seu padrasto? Ele tem mais dinheiro do que você jamais terá! Você vai ficar endividado, cara!".

"Tudo bem", disse Remi tranquilamente, mas com um tom derrotado. "Só peço essa última coisa para vocês, que pelo menos tentem fazer as coisas parecerem bem, tentem dar uma boa impressão. Amo e respeito meu padrasto. Ele vem com sua jovem esposa. A gente deve demonstrar toda a educação possível." Havia ocasiões em que Remi era realmente a pessoa mais gentil do mundo. Lee Ann ficou impressionada e esperava ansiosamente para conhecer o padrasto de Remi, achava que ele poderia ser uma boa presa, já que o enteado não era.

A noite de sábado enfim chegou, eu já tinha largado meu emprego com os tiras, exatamente antes de ser demitido por não fazer prisões suficientes, e essa seria minha última noite de sábado. Remi e Lee Ann foram encontrar o padrasto antes, em seu quarto de hotel; eu tinha dinheiro para a viagem e me embebedei no bar do térreo. Daí subi para encontrá-los, atrasado pra cacete. O padrasto abriu a porta, era um homem alto e distinto, com óculos *pince-nez*. "Ah", disse eu ao vê-lo. "*Monsieur* Boncoeur, como vai o senhor? *Je suis haut!*", gritei, o que, na minha cabeça, deveria significar "Estou alto, andei bebendo"; mas em francês não fazia nenhum sentido. O doutor ficou perplexo. Eu já tinha ferrado Remi. Ele enrubesceu olhando pra mim.

Fomos todos jantar num restaurante fino – o Alfred's, em North Beach, onde o pobre Remi gastou uns bons cinquenta dólares com nós cinco, drinques e tudo. E agora vem a pior parte. Quem estava no bar do Alfred's senão meu velho amigo Roland Major! Ele acabara de chegar de Denver e tinha arranjado emprego num jornal de São Francisco. Estava bêbado. Nem sequer havia feito a barba. Correu para mim e me bateu com força nas costas enquanto eu levava um copo de uísque com soda aos lábios. Jogou-se na cadeira ao lado do Dr. Boncoeur e inclinou-se sobre a sopa do cara para falar comigo. Remi estava vermelho feito beterraba.

"Você não vai me apresentar seu amigo, Sal?", disse ele com um sorriso amarelo.

"Roland Major, do San Francisco *Argus*", tentei dizer com a cara séria. Lee Ann estava furiosa comigo.

Major começou a tagarelar no ouvido do *monsieur*. "Você gosta de lecionar francês na escola?", ele berrou.

"Perdão, mas eu não leciono francês em escola alguma."

"Oh, pensei que você lecionava francês numa escola."
Ele estava sendo deliberadamente mal-educado. Lembrei a noite em que ele nos impediu de fazer aquela festa em Denver; mas o perdoei.

Perdoei todo mundo, desisti, me embebedei. Comecei a lançar uma conversa mole romântica para cima da jovem mulher do doutor. Bebi tanto que precisava ir ao banheiro de dois em dois minutos, e para fazer isso tinha de pular por cima do colo do Dr. Boncoeur. Tudo estava indo por água abaixo. Minha temporada em São Francisco estava chegando ao fim. Remi jamais voltaria a falar comigo. Era horrível porque eu realmente o amava, sendo uma das poucas pessoas no mundo que sabia que sujeito maravilhoso e sincero ele era. Ele levaria anos para se recuperar de tudo o que acontecera. Que desastroso tinha sido tudo isso comparado ao que eu lhe escrevera de Paterson, planejando minha longa jornada através da América por aquela comprida linha vermelha que era a Rota 6. Aqui estava eu no limite da América – não havia mais terra alguma – e agora já não restava aonde ir senão tomar o caminho de volta. Pelo menos resolvi que voltaria fazendo um círculo, decidi ali mesmo ir para Hollywood e passar pelo Texas para visitar minha turma no pântano; e o resto que se fosse para o inferno.

Major foi expulso do Alfred's. De qualquer maneira, o jantar estava encerrado; então me juntei a ele, quer dizer, Remi sugeriu, e eu caí fora com Major para beber mais. Sentamos numa das mesas do Iron Pot e Major disse: "Sam, não gosto daquela bicha ali no bar", em voz alta.

"O que, Jake?", respondi.

"Sam", falou ele, "acho que vou me levantar e dar uma porrada nas fuças dele."

"Não, Jake", disse eu, continuando a imitação de Hemingway. "Apenas mire daqui e veja o que acontece." Acabamos a noite cambaleando numa esquina qualquer.

Pela manhã, enquanto Remi e Lee Ann dormiam, e eu olhava com alguma tristeza para a enorme pilha de roupas sujas que Remi e eu deveríamos lavar na máquina Bendix que ficava no barraco dos fundos (o que era sempre uma tarefa alegre, sob o sol, entre mulheres negras, com o Sr. Snow se matando de rir), decidi partir. Saí em direção à varanda. "Porra, não vou", disse a mim mesmo. "Prometi que não iria embora antes de escalar aquela montanha." Era a enorme parede do cânion que apontava misteriosamente em direção ao oceano Pacífico.

Então, fiquei mais um dia. Era domingo. Baixou uma grande onda de calor; era um dia lindo, o sol avermelhou por volta das três da tarde. Comecei a escalada e atingi o topo às quatro. Aqueles lindos pés de algodão da Califórnia e os eucaliptos brotavam por todos os lados. Nas proximidades do cume não havia mais árvores, só rochas e grama. Gado pastava no topo do costão. Lá estava o Pacífico, apenas umas colinas mais adiante, azulado e vasto com uma imensa muralha branca avançando desde a lendária plantação de batatas onde nascem as neblinas de Frisco. Uma hora mais e a neblina fluiria através de Golden Gate para recobrir de branco a romântica cidade e um rapagão seguraria sua garota pela mão e subiria lentamente por uma calçada clara com uma garrafa de Tokay no bolso. Isso era Frisco; e lindas mulheres paradas nos halls de entrada, nos umbrais cristalinos aguardando por seus homens; e a Coit Tower, e a Embarcadero, a Market Street, e as onze colinas férteis.

Rodopiei até ficar tonto, pensei que cairia direto no precipício, como num sonho. Oh, onde está a garota dos meus sonhos? Pensei nisso olhando para todos os lados, como vivia olhando naquele pequeno mundo lá de baixo. E à minha frente se derramava a rústica vastidão, o amplo corpanzil do meu continente americano; em algum lugar, muito longe dali, a louca e deprimida Nova York erguia aos céus sua nuvem de pó e seus vapores cinzentos. Há algo cinzento e sagrado no Leste, enquanto a Califórnia é clara como roupa no varal e tem a mente vazia – pelo menos era assim que eu pensava que era, naquela época.

12

Pela manhã Remi e Lee Ann ainda dormiam enquanto eu arrumava silenciosamente o que era meu e, em seguida, escapulia pela janela da mesma forma como havia entrado, partindo de Mill City com meu saco de lona. Acabei não dormindo jamais naquele velho navio fantasma – *Admiral Freebee* era seu nome – e Remi e eu nos perdemos um do outro.

Em Oakland tomei uma cerveja entre os vagabundos de um *saloon* que tinha uma roda de vagão na frente, e estava outra vez na estrada. Caminhei decididamente por Oakland para chegar à estrada de Fresno. Duas caronas me conduziram até Bakersfield, 650 quilômetros ao sul. A primeira foi a mais maluca, com um garoto loiro e encorpado, numa máquina envenenada. "Tá vendo este dedo?", dizia ele acelerando fundo, chegando a uns 120 por hora e ultrapassando todo mundo na estrada. "Olhe pra ele." Estava envolto em ataduras. "Foi amputado hoje de manhã. Os filhos da puta queriam que eu ficasse no hospital. Arrumei minha sacola e me mandei. Afinal, o que é um dedo?" Sim, sim, é claro, cuidado, disse a mim mesmo, e me segurei firme. Nunca se viu um motorista tão doido como esse. Ele chegou a Tracy num instante. Tracy é uma cidade ferroviária; os guarda-freios engoliam uns pratos intragáveis nos restaurantes ao lado da linha férrea. Trens zuniam cruzando o vale. O sol rubro se punha lentamente. Os nomes mágicos do vale se sucediam: Manteca, Madera e todo o resto. Logo veio o crepúsculo, um crepúsculo cor-de-vinho, uma penumbra púrpura dispersa sobre arvoredos de tangerina e extensas plantações de melão; o sol estava com a mesma cor de uvas esmagadas, misturado com borgonha tinto; os campos possuíam a mesma tonalidade dos amores e mistérios espanhóis. Botei a cabeça para fora da janela e aspirei profundamente o ar perfumado. Foi o mais sublime de todos os momentos. O motorista maluco era guarda-freios da Southern Pacific e morava em Fresno; seu pai também era ferroviário. Perdera o dedo no pátio de manobras de Oakland, mudando a chave da estrada de ferro. Não cheguei a entender bem como. Ele me conduziu em direção ao alvoroço de Fresno e me deixou na parte sul da cidade. Tomei uma rápida Coca-Cola num pequeno armazém à beira dos trilhos; um jovem e melancólico armênio caminhava entre os vagões vermelhos e, nesse exato instante, uma locomotiva apitou e eu disse a mim mesmo: Oh, sim, a cidade de Saroyan.

Eu tinha de seguir para o sul; voltei à estrada. Um cara numa picape novíssima me apanhou. Era de Lubbock, Texas, e negociava *trailers*. "Quer comprar um *trailer*?", perguntou. "Quando quiser, não deixe de me procurar." Ele contou histórias a respeito de seu pai em Lubbock. "Certa noite meu velho deixou a féria do dia em cima do cofre, puro esquecimento. O que aconteceu, então? À noite, um ladrão entrou, com maçarico de acetileno e tudo, abriu o cofre, revirou os papéis, chutou algumas cadeiras e se mandou. E aqueles mil dólares estavam bem ali, em cima do cofre. O que você acha disso?"

Ele me largou no sul de Bakersfield, e aí começaram minhas desventuras. Esfriou muito. Botei um inconsistente impermeável do Exército que tinha comprado em Oakland por três dólares e fui tiritando estrada afora. Estava parado diante de um refinado motel construído em estilo espanhol, radiante como uma pedra preciosa. Os carros cruzavam voando, em direção a LA. Eu acenava freneticamente. Estava frio demais. Fiquei lá até a meia-noite, duas horas inteiras, blasfemando e amaldiçoando. Era exatamente como em Stuart, Iowa, outra vez. Não havia nada a fazer a não ser gastar um pouco mais que dois dólares pelos quilômetros restantes até Los Angeles. Caminhei pela estrada de volta até Bakersfield, entrei na rodoviária e me joguei num banco.

Tinha comprado minha passagem e estava esperando pelo ônibus para LA quando, subitamente, vi a mais deliciosa garota mexicana, ela passou bem à vista, de calças compridas. Estava num dos ônibus que acabara de chegar entre suspiros ruidosos do freio a vácuo; os passageiros desciam para um breve descanso. Os seios dela apontavam em frente, empinados e indiscutíveis, seus quadris estreitos pareciam deliciosos, seu cabelo era longo, lustroso e negro, seus olhos eram duas coisas azuis imensas, com certa timidez lá dentro. Daria tudo para estar no ônibus dela. Uma angústia trespassou meu coração, como acontecia sempre que via uma garota pela qual estava apaixonado indo na direção oposta neste mundo grande demais. Os alto-falantes chamaram os passageiros para LA. Apanhei minha sacola e embarquei, e quem estava sentada lá, sozinha, senão a garota mexicana? Sentei justamente do lado oposto do corredor e comecei imediatamente a maquinar um plano. Eu estava tão solitário, tão cansado, tão sobressaltado, tão triste, tão alquebrado, tão arrasado, que consegui reunir coragem, a coragem necessária para abordar uma garota desconhecida, e agir. Ainda assim passei cinco minutos tamborilando nas coxas na escuridão enquanto o ônibus rodava pela estrada.

Você tem, você tem ou você morrerá! Seu estúpido idiota, fale com ela! O que há de errado com você? Já não está cansado de si próprio? E antes que pudesse perceber o que fazia, debrucei-me sobre o corredor na direção dela (que estava tentando dormir na poltrona) e disse: "Moça, gostaria de usar minha capa de chuva como travesseiro?".

Ela me olhou sorrindo e disse: "Não, muito obrigada".

Eu me recostei, trêmulo; acendi uma bagana. Aguardei até que ela espiasse para mim com uma pequena e entristecida olhadela amorosa, levantei-me num sobressalto e, meio inclinado sobre ela, disse: "Posso sentar a seu lado, moça?".

"Se você quer."

E assim o fiz. "Indo pra onde?"

"LA." Apaixonei-me pelo jeito que ela disse "LA". Eu adoro o jeito como todos dizem "LA" na Costa Oeste; é sua primeira e única cidade prometida, onde tudo é dito e feito.

"É pra onde estou indo também!", gritei. "Estou muito

feliz por você ter me deixado sentar a seu lado, eu estava solitário demais e tenho viajado sem parar." Nos acomodamos para contar nossas histórias. A história dela era a seguinte: tinha marido e filho. O marido bateu nela, e então ela o deixou, lá em Sabinal, ao sul de Fresno, e estava indo para LA morar com a irmã durante certo tempo. Deixara o filho pequeno com sua família que trabalhava nas colheitas de uva e morava num barraco nos vinhedos. Ela não tinha nada a fazer, senão matutar e enlouquecer. Senti vontade de abraçá-la logo de uma vez. Falávamos e falávamos. Ela disse que estava adorando conversar comigo. Em breve já estava dizendo que gostaria de poder ir para Nova York também. "Talvez a gente possa", sorri. O ônibus venceu, trôpego, o Grapevine Pass e então já estávamos descendo em direção à luminosa imensidão. Ficamos de mãos dadas, sem nenhuma autorização especial e, desta mesma forma, ficou pura, linda e silenciosamente decidido que assim que eu arranjasse um quarto de hotel em LA lá estaria ela, ao meu lado. Eu a desejava sofregamente; recostava minha cabeça em seu belo cabelo. Seus ombros delicados me enlouqueceram; eu a acariciava cada vez mais. E ela adorava.

"Amo o amor", sussurrou, fechando os olhos. Eu lhe prometi um amor maravilhoso. Regozijava-me com ela. Com nossas histórias contadas, ingressamos no silêncio e em suaves intenções auspiciosas. Era simples assim. Você pode possuir todas as suas Peaches e Bettys e Marylous e Ritas e Camilles e Inezes deste mundo; esta era minha garota e meu tipo predileto de garota, e eu disse isso a ela. Ela confessou que havia me visto olhar para ela na rodoviária. "Pensei que você era um universitário bem comportado."

"Oh, eu sou um universitário", garanti. O ônibus chegou a Hollywood. Num amanhecer sombrio e cinzento, como o amanhecer em que Joel McCrea encontra Veronica Lake no vagão-restaurante, no filme *Viagens de Sullivan,* ela adormeceu no meu colo. Eu observava pela janela avidamente: casas rebocadas, palmeiras e drive-ins, toda aquela coisa louca, uma terra prometida e esfarrapada, o limite fantástico da

América. Saltamos do ônibus na rua principal, que não difere em nada daquelas em que você desembarca seja em Kansas City, Chicago ou Boston – tijolos à vista, sujeira, estranhos à deriva, trólebus rangendo na manhã desesperançada, o odor devasso de uma grande cidade.

E nesta altura minha cabeça se desconcertou, não sei por que, comecei a ter absurdas visões paranoicas de que Teresa, ou Terry – seu nome – era uma prostituta comum que trabalhava nos ônibus, ganhando uns trocados de seu homem para marcar encontros como o nosso em LA, onde primeiro ela conduzia o trouxa para uma cafeteria, onde seu gigolô aguardava, e então para determinado hotel, no qual ele tinha acesso com sua pistola ou o que quer que fosse. Jamais confessei isso a ela. Tomamos nosso café da manhã e um gigolô ficou nos observando; imaginei Terry lançando olhares sorrateiros para ele. Estava cansado e me sentia estranho e perdido num lugar longínquo e repulsivo. Uma angústia desesperada tomou conta dos meus pensamentos e me fez agir de modo vulgar e mesquinho. "Você conhece aquele sujeito?", perguntei.

"A que sujeito você se refere, que-ri-do?" Deixei para lá. Ela era lenta e demorada em tudo o que fazia; comer lhe custou um bom tempo, ela mastigou vagarosamente e olhou para o vazio, fumou um cigarro e prosseguiu falando, enquanto eu me sentia um fantasma desfigurado, suspeitando de cada movimento que ela fazia, pensando que ela estava querendo fazer tempo propositalmente. Tudo isso era um acesso de doença. Eu estava suando enquanto descíamos a rua de mãos dadas. No primeiro hotel em que chegamos havia quartos vagos e antes que eu pudesse perceber, estava trancando a porta atrás de mim enquanto ela, sentada na cama, ia tirando os sapatos. Beijei-a carinhosamente. Melhor ela jamais saber o que havia se passado pela minha cabeça. Para relaxar nosso espírito, eu sabia que precisaríamos de uísque, especialmente eu. Saí correndo e voei por nada menos do que doze quarteirões, afobado, até encontrar uma garrafa de um quarto de litro de uísque à venda numa banca de jornais. Voltei voando, cheio de energia. Terry estava no banheiro, se maquiando. Servi uma dose enorme num copo d'água e bebemos uns goles. Oh, era delicioso e suave, minha funesta viagem tinha valido a pena. Parei atrás dela, em frente ao espelho, e dançamos assim pelo banheiro. Comecei a falar sobre meus amigos, lá do Leste.

Disse: "Você tem que conhecer uma garota incrível, amiga minha, ela se chama Dorie. Uma ruiva de metro e oitenta. Se você for a Nova York, ela lhe mostrará como conseguir um emprego."

"Quem é essa tal de ruiva de metro e oitenta?", perguntou, desconfiada. "A troco de que você está me falando sobre ela?" Seu espírito simplório não podia compreender meu jeito nervoso e descompromissado de conversar. Deixei para lá. Ela começou a se embebedar no banheiro.

"Vem logo pra cama", eu seguia dizendo.

"Ruiva com metro e oitenta, hein? E eu que pensava que você era um universitário bem comportado, te vi com teu lindo suéter e pensei: hmmm, que gostoso. Mas não! Não e não! Você deve ser um gigolô filho da puta como todos eles!"

"Que loucura é essa que você tá dizendo?"

"Não fica aí parado tentando me convencer que essa ruiva de metro e oitenta não é uma cafetina porque eu saco muito bem uma cafetina quando ouço falar de uma e você, você simplesmente é um gigolô como todos os outros que encontrei, todos gigolôs."

"Ouça, Terry, não sou nenhum gigolô. Juro por Deus que não sou gigolô. Por que haveria de ser gigolô? Tudo o que me interessa é você."

"Todo o tempo eu pensava ter encontrado um cara legal. Estava tão feliz, me vangloriava e dizia:'Hmmm, um cara realmente legal em vez de um gigolô...'"

"Terry", implorei do fundo da alma, "por favor, me escuta, e vê se me entende: eu não sou gigolô." Há uma hora eu havia pensado que *ela* era uma prostituta. Que deprimente. Nossas cabeças, com seu repertório de loucuras, tinham divergido. Oh, vida terrível, como lamentei e implorei e aí fiquei furioso porque percebi que estava implorando por uma putinha burra mexicana e disse isso na cara dela; e antes que pudesse perceber peguei suas sapatilhas vermelhas e joguei contra a porta do banheiro e lhe disse para sair: "Vamos lá, dê o fora". Eu só queria dormir e esquecer; tinha minha própria vida, minha própria, melancólica e esfarrapada vida, para sempre. Houve um silêncio mortal no banheiro. Tirei as roupas e fui para a cama.

Terry saiu do banheiro com lágrimas de arrependimento nos olhos. Em sua ingênua e engraçada cabecinha ela havia concluído que um gigolô não joga sapatos de mulher contra as portas e não a manda ir embora. Num breve, suave e reverente instante de silêncio, ela se despiu inteiramente e deslizou seu diminuto corpo para dentro dos lençóis. Era morena como uma uva. Vi sua triste barriga onde havia a cicatriz de uma cesariana; seus quadris eram tão estreitos que ela não poderia dar à luz uma criança sem ser toda retalhada. Suas pernas eram pequenos palitos. Ela tinha apenas um metro e cinquenta. Fizemos amor na suavidade de uma manhã tediosa. Então como dois anjos fatigados, tragicamente abraçados num recanto solitário de LA, tendo descoberto o que há de mais perfeito e delicioso na vida a dois, dormimos até o fim da tarde.

13

Durante os quinze dias seguintes ficamos juntos para o que desse e viesse. Ao acordar, decidimos ir de carona juntos para Nova York; ela seria minha garota na cidade. Previ incríveis complexidades com Dean, Marylou e todo mundo – uma temporada, uma nova temporada! Mas primeiro teríamos de trabalhar para juntar grana suficiente para a viagem.

Terry estava totalmente a fim de cair fora imediatamente com os vinte dólares que me restavam. Não gostei da ideia. E, como um estúpido, fiquei pensando no caso durante dois dias, enquanto líamos os classificados nos loucos jornais de LA que eu jamais havia visto em toda minha vida, em bares e lanchonetes, até que esses vinte se reduziram à metade. Estávamos muito felizes no nosso pequeno quarto de hotel. No meio da noite me levantei porque não conseguia dormir, puxei o cobertor sobre o ombro moreno nu da gatinha e examinei a noite de LA. Que noites essas, brutais, abafadas e entrecortadas pelo lamento das sirenes! Na rua, bem em frente, havia confusão. Uma velha e desmantelada casa de cômodos caindo aos pedaços era palco de alguma espécie de tragédia. O camburão estava estacionado lá embaixo e os ratos interrogavam um velho de cabelos grisalhos. Havia soluços. Eu podia ouvir tudo, os sons da rua se misturavam ao zumbido do néon do meu hotel. Nunca me senti tão triste em toda a minha vida. LA é a mais solitária e brutal de todas as cidades americanas. Em Nova York fica frio pra cacete durante o inverno, mas nas ruas, em algum lugar, existe um doido sentimento de camaradagem. LA é uma selva.

South Main Street, por onde Terry e eu perambulávamos comendo cachorros-quentes, era um fantástico carnaval de luzes e loucura. Policiais de coturno revistavam pessoas em praticamente cada esquina. As calçadas fervilhavam com os personagens mais maltrapilhos da nação – tudo isso sob aquelas suaves estrelas do sul da Califórnia, que estão perdidas na aura escura deste enorme acampamento no deserto que LA de fato é. Você podia sentir o cheiro de erva, de baseado, quer dizer, maconha, flutuando no ar misturado com o odor de chili e cerveja. Aquele grandioso e selvagem som de bop flutuava das cervejarias; o som embaralhava ainda mais essa completa mistura de caubóis de todas as espécies e *boogie-woogie* dentro da noite americana. Todos se pareciam com Hassel. Negros muito loucos com bonés bop e cavanhaques passavam às gargalhadas, depois vinham *hipsters* cabeludos e deprimidos recém-saídos da Rota 66 de Nova York; e então velhos ratos do deserto com suas mochilas indo em direção a um banco de parque na Plaza; logo a seguir pastores metodistas com as mangas arregaçadas, e um eventual garoto santo e naturalista de barba e sandália. Eu queria conhecer todos eles, conversar com todo mundo, mas Terry e eu estávamos ocupados demais tentando arranjar uma grana juntos.

Fomos a Hollywood tentar trabalhar numa farmácia na esquina da Sunset com a Vine. Aquilo sim era uma esquina! Famílias enormes vindas do interior saltavam de seus calhambeques e ficavam paradas na calçada implorando para vislumbrar alguma estrela do cinema; e a estrela do cinema jamais aparecia. Quando passava uma limusine eles corriam ansiosamente até o meio-fio e se inclinavam para espiar: algum figurão de óculos escuros estava sentado lá dentro ao lado de uma loira coberta de joias. "Don Ameche! Don Ameche!" "Não, George Murphy! George Murphy!" Andavam em círculos olhando uns para os outros. Veados bonitões que tinham ido a Hollywood para serem caubóis do cinema caminhavam por ali alisando as sobrancelhas com a ponta molhada de seus minguinhos esnobes. As menininhas mais apetitosas e mais maneiras deste mundo cruzavam vestindo *slacks*; tinham vindo para ser estrelas, acabavam nos *drive-ins*. Terry e eu tentamos arranjar emprego nos *drive-ins*. Não havia moleza em lugar nenhum. O Boulevard Hollywood era um imenso e ruidoso frenesi de automóveis; pequenos acidentes ocorriam pelo menos uma vez por minuto; todos iam em direção à palmeira mais distante – e além dela só havia o deserto e o vazio. Garotões de Hollywood paravam em frente a restaurantes pretensiosos, discutindo exatamente como os garotões da Broadway discutem na praia de Jacob, no estado de Nova York, com a diferença que vestiam ternos leves e usavam uma linguagem mais vulgar. Religiosos altos e cadavéricos tinham calafrios ao passar por ali. Mulheres gordas histéricas corriam pelo bulevar para entrar na fila dos programas de auditório. Vi Jerry Colonna comprando um carro na Buick Motors; ele estava por trás de uma enorme vitrina espelhada, alisando o bigode. Terry e eu comemos numa lanchonete do centro da cidade que era decorada para imitar uma caverna, com tetas metálicas jorrando por todos os lados e enormes bundas impessoais de pedra pertencentes a estranhas divindades e ao adulador Netuno. As pessoas engoliam refeições lúgubres entre as fontes, seus rostos verdes com marítima melancolia. Todos os policiais de LA pareciam gigolôs atraentes, obviamente tinham vindo a LA tentar a sorte no cinema. Todo mundo tinha vindo tentar a sorte no cinema, até mesmo eu. Terry e eu finalmente fomos reduzidos a tentar conseguir um emprego em South Main Street entre balconistas vulgares e garçonetes que nem ligavam para sua própria vulgaridade, mas nem ali havia jogo. Ainda tínhamos dez dólares.

"Vamos pegar minhas roupas na casa da mana e vamos de carona pra Nova York", disse-me Terry. "Vamos lá, homem. Vamos nessa. Se você não tem ginga, eu te ensino a rebolar." Essa última frase fazia parte de uma música que ela vivia cantando. Corremos até a casa da irmã dela nas prateadas cabanas mexicanas em algum lugar além da avenida Alameda. Esperei num beco escuro atrás de cozinhas mexicanas porque sua irmã não devia me ver. Cães corriam ao redor. Lâmpadas pequenas iluminavam minúsculos becos de ratazanas. Podia ouvir Terry e a irmã discutindo sob a suave noite cálida. Estava preparado para o que desse e viesse.

Terry saiu e me conduziu pela mão avenida Central afora, que é a rua mais colorida e importante de LA. E que loucura de avenida, com pardieiros nos quais mal cabia uma jukebox, e a jukebox tocando blues e jazz e jump. Subimos as escadas imundas dessa espécie de galinheiro e entramos no quarto de Margarina, uma amiga de Terry que tinha uma saia e um par de sapatos dela. Margarina era uma mulata deliciosa; seu marido, negro como piche e gentil. Ele saiu na mesma hora para comprar um pouco de uísque para me receber adequadamente. Tentei pagar pelo menos uma parte, mas ele recusou. Eles tinham duas crianças pequenas. As crianças pulavam em cima da cama; era o playground delas. Me abraçavam e me olhavam maravilhadas. A louca noite barulhenta da avenida Central – a noite da "Central Avenue Breakdown", de Hamp – uivava e retumbava lá fora. Cantava-se pelos corredores, cantava-se nas janelas, mande tudo para longe e olho vivo! Terry pegou suas roupas e nos despedimos. Fomos pro boteco ali embaixo e botamos discos na vitrola. Uma dupla de doidos negros sussurrou ao meu ouvido algo sobre maconha. "Um dólar." Eu disse: "Tá legal, pode trazer". O traficante entrou e me arrastou até o banheiro no porão, onde fiquei parado feito um babaca enquanto ele dizia: "Pega, homem, pega!".

"Pega o quê?", perguntei.

Ele já estava com o meu dólar na mão. Tinha medo de apontar para o chão. Não havia assoalho, só o chão do porão. Ali estava algo que parecia um pequeno monte de bosta marrom. Ele estava agindo com uma cautela absurda. "Tenho que me cuidar, a barra pesou na semana passada." Apanhei o monte de bosta, que era um cigarro marrom, voltei para Terry e caímos fora rumo ao hotel pra fazer a cabeça. Não aconteceu nada. Era tabaco Bull Durham. Gostaria de ser mais esperto com o meu dinheiro.

Terry e eu absolutamente tínhamos de decidir de uma vez por todas o que fazer. Decidimos pegar carona até Nova York com o restante da nossa grana. Naquela noite ela pegou cinco dólares de sua irmã. Ao todo a gente tinha uns treze, ou menos. E então, antes que outra diária fosse cobrada, fizemos as malas e zarpamos num ônibus vermelho até Arcadia, Califórnia, onde fica o hipódromo de Santa Anita, sob montanhas cobertas de neve. Era noite. Apontávamos em direção ao continente americano. De mãos dadas, caminhamos vários quilômetros estrada afora para sair da zona urbana. Era um sábado à noite. Estávamos debaixo de um poste de luz, pedindo carona, quando, repentinamente, carros repletos de garotos rugiram com enfeites esvoaçantes: "Haa!

Haa! Ganhamos! Ganhamos!", gritavam todos eles. E então nos vaiaram e zumbiram zombando ao verem uma garota e um cara na estrada. Dúzias de carros assim passaram por ali, cheios de rostos jovens e "jovens vozes arrogantes", como diz o ditado. Eu odiava cada um deles. Quem eles pensavam que eram, vaiando alguém na estrada só porque eram jovens desordeiros e secundaristas e seus pais assavam rosbifes nas tardes de domingo? Quem eles pensavam que eram, zombando duma menina numa situação difícil com um homem que queria ser amado? Nossa vida era da nossa própria conta. E não conseguimos uma maldita carona. Tivemos de caminhar de volta à cidade, e o pior de tudo é que, precisando de um café, tivemos a má sorte de ir ao único lugar aberto, que era o bar dos colegiais, e todos os garotos estavam lá; lembraram-se da gente. Então eles viram que Terry era mexicana, uma gata selvagem pachuco, e que seu cara era ainda pior que isso.

Com seu lindo nariz empinado, ela decidiu dar o fora dali e perambulamos juntos pelo acostamento das estradas, no escuro. Eu carregava as sacolas. Respirávamos neblina no ar frio da noite. Finalmente decidi me esconder do mundo uma noite mais junto com ela, e o amanhã que se danasse. Chegamos à portaria de um motel e alugamos uma pequena e confortável suíte por uns quatro dólares – chuveiro, toalhas de banho, rádio embutido e tudo mais. Nos abraçamos com força. Mantivemos longas, sérias conversações, tomamos banho, discutimos com a luz acesa e depois com a luz apagada. Algo estava sendo provado, eu a convencia de alguma coisa, que ela aceitava, e concluímos o pacto na escuridão, arfando, depois satisfeitos, como cordeirinhos.

Na manhã seguinte corajosamente demos início ao nosso novo plano. Iríamos pegar um ônibus até Bakersfield e trabalhar colhendo uvas. Depois de algumas semanas fazendo isso, nos dirigiríamos a Nova York da maneira apropriada, de ônibus. Foi uma tarde maravilhosa, rodando para Bakersfield com Terry: rebaixamos o assento, relaxamos, conversamos, vimos os campos rolarem pela janela do ônibus, e não nos preocupamos com nada. Chegamos a Bakersfield no fim da tarde. O plano era abordar cada atacadista de fruta da cidade. Terry disse que poderíamos morar em barracas no próprio emprego. A ideia de morar numa barraca e colher uvas nas frias manhãs da Califórnia me excitava. Mas depois de muita confusão com as pessoas nos dando uma infinidade de dicas, emprego nenhum se materializou. Apesar disso, comemos um jantar chinês e saímos com os corpos recuperados. Cruzamos a linha férrea da Southern Pacific e fomos para o bairro mexicano. Terry tagarelou com seus conterrâneos pedindo emprego. A noite caíra e agora a estreita rua mexicana era uma válvula reluzente cheia de luzes: marquises de cinemas, frutarias, arcadas vulgares, bazares e centenas de caminhões frouxos e calhambeques enlameados, estacionados. Famílias inteiras de mexicanos colhedores de frutas perambulavam comendo pipocas. Terry falava com todos. Eu estava começando a me desesperar. O que eu precisava – o que Terry precisava também – era de um bom trago. Então compramos uma meia-garrafa de vinho do Porto da Califórnia por 35 centavos e fomos ao pátio de manobra das locomotivas para beber. Encontramos um lugar onde os vagabundos juntavam caixotes para sentar ao redor do fogo. Sentamos lá e bebemos nosso vinho. À nossa esquerda estavam os tristes vagões de carga, vermelhos de fuligem sob o luar; à frente, ficavam as luzes do aeroporto da própria Bakersfield; à nossa direita, um gigantesco armazém de alumínio da Quonset. Ah, foi uma noite ótima, uma noite quente, uma noite para tomar vinho, uma noite enluarada, uma noite para abraçar sua garota e conversar e cuspir e viajar no cosmos. Foi o que fizemos. Ela era uma tolinha bêbada e me acompanhava, e me passava a garrafa e continuou falando até a meia-noite. Não arredamos o pé daqueles caixotes. Ocasionalmente uns vagabundos cruzavam por ali, mães mexicanas passavam com suas crianças, a radiopatrulha vinha e o tira descia para inspecionar, mas a maior parte do tempo ficamos sozinhos, misturando nossas almas cada vez mais, cada vez mais, até que seria terrivelmente difícil dizer adeus. À meia-noite nos levantamos e nos mandamos para a estrada.

Terry teve uma nova ideia. Devíamos pegar carona até Sabinal, sua cidade natal, e morar na garagem de seu irmão. Qualquer coisa estava bem para mim. Na estrada, fiz Terry sentar sobre a sacola para parecer uma mulher em apuros, e em seguida um caminhão parou, e nós corremos até ele, felicíssimos. O cara era legal; seu caminhão era ruim. Ele rangia e galgava trôpego vale acima. Chegamos a Sabinal poucas horas antes de amanhecer. Eu tinha acabado com o vinho e já estava devidamente chapado, enquanto Terry dormia. Desembarcamos e vagabundeamos pela sonolenta praça recoberta de folhas da pequena cidade da Califórnia – apenas uma breve parada ao lado da ferrovia Southern Pacific. Fomos procurar um amigo do seu irmão, que nos diria onde ele estava. Ninguém em casa. Quando o alvorecer rasgou os céus, me estiquei com as costas na grama da praça central da cidade e comecei a falar repetidamente: "Você não vai contar o que ele fez lá em Weed, vai? O que ele fez lá em Weed? Você não vai contar, vai? O que ele fez lá em Weed?" Era uma cena do filme *Ratos e homens,* com Burgess Meredith falando com o capataz do rancho. Terry deu uma risadinha. Fosse o que fosse que eu fizesse, estava tudo bem para ela. Eu poderia ficar lá deitado dizendo a mesma coisa até que as velhas senhoras saíssem para ir à missa e Terry não se importaria. Mas finalmente decidi que deveríamos nos estabelecer logo por causa do seu irmão, e a levei a um hotel à beira do caminho e confortavelmente fomos para a cama.

Na radiante manhã ensolarada, Terry acordou cedo e foi procurar o irmão. Dormi até o meio-dia; quando olhei pela janela vi, de relance, um trem de carga passando com centenas de vagabundos recostados nos vagões-plataforma, rolando despreocupadamente, com pasquins baratos em frente a seus narizes e mochilas como travesseiro, alguns mascando deliciosas uvas da Califórnia, colhidas num desvio ao longo da linha. "Porra", gritei. "Isso aqui *é* mesmo a terra prometida, uau!" Todos estavam vindo de Frisco; em uma semana estariam de volta, no mesmo grande estilo.

Terry chegou com seu irmão, um amigo dele e o filho dela. O irmão dela era um índio muito louco, um gato mexicano sempre a fim de um trago, um sujeito bem legal. Seu amigo era um mexicano grande e balofo, que falava inglês sem muito sotaque, um sujeito barulhento sempre pronto a ajudar. Percebi que ele era gamado em Terry. Seu garotinho era Johnny, de sete anos, olhos negros e ar singelo. Bem, ali estávamos nós e outro dia louco começava.

O nome do irmão dela era Rickey. Tinha um Chevrolet 1938. Amontoamo-nos dentro dele e partimos para lugares desconhecidos. "Para onde vamos?", perguntei. Seu amigo deu as explicações: o nome dele era Ponzo, todo mundo o chamava assim. Rickey parou. Logo descobri por quê. Seu negócio era vender esterco pros fazendeiros; por isso tinha um caminhão. Rickey tinha sempre uns três ou quatro dólares no bolso e não encanava com nada. Repetia o tempo inteiro: "Tudo bem, amigo, lá vamos nós, vamo nessa, vamo nessa". E ele ia mesmo. Dirigia aquela velha tralha a uns 120 por hora, e fomos até Madera, depois de Fresno, para falar sobre esterco com alguns fazendeiros.

Rickey tinha uma garrafa. "Hoje bebemos, amanhã trabalhamos. Vamo nessa, cara – toma um trago!" Terry ia sentada no banco de trás com o garoto; virei-me para vê-la e vi reluzindo em seu rosto o resplendor do retorno ao lar. A linda e esverdeada zona rural de outubro na Califórnia esvoaçava loucamente do lado de lá da janela. Eu estava com o pé que era um leque, pronto para agitar outra vez.

"Pra onde a gente vai agora, cara?"

"Vamos procurar algum fazendeiro que tenha esterco, amanhã a gente volta com o caminhão e junta tudo. Vamos levantar a maior grana, homem. Não se preocupe com nada."

"Estamos todos no mesmo barco", berrou Ponzo. E vi que era assim – em todo lugar onde eu ia, todos estavam no mesmo barco. Voamos pelas doidas ruas de Fresno e vale acima em direção a algumas fazendas à beira das estradas secundárias. Ponzo saltou do carro e manteve umas conversações meio confusas com velhos fazendeiros mexicanos; nada, é claro, resultou disso tudo.

"Do que a gente realmente precisa é tomar um trago!", gritou Rickey, e lá fomos nós para um bar de beira de estrada. Os americanos estão sempre bebendo em bares à beira das estradas nos domingos à tarde; eles trazem seus garotos, tagarelam e discutem entre cervejas; tudo está bem. Chega a noitinha e as crianças começam a chorar e os pais estão bêbados. Retornam trôpegos para casa. Por toda a América estive em bares de beira de estrada bebendo em companhia de famílias inteiras. As crianças comem pipoca e batatas fritas e brincam lá nos fundos. Foi isso o que fizemos. Rickey, eu, Terry e Ponzo sentamos, bebendo e gritando com a música; o pequeno Johnny brincava com as outras crianças junto da jukebox. O sol foi se avermelhando. Nada foi concluído. O que havia para se concluir? "*Mañana*", disse Rickey. "*Mañana*, homem, nós desdobraremos essa; toma outra cerveja, vamo nessa, *vamo nessa*!"

Cambaleamos para fora e entramos no carro; lá fomos nós prum bar da highway. Ponzo era um sujeito alto, gritalhão, vociferador, que conhecia todo mundo no vale de San Joaquin. Do bar da highway fui sozinho com ele no carro para encontrar um fazendeiro; em vez disso acabamos no bairro mexicano de Madera, curtindo as garotas e procurando arranjar algumas para ele e para Rickey. E então, quando um crepúsculo purpúreo baixava sobre a terra da uva, me encontrei sentado bobamente no carro enquanto ele discutia com um velho mexicano na porta de sua cozinha a respeito do preço de uma melancia que o velho cultivava no quintal. Pegamos a melancia. Comemos ali mesmo e atiramos as cascas na calçada imunda do velho. Os mais variados tipos de lindas gatinhas cruzavam pela rua cada vez mais escura. Falei: "Onde é que a gente se meteu?".

"Não se preocupe, cara", disse o grande Ponzo. "Amanhã vamos fazer muita grana; hoje à noite a gente nem se preocupa." Voltamos, apanhamos Terry, seu irmão e o moleque e nos dirigimos a Fresno sob as luzes noturnas da estrada. Estávamos todos morrendo de fome. Sacolejamos por cima dos trilhos do trem em Fresno e chegamos às ruas endoidecidas do bairro mexicano. Uns chineses estranhos dependurados em suas janelas curtindo as ruas do domingo à noite; grupos de garotas mexicanas se pavoneando metidas em *slacks*, mambo estourando nas *jukebox*; as luzes da rua estavam ornamentadas como se fosse a Noite das Bruxas. Fomos a um restaurante mexicano e comemos tacos e feijão amassado enrolado em tortillas, uma delícia. Saquei minha última e reluzente nota de cinco dólares que se entrepunha entre mim e a praia de Nova Jersey e paguei minha parte e a de Terry. Agora eu só tinha quatro dólares. Terry e eu nos entreolhamos.

"Onde vamos dormir hoje, *baby*?"

"Sei lá."

Rickey estava bêbado; agora tudo o que dizia era: "Vamo nessa, cara – vamo nessa, cara", numa voz suave e fatigada. Tinha sido um longo dia. Nenhum de nós sabia o que estava se passando, nem o que o bom Deus nos reservava. O pobrezinho Johnny adormeceu nos meus braços. Retornamos a Sabinal. No caminho, de repente, entramos num bar na highway 99. Rickey queria beber uma última cerveja. Nos fundos do bar havia um *trailer,* umas barracas e minúsculos quartos numa espécie de motel. Sondei o preço, era dois dólares. Perguntei a Terry o que ela achava e ela achou, bom já que estávamos com o moleque e deveríamos instalá-lo confortavelmente. Assim, depois de algumas cervejas no bar, onde soturnos caipiras oscilavam ao som de uma banda de caubóis, Terry, eu e Johnny fomos para o quarto e nos preparamos para cair duros na cama. Ponzo continuou circulando por ali; ele não tinha onde dormir. Rickey dormia na casa do pai, um barracão entre as videiras.

"Onde você mora, Ponzo?", perguntei. "Em lugar nenhum, homem. Deveria estar morando com Big Rosey; mas ela me enxotou ontem à noite. Vou pegar meu caminhão e dormir lá hoje."

Guitarras tiniam. Terry e eu contemplamos as estrelas juntos e nos beijamos. "*Mañana*", disse ela. "Amanhã tudo vai ficar bem, não acha, querido Sal?"

"Claro, *baby, mañana*." Era sempre *mañana*. Foi tudo o que eu ouvi durante toda a semana seguinte – *mañana,* uma palavra adorável que provavelmente quer dizer paraíso.

O pequeno Johnny pulou na cama, de roupa e tudo, e caiu no sono; seus sapatos derramaram areia, areia de Madera. Terry e eu levantamos no meio da noite e sacudimos a areia dos lençóis.

Pela manhã, me levantei, me lavei e dei uma caminhada pelas redondezas. Estávamos a oito quilômetros de Sabinal, entre os campos de algodão e os vinhedos. Perguntei para a gordona dona do camping se havia alguma barraca vazia. A mais barata, a que custava um dólar por dia, estava desocupada. Catei um dólar no bolso e nos mudamos para lá. Havia uma cama, um fogão e um espelho rachado dependurado numa vara, era encantador. Eu tinha de me abaixar para entrar, e quando me abaixava, ali estavam minha garota e meu garotinho. Esperamos Rickey e Ponzo chegar com o caminhão. Eles chegaram com garrafas de cerveja e começaram a se embebedar na barraca.

"E o esterco?"

"Hoje já é muito tarde. Amanhã, cara, a gente vai levantar um monte de grana; hoje vamos tomar umas cervejas. O que você me diz de uma cerveja?" Não foi preciso insistir muito. "Vamo nessa – *vamo nessa*", berrou Rickey. Comecei a perceber que nossos planos de arranjar dinheiro com o caminhão de esterco jamais se concretizariam. O caminhão estava estacionado junto à barraca. Cheirava como Ponzo.

Aquela noite Terry e eu fomos para a cama com o sublime ar noturno sob nossa barraca úmida. Eu já estava me preparando para dormir quando ela disse: "Quer fazer amor comigo agora?".

Eu disse: "E o Johnny?".

"Ele não liga. Tá dormindo." Mas Johnny não estava dormindo e ficou calado.

Os outros dois voltaram no dia seguinte com o caminhão de esterco e logo se mandaram para comprar uísque; retornaram e se divertiram a valer na barraca. Ponzo disse que aquela noite estava fria demais e dormiu no chão da nossa barraca, enrolado num enorme encerado cheirando a bosta de vaca. Terry odiava ele; disse que ele andava com seu irmão só para ficar perto dela.

Nada iria acontecer, a não ser inanição para Terry e para mim, então, pela manhã, andei pelos campos das redondezas pedindo emprego na colheita de algodão. Todos me disseram para ir à fazenda que ficava do outro lado da estrada, em frente ao camping. Fui, e o fazendeiro estava na cozinha com suas mulheres. Ele saiu, ouviu minha história e me alertou que estava pagando apenas três dólares por 45 quilos de algodão colhido. Eu me imaginei colhendo pelo menos uns 130 quilos por dia e peguei o emprego. Ele catou umas sacolas de lona compridas no galpão e me disse que a colheita começava ao amanhecer. Corri de volta para Terry, felicíssimo. No caminho, um caminhão carregado de uvas passou por um calombo da estrada e grandes cachos caíram no asfalto quente. Eu os apanhei e levei-os para casa. Terry ficou feliz. "Johnny e eu vamos junto para te ajudar."

"Shhhh", eu disse. "Nada disso!"

"Você vai ver, você vai ver, é muito difícil colher algodão. Vou te ensinar."

Comemos as uvas e ao entardecer Rickey apareceu com um pedaço de pão e meio quilo de hambúrguer e fizemos um piquenique. Numa barraca maior, próxima à nossa, morava uma família inteira de colhedores de algodão vindos de Oklahoma; o avô passava o dia inteiro sentado numa cadeira, era velho demais para trabalhar; a cada amanhecer, seu filho e sua filha, com os netos, enfileiravam-se na estrada em direção ao campo da minha fazenda e iam trabalhar. Na aurora do dia seguinte, acompanhei os *Okies*. Eles disseram que o algodão era mais pesado ao amanhecer, por causa do orvalho, e que se podia fazer mais dinheiro do que à tarde. Mesmo assim, trabalhavam o dia inteiro, do nascer ao pôr do sol. O avô tinha vindo do Nebraska durante a grande praga dos anos 30 – aquela mesma das grandes nuvens de poeira de que meu caubói de Montana havia falado – com a família inteira num caminhão caindo aos pedaços. Desde então, eles estavam na Califórnia. Adoravam trabalhar. Nestes dez anos, o filho do velho havia acrescentado quatro filhos à família, alguns deles já grandes o suficiente para colher algodão. E, por esses dias, eles haviam progredido da pobreza esfarrapada nos campos de Simon Legree para uma espécie de respeitabilidade sorridente em barracas melhores, e isso era tudo. Eles eram extremamente orgulhosos de sua barraca.

"Tão pensando em voltar pro Nebraska?"

"Shhhh! Não há nada por lá. O que queremos é comprar um *trailer*."

Nos inclinamos e começamos a colher o algodão. Era lindo. Do lado de lá do campo ficavam as barracas, além delas os áridos e terrosos campos de algodão se estendendo a perder de vista até as colinas do arroio barrento e, mais adiante, as serras com seus cumes nevados sob o ar azulado da manhã. Era muito melhor do que lavar pratos em South Main Street. Mas eu não sabia nada sobre colheita de algodão. Levava muito tempo despregando a fofa bola branca do talo quebradiço; os outros faziam isso num instante. Além do mais, as pontas dos meus dedos começaram a sangrar; eu precisava de luvas, ou de mais experiência. Nos campos, junto com a gente, havia um velho casal de negros. Eles colhiam algodão com a mesma santa paciência que seus avós no Alabama antes da Secessão. Curvados e melancólicos, labutavam em suas fileiras, e seus sacos iam engordando. Minhas costas começaram a doer. Mas era lindo se ajoelhar e se esfolar naquela terra. Quando sentia vontade de descansar, eu o fazia, recostando minha cara num travesseiro de terra úmida e escura. Pássaros cantarolavam marcando o compasso. Pensei ter encontrado o emprego da minha vida. Johnny e Terry vieram pelo campo, acenando no silêncio abafado do meio-dia e logo se juntaram a mim no trabalho. Uma ova se o pequeno Johnny não era mais rápido do que eu! – e Terry, claro, era duas vezes mais veloz. Eles trabalhavam à minha frente e deixavam montes de algodão limpo para que eu guardasse em meu saco: montes de uma colhedora experimentada, como eram os de Terry, e montinhos infantis, que eram os de Johnny. Eu os enfiava no meu saco, pesaroso. Que tipo de velhote era eu, incapaz de sustentar o próprio rabo e ainda deixando o deles desamparado? Eles passaram a tarde inteira comigo. Quando o sol se pôs, nos arrancamos juntos e doloridos. No limite da lavoura, esvaziei minha carga numa balança; pesava vinte e dois quilos e eu ganhei um dólar e meio. Então pedi emprestada a bicicleta de um dos garotos *Okies* e me dirigi pela 99 até o armazém num entroncamento da estrada onde comprei latas de espaguete com almôndegas, pão, manteiga, café, um bolo, e voltei com a sacola pendurada no guidão. O tráfego para LA passava zunindo; o tráfego em direção a São Francisco me acossava por trás. Praguejei e praguejei. Olhei para o céu escuro e pedi a Deus por uma vida menos árdua e uma chance melhor para fazer algo por aquela gente que eu amava. Mas ninguém estava prestando atenção em mim lá em cima. Eu já deveria saber disso. Foi Terry quem me trouxe de volta a este mundo. Ela aqueceu a comida no fogão da barraca e aquela foi uma das melhores refeições da minha vida; oh, como eu estava faminto e fatigado. Suspirando como um velho negro colhedor de algodão, estendi-me na cama e fumei um cigarro. Cães uivavam na noite gelada. Rickey e Ponzo haviam desistido de aparecer durante a noite. Fiquei satisfeito com isso. Terry enroscou-se no meu corpo, Johnny sentou sobre meu peito e eles desenharam bichos no meu caderno. A luz da nossa barraca reluzia na planície horripilante. A música dos caubóis ressoava no bar central e percorria os campos, repleta de melancolia. Para mim, estava tudo bem. Beijei minha pequena e apagamos a luz.

Pela manhã, o orvalho fez nossa barraca ceder; eu me levantei e, com minha toalha e a escova de dentes, fui ao banheiro comunitário do motel para me lavar; então voltei, vesti minha calça que estava toda rasgada de tanto me ajoelhar na terra, e que havia sido costurada por Terry na noite anterior, enfiei meu chapéu de palha esfarrapado, que originalmente havia sido o chapéu de brinquedo de Johnny, e cruzei a estrada com o saco de lona para colher mais algodão.

Todos os dias eu ganhava aproximadamente um dólar e meio. Era o suficiente apenas para ir comprar comida à noite, com a bicicleta. Os dias se passavam. Esqueci tudo a respeito do Leste e tudo sobre Dean e Carlo e a maldita estrada. Johnny e eu brincávamos o tempo inteiro; ele gostava que eu o atirasse para cima e o deixasse cair na cama. Terry sentava remendando as roupas. Eu era um camponês, exatamente como havia sonhado que seria, lá em Paterson. Houve rumores de que o marido de Terry estava de volta a Sabinal e andava atrás de mim; eu estava preparado para ele. Uma noite os *Okies* ficaram furiosos no bar, amarraram um homem numa árvore e bateram nele com paus até desmanchá-lo. Eu estava dormindo e apenas ouvi falar sobre isso. Daí em diante, passei a carregar um porrete comigo quando estava na barraca, para o caso de eles pensarem que nós, os mexicanos, estávamos emporcalhando o acampamento deles. Claro que eles achavam que eu era mexicano, e de certa forma, eu sou.

Mas agora era outubro e as noites estavam ficando muito mais frias. Os *Okies* tinham um fogão a lenha e planejavam ficar lá o inverno inteiro. Nós não tínhamos nada e, além disso, o aluguel da barraca estava vencido. Terry e eu decidimos partir, penosamente. "Volta pra tua família", eu disse. "Pelo amor de Deus, você não pode ficar rolando por aí em barracas com um bebê como Johnny, o pobrezinho tem frio." Terry chorou porque eu estava criticando seus instintos maternos, não foi isso que eu quis dizer. Quando Ponzo chegou com o caminhão, numa tarde cinzenta, decidimos falar com a família dela sobre nossa situação. Mas eu não poderia ser visto e deveria me esconder nos vinhedos. Partimos para Sabinal; o caminhão quebrou e no mesmo instante começou a chover raivosamente. Ficamos sentados no caminhão blasfemando. Ponzo saiu e deu duro, na chuva. No fim das contas, ele era um sujeito legal. Nos comprometemos a tomar mais um grande pileque. Fomos até um boteco no bairro mexicano de Sabinal e passamos uma hora enchendo a cara de cerveja. Estava de saco cheio da minha labuta diária nas lavouras de algodão. Podia sentir o impulso da minha própria vida me chamando de volta. Enviei um postal barato para a minha tia e pedi cinquenta dólares outra vez.

Fomos para o barraco da família de Terry. Ficava na velha estrada que cruzava os vinhedos. Estava escuro quando chegamos lá. Eles me largaram uns quinhentos metros antes e se dirigiram até a porta. A luz jorrou por ela; os outros seis irmãos de Terry estavam tocando violão e cantavam. O velho estava bebendo vinho. Ouvi gritos e discussões acima da cantoria. Eles a chamavam de piranha por ter abandonado o marido que não prestava e ido para LA, deixando Johnny com eles. O velho berrava. Mas a opinião da mãe, morena, gorda e melancólica, prevaleceu mais uma vez, como sempre acontece entre os grandes povos do mundo, e Terry pôde voltar para casa. Os irmãos começaram a tocar músicas alegres, mais rápidas. Eu tiritava no vento frio e chuvoso e observava tudo através dos tristes vinhedos de outubro deste vale. Eu estava com a cabeça nesta grande canção que é "Lover Man", cantada por Billie Holliday; curti meu próprio concerto entre os arbustos. *Someday we'll meet, and you'll dry all my tears, and whisper sweet, little things in my ear, hugging and a-kissing, oh what we've been missing, Lover Man, oh where can you be...** Não era tanto a letra, mas a incrível melodia harmônica e o jeito como Billie canta, como uma mulher acariciando o cabelo de seu homem sob a luz suave do abajur. Os ventos uivavam. Fiquei com frio.

Terry e Ponzo retornaram e juntos zarpamos no velho caminhão para encontrar Rickey. Rickey agora estava morando com a mulher de Ponzo, Big Rosey; tocamos a buzina para ele nos becos minúsculos. Big Rosey o expulsou de casa. Tudo estava ruindo. Aquela noite, dormimos no caminhão. Terry me abraçou com força, é claro, e me disse para não partir. Ela falou que trabalharia colhendo uvas e que ganharia dinheiro suficiente para nós dois; enquanto isso eu poderia morar no celeiro da fazenda Heffelfinger, um pouco mais adiante, na mesma estrada em que morava a família dela. Eu não teria nada a fazer, senão sentar na grama o dia inteiro comendo uvas. "O que você acha?"

Pela manhã, seus primos vieram nos buscar noutro caminhão. De repente, me dei conta de que milhares de mexicanos em todo o território estavam sabendo a respeito de Terry e de mim, e que esse devia ter sido um assunto saboroso e romântico para eles. Os primos eram educadíssimos e, na verdade, até agradáveis. Permaneci no caminhão, sorrindo amavelmente, falando sobre onde estávamos durante a guerra e qual era o lance. Ao todo eram cinco primos, e todos eles eram legais. Pareciam pertencer ao lado da família de Terry que não esquentava com nada, como Rickey. Mas eu amava aquele louco Rickey. Ele jurou que iria até Nova York para se encontrar comigo. Eu o imaginava em Nova York deixando tudo para *mañana*. Naquele dia ele estava bêbado em algum outro lugar, pelo campo.

Saltei do caminhão na encruzilhada, os primos levaram Terry para casa. Eles fizeram um sinal lá da porta; o pai e a mãe não estavam, tinham saído para colher uvas. Fiquei de dono da casa durante toda a tarde. Era um barraco de quatro peças; eu não podia imaginar como toda a família se ajeitava para viver ali. Havia moscas sobre a pia. Não havia persianas, exatamente como naquela canção: "A janela está quebrada, a chuva pode entrar". Terry estava em casa agora, fuçando nas panelas. Suas duas irmãs sorriram para mim. As crianças gritavam na estrada.

Quando o sol rompeu, rubro, através das nuvens, no meu último entardecer no vale, Terry me conduziu ao celeiro da fazenda Heffelfinger. O fazendeiro Heffelfinger tinha uma próspera propriedade mais adiante naquela mesma estrada. Juntamos uns caixotes, ela trouxe uns cobertores da sua casa e tudo estava arrumado, exceto pela grande tarântula peluda que se escondia no ponto mais alto do teto do celeiro. Terry disse que ela não me causaria nenhum problema se eu não a perturbasse. Eu me deitei de costas olhando fixamente para ela. Saí, fui ao cemitério e trepei numa árvore. Cantei *Blue Skies* lá em cima. Terry e Johnny sentaram na grama; comemos uvas. Na Califórnia, chupa-se o suco das uvas e cospe-se a casca fora, realmente um luxo. Caiu a noite. Terry foi jantar em casa e retornou ao celeiro às nove horas com tortillas deliciosas e feijão mexido. Para iluminar o celeiro, fiz uma fogueira no chão de cimento. Fizemos amor entre os caixotes. Terry levantou-se e foi direto de volta para o barraco. Seu velho estava gritando por ela; eu podia ouvi-lo lá do celeiro. Ela deixou um manto para me aquecer; eu o joguei sobre os ombros e deslizei pelos vinhedos enluarados para ver o que estava acontecendo. Furtivamente fui até o fim da trilha e me ajoelhei no barro morno. Seus cinco irmãos cantavam canções melodiosas em espanhol. As estrelas se punham atrás do pequeno telhado; fumaça serpenteava da chaminé do fogão a lenha. Senti o cheiro de feijão mexido e chili. O velho resmungava. Os irmãos prosseguiam a cantoria. A mãe estava calada. Johnny e os meninos faziam farra no quarto. Um lar da Califórnia; escondido nos vinhedos, eu sacava tudo. Me senti um milionário; estava me aventurando na louca noite americana.

 Terry caiu fora, batendo a porta atrás de si. Abordei-o na estrada escura. "O que é que há?"

 "Ah, a gente briga o tempo inteiro. Ele quer que eu vá trabalhar amanhã. Diz que não quer me ver vadiando por aí. Sallie, quero ir com você pra Nova York."

 "Mas como?"

 "Não sei, meu amor. Sentirei sua falta. Eu te amo."

 "Mas eu tenho que partir."

"Sim, sim. A gente transa mais uma vez, e aí você vai." Retornamos ao celeiro; fiz amor com ela sob a tarântula. O que aquela tarântula estava fazendo ali? Dormimos por uns instantes sobre os caixotes enquanto o fogo se extinguia. Ela voltou para casa à meia-noite; seu pai estava embriagado; pude ouvi-lo rugir; então houve um silêncio quando ele caiu no sono. As estrelas envolviam campos adormecidos.

Pela manhã o fazendeiro Heffelfinger enfiou a cabeça pelo buraco feito para o cavalo e disse: "Como está você, meu jovem camarada?".

"Bem. Espero que também esteja tudo bem com minha estada aqui."

"Claro. Você anda saindo com aquela sirigaita mexicana?"

"Ela é uma garota muito legal."

"E muito bonita também. Acho que o touro pulou a cerca. Ela tem os olhos azuis." Falamos a respeito de sua fazenda.

Terry me trouxe o desjejum. Eu estava com meu saco de lona arrumado e pronto para ir para Nova York, tão logo apanhasse meu dinheiro em Sabinal. Sabia que a essa altura ele estava lá esperando por mim. Disse a Terry que estava partindo. Ela estivera pensando sobre isso a noite inteira e estava conformada. Me beijou sem sentimentalismos entre os vinhedos e se mandou trilha abaixo. Nos viramos depois de uns dez passos, como num duelo de amor, e nos olhamos pela última vez.

"Te vejo em Nova York, Terry", disse. Estava combinado que dentro de um mês ela iria para Nova York com o irmão. Ambos sabíamos que ela não o faria. A trinta metros, me voltei para vê-la, ela seguia caminhando de volta para o barraco, carregando numa das mãos o prato do meu café da manhã. Arqueei a cabeça e a observei. Oh, ai de mim, eu estava na estrada outra vez.

Caminhei pela estrada rumo a Sabinal, comendo nozes de uma nogueira negra à beira do caminho. Fui para a linha férrea me equilibrando sobre os trilhos da Southern Pacific. Passei por uma caixa d'água e por uma fábrica. Alguma coisa terminava ali. Fui até o telégrafo da estação ferroviária atrás da minha ordem de pagamento vinda de Nova York. Estava fechado. Blasfemei e sentei nos degraus para esperar. O bilheteiro-chefe voltou e me convidou para entrar. Lá estava o dinheiro. Minha tia tinha salvo mais uma vez o meu traseiro preguiçoso. "Quem vencerá o campeonato do ano que vem?", perguntou o velho e macilento chefe dos bilheteiros. De repente, percebi que era outono e que eu estava retornando para Nova York.

Caminhei pelas trilhas na longa e melancólica luz outonal do vale na esperança de que um trem de carga aparecesse e então eu pudesse me juntar aos vagabundos comedores de uva e ler os pasquins com eles. O trem não apareceu. Fui para a estrada e ganhei carona num instante. Foi a carona mais extraordinária e rápida da minha vida. O motorista tocava rabeca numa banda de caubóis. Tinha um carro novo em folha e o dirigia a 120 por hora. "Nunca bebo quando dirijo", disse, me oferecendo um trago. Tomei um gole e lhe passei a garrafa. "Salve, salve!", exclamou, e bebeu. Fomos de Sabinal a Los Angeles no impressionante tempo de quatro horas; são quatrocentos quilômetros. Ele me largou bem em frente à Columbia Pictures, em Hollywood; o tempo justo para correr e apanhar meu original rejeitado. Então comprei minha passagem de ônibus para Pittsburgh. Não tinha dinheiro suficiente para um ticket direto até Nova York. Decidi que só me preocuparia com isso quando chegasse a Pittsburgh.

Com o ônibus partindo às dez, eu tinha quatro horas para curtir Hollywood sozinho. Primeiro comprei pão e salame e fiz dez sanduíches para cruzar o país. Sobrava-me um dólar. Sentei numa murada de cimento nos fundos de um estacionamento de Hollywood e preparei os sanduíches. Enquanto labutava nessa tarefa absurda, enormes refletores de alguma estreia hollywoodiana apunhalavam o céu, aquele céu agitado da Costa Oeste. Fui cercado pelos rumores da louca cidade

da costa dourada. E aí estava minha carreira em Hollywood –
minha última noite na cidade e eu ali, passando mostarda no
meu colo nos fundos de um mictório de estacionamento.

14

Ao amanhecer meu ônibus estava zunindo através do
deserto do Arizona – Índio, Blythe, Salomé (onde ela dançou);
amplas extensões áridas rumo às montanhas mexicanas no
Sul. Então dobramos para o norte em direção às montanhas
do Arizona, Flagstaff, cidades debruçadas nos penhascos.
Tinha comigo um livro que havia roubado num quiosque
em Hollywood, *Le Grand Meaulnes,* de Alan-Fournier, mas
preferia ler a paisagem americana enquanto seguíamos em
frente. Cada saliência, cada colina, cada planíce mistificava
meus anseios. Cruzamos o Novo México na escuridão da
noite; numa aurora descolorida estávamos em Dalhart, Texas;
na desamparada tarde de domingo rodávamos pela monotonia
de uma cidade atrás da outra de Oklahoma; ao entardecer era
o Kansas. O ônibus rodava solto. Eu estava indo para casa em
outubro. Todo mundo vai para casa em outubro.

Chegamos a St. Louis ao meio-dia. Dei uma caminhada
ao longo do rio Mississippi e observei as toras de madeira que
vêm flutuando desde Montana, no Norte – toras magníficas
e sua espantosa odisseia através do nosso sonho continental.
Velhos barcos a vapor com seus ornamentos ainda mais re-
buscados e murchos pelas intempéries assentados na lama e
habitados por ratos. Grandes nuvens do entardecer pairavam
sobre o vale do Mississippi. Naquela noite o ônibus rodou
através do milharal de Indiana; a lua iluminava os montes
fantasmagóricos de palha do milho colhido; estávamos
quase na Noite das Bruxas. Puxei conversa com uma garota
e a gente se grudou todo o percurso até Indianápolis. Ela
era míope. Quando saltamos do ônibus para comer tive de
conduzi-la pela mão até o balcão da lanchonete. Ela pagou

minha refeição; todos os meus sanduíches já se tinham ido. Em troca, contei-lhe longas histórias. Ela estava vindo do estado de Washington, onde havia passado o verão colhendo maçãs. Morava numa fazenda no norte do estado de Nova York. Ela me convidou para ir até lá. Em todo caso, a gente marcou um encontro num hotel de Nova York. Ela saltou em Columbus, Ohio, e eu dormi o tempo inteiro até Pittsburgh. Estava mais fatigado do que jamais estivera em muitos anos. E ainda tinha 588 quilômetros de carona pela frente até Nova York, e uma moeda no bolso. Caminhei oito quilômetros para sair de Pittsburgh, e duas caronas, um caminhão carregado de maçãs e um enorme caminhão-*trailer*, me conduziram a Harrisburg, na noite amena e chuvosa do veranico de outono. Cruzei direto por lá. Queria chegar logo em casa.

Foi a noite do Fantasma do Susquehanna. O Fantasma era um velhinho enrugado com uma sacola de papel que afirmava estar se dirigindo ao "Canady". Ele caminhava muito rápido, ordenando que eu o seguisse, e disse que havia uma ponte à nossa frente por onde poderíamos cruzar. Tinha uns sessenta anos; falava incessantemente sobre as refeições que tinha feito; sobre quanta manteiga lhe haviam dado para as panquecas, quantas fatias extras de pão havia recebido e de como os velhos de uma instituição de caridade de Maryland o tinham chamado da varanda e convidado para ficar durante o fim de semana; e de como tinha tomado um delicioso banho quente antes de cair fora, como encontrara um chapéu novinho no acostamento da estrada em Virgínia, e ali estava o chapéu em sua cabeça; e de como costumava abordar todas as sedes da Cruz Vermelha em todas as cidades mostrando suas credenciais de veterano da Primeira Guerra Mundial, e que a Cruz Vermelha de Harrisburg não era digna desse nome; e de como ele se virava neste mundo difícil. Mas pelo que pude perceber, ele era apenas um vagabundo caminhante semirespeitável que cobria a pé toda a vastidão selvagem do Leste, abordando os escritórios da Cruz Vermelha e, às vezes, esmolando uns centavos nas esquinas das grandes avenidas. Vagabundeamos juntos. Caminhamos uns onze quilômetros ao longo do fúnebre Susquehanna. É um rio aterrador. Nas duas margens seus penhascos são repletos de arbustos, dependurados como fantasmas felpudos sobre águas desconhecidas. Trevas da noite recobriam tudo. Às vezes surgia o grande clarão avermelhado das locomotivas que estavam sobre os trilhos do outro lado do rio, iluminando penhascos horrendos. O homenzinho disse que tinha o cinto ideal em sua sacola e nós paramos para que ele o pescasse ali dentro. "Tenho um cinto ótimo aqui, em algum lugar – um cinto que arranjei em Frederick, Maryland. Porra, será que eu deixei essa troço em cima do balcão, lá em Fredericksburg?"

"Você quer dizer Frederick?"

"Não, não, Fredericksburg, *Virgínia*!" Ele estava sempre falando de Frederick, Maryland, e Fredericksburg, Virgínia. Caminhava direto pela estrada no sentido contrário ao tráfego e quase foi atropelado várias vezes. Eu me arrastava pela sarjeta. A cada instante esperava ver este pobre homenzinho louco voar pelos ares, morto, no meio da noite. Nunca encontramos a tal ponte. Deixei-o sob uma passarela da ferrovia e estava tão suado da caminhada que troquei de camisa e pus dois suéteres. Um bar de beira de estrada iluminou meu esforço deprimido. Uma família inteira veio caminhando pela estrada escura, perguntando-se sobre o que eu estaria fazendo. A coisa mais estranha de tudo, um tenor cantava um *blues* esplêndido naquele bar caipira da Pensilvânia; ouvi e lamentei. Começou a chover forte. Um homem me deu uma carona de volta para Harrisburg, dizendo que eu estava na estrada errada. Subitamente vi o pequeno vagabundo sob uma melancólica lâmpada da rua com o dedão a postos – pobre miserável, pobre menino perdido cuja juventude fora sugada pelo tempo –, transformado agora num fantasma alquebrado de selvas falidas. Contei a história para o motorista e ele parou para falar com o velho.

"Escute aqui, amigo, você está na direção do Oeste e não do Leste."

"Hein?", disse o minúsculo fantasma. "Não venha me dizer que não conheço os caminhos daqui. Tenho andado por este país faz anos. Estou indo em direção ao 'Canady'."

"Mas esta não é a estrada para o Canadá, esta estrada vai para Pittsburgh e Chicago." O velhinho, desgostoso conosco, pôs-se em marcha. O último vestígio que vi dele foi o balanço de sua pequena sacola branca dissolvendo-se na escuridão das lúgubres Alleghenies.

Eu julgava que toda a vastidão selvagem da América se concentrava no Oeste, até que o Fantasma do Susquehanna me provou que não era bem assim. Não, também havia amplitudes selvagens no Leste; era a mesma imensidão na qual Ben Franklin se arrastara no tempo dos carros de boi quando era agente do correio, a mesma imensidão do tempo em que George Washington era um recruta destemido que combatia os índios, quando Daniel Boone contava histórias sob lampiões na Pensilvânia e prometia encontrar a passagem no Desfiladeiro, quando Bradford abriu sua estrada e os homens subiram ruidosamente por ela construindo suas cabanas de toras. Para aquele homenzinho não existiam os amplos espaços abertos do Arizona, só a vastidão repleta de arbustos emaranhados do leste da Pensilvânia, Maryland e Virgínia, e as estradas secundárias, escuras estradas do interior serpenteando entre rios sombrios como o Susquehanna, Monongahela, o velho Potomac e o Monocacy.

Aquela noite em Harrisburg tive de dormir num banco da estação ferroviária; ao amanhecer os bilheteiros me enxotaram. Não é verdade que você começa a vida como uma criancinha crédula sob a proteção paterna? E então chega o dia da indiferença, em que o cara descobre que é um desgraçado, um miserável, fraco, cego e nu, e com a aparência de um fantasma fatigado e fatídico avança trêmulo por uma vida de pesadelo. Me arrastei para fora da estação, desfigurado. Estava fora de mim. Daquela manhã tudo o que eu podia perceber era sua própria palidez, como a palidez de um túmulo. Eu estava morto de fome, tudo que me restava em termos calóricos eram as últimas pastilhas para a garganta que eu tinha comprado meses atrás em Shelton, Nebraska; chupei-as por causa do açúcar. Eu não sabia esmolar. Arrastei-me para fora da cidade com uma força que mal me permitiu chegar aos seus limites. Sabia que seria preso se passasse mais uma noite em Harrisburg. Maldita cidade! A carona que consegui pegar foi com um sujeito magricela e desfigurado que acreditava no jejum como forma de preservar a saúde. Quando lhe contei que estava morrendo de fome, enquanto rodávamos para o leste, ele disse: "Muito bom, muito bom, não há nada melhor para você. Eu mesmo não como há três dias. Vou viver até os 150 anos". Ele era um saco de ossos, um boneco desengonçado, um palito quebrado, um maníaco. Eu poderia ter pego carona com um gordo endinheirado que diria: "Vamos parar neste restaurante e comer umas costeletas de porco com feijão". Mas não. Justamente naquela manhã eu tinha que ter pego carona com um louco que acreditava no jejum para a preservação da saúde. Depois de 150 quilômetros, ele ficou indulgente e pegou umas fatias de pão com manteiga que estavam no banco traseiro. Estavam escondidas entre suas amostras de vendedor. Ele rodava a Pensilvânia vendendo acessórios para encanadores. Devorei o pão com manteiga. De repente, comecei a rir. Estava completamente só no carro, esperando enquanto ele dava uns telefonemas de negócios em Allentown, e eu ria e ria. Deus, eu estava farto e de saco cheio da vida. Mas o louco me conduziu de volta para casa em Nova York.

De repente, lá estava eu na Times Square. Tinha viajado doze mil quilômetros pelo continente americano e estava de volta à Times Square; e ainda por cima bem na hora do *rush,* observando com os meus inocentes olhos de estradeiro a loucura completa e o zunido fantástico de Nova York com seus milhões e milhões de habitantes atropelando uns aos outros sem cessar em troca de uns tostões, um sonho maluco

– pegando, agarrando, entregando, suspirando, morrendo, e assim poderiam ser enterrados naquelas horrendas cidades-cemitério que ficam além de Long Island. As elevadas torres da nação – o outro limite do país, o lugar onde nasceu a América das Notas Promissórias. Fiquei parado numa entrada de metrô tentando criar coragem suficiente para catar uma longa e linda bagana, e toda vez que me preparava, enormes multidões passavam céleres e a tiravam de vista, até que finalmente as passadas a destruíram. Eu não tinha dinheiro para pegar o ônibus para casa. Paterson fica a uns bons quilômetros da Times Square. Dá para me imaginar caminhando aqueles últimos quilômetros através do túnel Lincoln ou sobre a ponte Washington em direção a Nova Jersey? Era um fim de tarde. Por onde andava Hassel? Vasculhei a praça, atrás de Hassel; ele não estava lá, estava na ilha de Riker atrás das grades. Onde estava Dean? Onde estava todo mundo? Onde é que estava a vida? Bem, eu tinha para onde ir, minha própria casa, um lugar só meu para descansar a cabeça e calcular as perdas e contabilizar o ganho que, eu sabia, deveria também estar em algum lugar. Tive de mendigar um troco para o ônibus. Abordei finalmente um pastor grego que estava parado numa esquina. Ele me deu uma moeda com o olhar distante e temeroso. Corri direto para o ônibus.

Ao chegar em casa, comi tudo que havia na geladeira. Minha tia se levantou e olhou para mim. "Meu pobre Salvatore", disse ela em italiano. "Como você está magro, como você está magro! Por onde andou esse tempo todo?" Eu vestia duas camisas e dois suéteres; dentro do meu saco de lona estavam minhas arruinadas calças da plantação de algodão e os restos esfarrapados das minhas alpargatas. Com o dinheiro que lhe enviei da Califórnia, minha tia e eu decidimos comprar uma nova geladeira; seria a primeira da família. Ela foi se deitar e, ainda tarde da noite, eu não conseguia adormecer, fiquei só fumando na cama. Meu manuscrito, pela metade, estava sobre a escrivaninha. Era outubro, em casa, trabalho outra vez. As primeiras rajadas do vento gelado estremeciam as janelas; eu tinha conseguido chegar bem a tempo. Dean estivera na minha casa, dormira várias noites ali esperando por mim, passara algumas tardes conversando com minha tia enquanto ela trabalhava num grande tapete tecido com retalhos de todas as roupas que minha família havia usado durante anos, e agora o tapete estava concluído e estendido no chão do meu quarto, tão complexo e tão rico quanto o próprio passar do tempo, e então Dean se mandou, dois dias antes da minha chegada, cruzando minha rota provavelmente na Pensilvânia ou em Ohio, para chegar a São Francisco. Tinha sua própria vida lá; Camille tinha acabado de arranjar um apartamento. Nunca me ocorreu procurá-la enquanto estava em Mill City. Agora era tarde demais e, além disso, eu havia me desencontrado de Dean.

Parte Dois

1

Um ano se passou antes que eu visse Dean outra vez. Fiquei em casa todo esse tempo, terminei meu livro e comecei a frequentar a faculdade com base na Lei dos Veteranos da Segunda Guerra. No Natal de 1948, minha tia e eu descemos para o Sul para visitar meu irmão em Virgínia, recheados de presentes. Eu havia escrito para Dean e ele falou que estava vindo para o Leste outra vez; e eu lhe disse que se ele realmente viesse, poderia me encontrar em Testament, Virgínia, entre o Natal e o Ano-Novo. Certo dia, todos os nossos parentes sulistas estavam sentados na sala de estar em Testament, homens e mulheres enfadonhos com a velha poeira sulista recobrindo seus olhos, conversando em voz grave e aborrecida sobre o tempo e as colheitas e aquela usual e tediosa recapitulação sobre quem tinha tido bebês, quem comprara uma nova casa e assim por diante, quando um Hudson 1949 todo enlameado estacionou na estradinha de terra em frente à casa. Eu não tinha a menor ideia de quem poderia ser. Um cara jovem, exausto e musculoso, metido numa camiseta esfarrapada, com a barba por fazer e os olhos vermelhos, chegou até a varanda e tocou a campainha. Abri a porta e subitamente me dei conta de que era Dean. Ele viera de São Francisco até a porta da casa de meu irmão Rocco, em Virgínia, e num tempo surpreendentemente curto. Afinal, eu praticamente acabara de lhe escrever minha última carta, dizendo onde estava. Pude ver duas figuras dormindo no carro.

"Puta que pariu! Dean! Quem é que tá nesse carro?"

"O-lá, o-lá, cara, é Marylou. E Ed Dunkel. Precisamos de um banho neste exato instante, estamos cansados pra cacete."

"Mas como você chegou tão rápido até aqui?!"

"Ah, cara, é que esse Hudson voa!"

"Onde você arranjou ele?"

"Comprei com minhas economias. Dei uma trabalhada nas ferrovias, levantando uns quatrocentos dólares por mês."

Na hora seguinte, houve uma confusão completa. Meus parentes sulistas não tinham a menor ideia do que estava acontecendo, nem de quem eram Dean, Marylou e Ed Dunkel; apenas olhavam, apalermados. Minha tia e meu irmão Rocky foram para a cozinha confabular. Ao todo, eram onze pessoas numa minúscula casa sulista. Não apenas isso, mas meu irmão tinha decidido se mudar daquela casa, e metade da sua mobília já tinha ido; ele, a esposa e o bebê estavam se mudando para um lugar mais próximo da cidade de Testament. Eles tinham comprado um novo conjunto estofado para a sala e a mobília velha iria para a casa de minha tia em Paterson, apesar de ainda não termos decidido como. Ao ouvir isso, Dean imediatamente ofereceu seus serviços com o Hudson. Ele e eu transportaríamos a mobília para Paterson em duas rápidas viagens e na última delas levaríamos minha tia de volta. Isso faria com que economizássemos um monte de dinheiro e de trabalho. Tudo ficou decidido. Minha cunhada preparou um banquete e três viajantes esgotados sentaram-se para comer. Marylou não dormia desde Denver. Achei que ela parecia mais madura e mais bonita agora.

Eu tinha ouvido falar que Dean havia vivido feliz com Camille em São Francisco desde aquele outono de 1947; arranjou um emprego na ferrovia e ganhou um monte de dinheiro. Tornou-se pai de uma linda garotinha, Amy Moriarty. De repente, certo dia, ele pirou quando caminhava pela rua. Viu um Hudson 49 à venda, correu ao banco e sacou toda a grana, comprando o carro no ato. Ed Dunkel estava com ele. Todos estavam completamente duros agora. Dean tranquilizou as aflições de Camille e garantiu a ela que estaria de volta em um mês. "Tô indo a Nova York para trazer Sal de volta." Ela não ficou muito entusiasmada com a ideia.

"Mas qual é o sentido disso tudo? Por que você está fazendo isso comigo?"

"Não é nada, não é nada, querida, ah... hum... Sal me pediu, implorou que eu fosse apanhá-lo, é absolutamente necessário que eu o faça. Mas não vamos entrar nessa de ficar dando tantas explicações. Vou te dizer por quê... Não, é o seguinte, vou te contar por quê." E ele lhe disse por quê; e é claro que não fazia o menor sentido.

O grandalhão Ed Dunkel também trabalhara na ferrovia. Ele e Dean recém tinham sido dispensados durante um drástico corte nos empregos que só poupou os funcionários mais antigos. Ed havia conhecido uma garota chamada Galatea, que estava morando em São Francisco com suas economias. Esses dois cafajestes desmiolados pensaram em trazer a garota para o Leste e fazê-la pagar todas as despesas. Ed a persuadiu, adulou; mas ela não iria a não ser que eles se casassem. Em poucos e turbulentos dias Ed Dunkel casou com Galatea, com Dean correndo de um lado para outro para providenciar os papéis, e poucos dias antes do Natal eles se mandaram de São Francisco a 120 por hora rumo a LA e às estradas sem neve do Sul. Em LA, numa agência de viagens, apanharam um marinheiro e levaram-no junto em troca do equivalente a quinze dólares em gasolina. Ele ia para Indiana. Também deram carona a uma mulher e sua filha retardada, cobrando uma taxa de quatro dólares de gasolina até o Arizona. Dean colocou a menina retardada sentada na frente, bem a seu lado, curtindo-a, como ele mesmo disse. "Durante toda a *viagem,* cara! Oh, uma singela e pequena alma perdida. Falamos sem parar sobre emoções intensas e o deserto se transformando num paraíso e seu papagaio praguejando em espanhol." Largando esses passageiros, eles prosseguiram em direção a Tucson. Durante todo o trajeto, Galatea Dunkel, a nova mulher de Ed, continuou reclamando que estava cansada e que queria dormir num motel. Se aquilo continuasse assim, eles teriam gasto todo o dinheiro dela bem antes de chegarem a Virgínia. Em duas noites ela exigiu paradas e esbanjou notas de dez dólares em motéis de beira de estrada. No momento em que chegaram a Tucson, ela estava lisa. Dean e Ed livraram-se dela num saguão de hotel e reiniciaram a viagem a sós, com o marinheiro e sem o menor sinal de remorso.

Ed Dunkel era um cara alto, tranquilo e desleixado, absolutamente pronto para fazer o que quer que Dean lhe pedisse; e nessa época Dean estava atarefado demais para ter escrúpulos. Ele estava rodando por Las Cruces, Novo México, quando, de repente, sentiu uma vontade incontrolável de rever sua querida primeira mulher, Marylou. Ela estava lá em Denver. Ele gingou o carro em direção ao Norte, apesar dos protestos ineficazes do marinheiro, e zuniu Denver adentro no anoitecer. Voou e encontrou Marylou num hotel. Amaram-se com selvageria durante dez horas. Ficou tudo combinado: eles ficariam juntos de novo. Marylou era a única garota a quem Dean realmente amava. Ele ficou cheio de remorso ao ver outra vez o rosto dela e, como outrora, implorou e suplicou a seus pés, para alegria dela. Ela compreendia Dean: afagou seu cabelo; sabia que ele era um doido. Para acalmar o marinheiro, Dean o acomodou com uma garota num quarto de hotel em cima do bar onde a velha turma do bilhar sempre bebia. Mas o marinheiro rejeitou a garota e caiu fora durante a noite, eles jamais voltaram a vê-lo; evidentemente ele pegou um ônibus para Indiana.

Dean, Marylou e Ed Dunkel rodaram pela avenida Colfax, em direção ao Leste, rumo às planícies do Kansas. Foram surpreendidos por grandes tempestades de neve. No Missouri, à noite, Dean teve de dirigir com a cabeça para fora da janela, enrolada em uma manta, com óculos para neve que o faziam ficar parecido com um monge examinando manuscritos nevados, porque o para-brisa estava recoberto por três centímetros de gelo. Ele cruzou pelo município natal de seus antepassados sem pestanejar. Pela manhã, o carro derrapou num monte de gelo e voou para dentro de uma vala. Um fazendeiro se ofereceu para ajudá-los. Eles se deram mal ao apanharem um caroneiro que lhes prometeu um dólar caso lhe dessem carona até Memphis. Em Memphis o cara entrou em casa, se embebedou, procurou indolentemente pelo dólar e disse que não havia conseguido encontrá-lo. Eles prosseguiram através do Tennessee; a barra do eixo tinha estragado por causa do acidente. Dean havia dirigido a uma média de 140, agora não podia ultrapassar os 120 sob pena de o motor inteiro voar pelos ares, zumbindo barranco abaixo. Eles cruzaram as montanhas Great Smoky em pleno inverno. Quando chegaram à porta da casa do meu irmão, não comiam fazia 30 horas – a não ser umas balas e uns biscoitos de queijo.

Eles comiam vorazmente enquanto Dean, com um sanduíche na mão, pulava em frente a uma grande vitrola, escutando um disco de bop muito louco que eu havia comprado naqueles dias, chamado "The Hunt", com Dexter Gordon e Wardell Gray soprando seus trumpetes para uma plateia delirante, o que concedia ao disco um tom fantástico e frenético. A parentada sulista se entreolhou, surpresa, balançando a cabeça. "Afinal, que tipo de amigos são os de Sal?", perguntavam para meu irmão. Ele foi desafiado a lhes dar uma resposta. Os sulistas não gostam nem um pouco de loucura, não a do tipo de Dean. Ele não dava a menor bola para eles. A demência de Dean desabrochara como uma flor exótica. Eu não tinha percebido isso até que ele, eu, Marylou e Ed Dunkel saímos para um breve giro no Hudson, quando enfim ficamos sozinhos pela primeira vez e pudemos falar o que bem entendíamos. Dean se grudou no volante, engatou uma segunda, refletiu por um minuto enquanto rodava, de repente pareceu ter decidido alguma coisa e fez o carro despencar estrada abaixo, a toda a velocidade, num ímpeto de fúria.

"Tudo certo, crianças", disse ele, esfregando o nariz e se abaixando para testar o freio de mão e catando uns cigarros no porta-luvas, se inclinando para lá e para cá enquanto fazia tudo isso e dirigia. "Chegou a hora de decidir o que faremos na próxima semana. É crucial, crucial. Huhn!" Ele desviou de uma carroça; nela estava sentado um velho negro se arrastando adiante. "Oh, sim", gritou Dean. "É isso aí!

Saquem só ele! Agora imaginem só a alma dele, deem um tempo e meditem." E diminuiu a velocidade para que todos virássemos e olhássemos para o velho maltrapilho que seguia em frente entre lamúrias. "Oh, sim, saquem ele, tão meigo; daria o braço para saber que pensamentos estão cruzando aquela mente neste instante; queria penetrar profundamente nela e descobrir o que o pobre infeliz está pensando sobre os pratos de presunto com nabos que comerá esse ano. Sal, você não sabe, mas morei durante um ano inteiro com um fazendeiro do Arkansas, quando tinha onze anos. Ele me dava tarefas terríveis, certa vez tive que tirar o couro de um cavalo morto. Nunca mais voltei ao Arkansas, desde o Natal de 1943, há cinco anos, quando Ben Gavin e eu fomos perseguidos por um homem armado que era o dono do carro que estávamos tentando roubar; estou dizendo tudo isso pra que você saiba que posso falar sobre o Sul. Eu conheço, quer dizer, cara, eu saco o Sul, conheço tudo por aqui. Realmente curti tuas cartas sobre a região. Oh, sim, oh, sim...", disse ele diminuindo e parando por completo e de repente fazendo o carro saltar para 120 outra vez, debruçando-se sobre o volante. Ele olhava decididamente em frente. Marylou sorria serena. Aqui estava o novo e completo Dean, em plena maturidade. Eu disse a mim mesmo: Meu Deus, ele está mudado. Seus olhos desprendiam raios furiosos quando ele falava sobre coisas que odiava; uma grande e cintilante satisfação os substituía quando ele ficava repentinamente feliz; cada músculo se contraía para viver e partir. "Oh, cara, as coisas que eu poderia te contar", dizia, me cutucando. "Oh, cara, a gente simplesmente tem que conseguir tempo pra isso. O que aconteceu com Carlo? Todos nós temos que ver Carlo, meninos, será a primeira coisa que faremos amanhã. E agora, Marylou, vamos arranjar carne e pão para fazer a comida que levaremos para Nova York. Quanta grana você tem, Sal? A gente joga tudo no banco de trás, a mobília da senhora P., e nós todos nos aconchegaremos na frente, bem próximos um do outro, contando histórias enquanto zunimos em direção a

Nova York. Marylou, das coxas de mel, senta do meu lado, Sal é o próximo, Ed vai na janela, o grande Ed interceptando as correntes de ar, motivo pelo qual ele vai viajar usando uma manta. E aí a gente vai cair na vida mansa, porque já está na hora e nós *sabemos que já é hora!*" Coçou furiosamente o queixo, deu uma guinada no carro ultrapassando três caminhões, entrou rugindo no centro de Testament, olhando em todas as direções e vendo tudo num ângulo de 180 graus em torno de seus olhos, sem mover a cabeça. Bum, encontrou uma vaga para estacionar num segundo, e ali estávamos nós estacionados. Saltou do carro. Entrou impetuosamente na estação rodoviária; nós o seguimos, como ovelhinhas. Ele comprou cigarros. Seus movimentos tornaram-se absolutamente desenfreados; parecia que estava fazendo tudo ao mesmo tempo. Era um movimento de cabeça para cima, outro para baixo, depois para os lados; mãos vigorosas, convulsivas; passos rápidos, sentando, cruzando as pernas, descruzando, levantando, esfregando as mãos, coçando o saco, puxando as calças, olhando para a frente e dizendo "Hum" e arregalando os olhos de súbito para ver tudo e todos; o tempo todo ele me agarrava pela cintura e falava e falava.

Estava muito frio em Testament; tinha nevado fora de época. Ele permanecia na longa e gélida rua principal, paralela à estrada de ferro, vestindo apenas uma camiseta e calças frouxas com o cinto desatado como se estivesse a ponto de baixá-las. Enfiou a cabeça pela janela do carro para falar com Marylou, recuou, esfregou as mãos na frente dela: "Oh sim, eu sei! Eu te conheço *bem*! Eu te conheço *bem*, querida!". Sua risada era demente; começava baixa e terminava alta, igual à risada radiofônica de um maníaco, só que mais rápida e mais abafada. Em seguida, ele mudava para um tom mais sério. Não havia motivo algum em nossa ida até o centro, mas ele achou motivos. Fez com que todos nós saíssemos batalhando, Marylou para comprar o farnel, eu atrás do jornal para ver a previsão do tempo, Ed procurando uns charutos. Dean adorava fumar charutos. Fumou um analisando o jornal e comentou: "Ah, nossos sacros picaretas de Washington estão planejando alguns inconvenientes adicio-nais aí em frente... uh-hun!... rah... opa! opa!" E saltou correndo para olhar uma garota negra que estava passando nesse exato instante pela calçada em frente à estação ferroviária. "Saca só ela", disse, com o dedo flácido apontando-a e acariciando a si mesmo com um sorriso apatetado: "Essa negrinha gostosa. Ah! Hum!" Entramos no carro e voamos de volta à casa de meu irmão.

Eu estava passando um Natal tranquilo no interior, como pude perceber quando entrei novamente na casa e vi a árvore de Natal, os presentes, senti o cheiro do peru assado e escutei a conversa dos parentes, mas agora a excitação havia tomado conta de mim outra vez, e esse formigamento se chamava Dean Moriarty; e lá estava eu saltando para outra intrépida cavalgada pela estrada.

2

Amontoamos a mobília de meu irmão na parte de trás do carro e zarpamos em meio à escuridão, prometendo estar de volta em trinta horas – trinta horas para fazer mil e seiscentos quilômetros de Norte a Sul. Mas era assim que Dean queria que fosse. Foi uma viagem penosa, mas nenhum de nós se deu conta; a calefação não estava funcionando e, consequentemente, o para-brisa ficava embaçado e coberto de gelo; a todo instante Dean metia a mão para fora dirigindo a 120 para esfregar o vidro com um trapo e fazer uma brecha para ver a estrada. "Ah, os orifícios do ofício." No amplo Hudson, tínhamos espaço de sobra para todos os quatro sentarem na frente. Um cobertor tapava nossas pernas. O rádio não estava funcionando. Era um carro zero-quilômetro comprado há cinco dias e já estava estragado. Além disso, apenas uma prestação fora paga. Lá fomos nós, para o Norte rumo a Washington, pela 301, uma estrada reta com mão dupla e sem muito tráfego. E Dean falava, ninguém mais falava. Ele gesticulava furiosamente, de vez em quando se debruçava na minha direção para enfatizar alguma coisa; às vezes tirava as mãos do volante e mesmo assim o carro seguia reto como uma flecha, sem se desviar uma vez só do meio da estrada; e aquela enorme lista branca permanecia ilesa, sendo apenas roçada pelo nosso pneu dianteiro esquerdo.

Uma série de circunstâncias absolutamente sem sentido fizeram com que Dean viesse a meu encontro e, da mesma forma, com que eu me mandasse com ele, sem o menor motivo. Em Nova York eu estava indo à faculdade e curtindo um romance com uma garota chamada Lucille, linda gata italiana com cabelos cor de mel, e com quem eu estava realmente querendo casar. Durante todos esses anos eu havia procurado pela mulher com a qual quisesse me casar. Não conseguia conhecer uma garota sem me fazer a pergunta: que tipo de esposa ela daria? Falei para Dean e Marylou sobre Lucille. Marylou quis saber tudo sobre ela, queria conhecê-la. Zunimos por Richmond, Washington, Baltimore, subindo até a Filadélfia por uma sinuosa estrada do interior falando sem parar. "Quero me casar", disse a ele, "e assim poderei descansar meu espírito ao lado de uma garota até que nós dois fiquemos velhos. As coisas não podem continuar assim indefinidamente – todo esse frenesi, essa agitação toda. Temos que chegar a algum lugar, encontrar alguma coisa."

"Ah, agora essa, homem", disse Dean. "Há anos que desconfio dessa tua vontade de ter um *lar* e um casamento, todos esses maravilhosos anseios da tua alma." Foi uma noite triste, mas também foi uma noite divertida. Na Filadélfia, entramos num trailer e comemos hambúrgueres com nosso último dólar. O balconista – eram três da manhã – nos escutou falando sobre dinheiro e ofereceu os hambúrgueres grátis e também café, se puséssemos mãos à obra e lavássemos os pratos, lá nos fundos, porque o empregado habitual não tinha aparecido. Topamos no ato. Ed Dunkel, dizendo-se um velho pescador de pérolas, mergulhou seus longos braços entre os pratos. Dean permanecia de pé com uma toalha nas mãos, enquanto Marylou fazia o mesmo. Finalmente começaram a se roçar e a se esfregar entre potes e panelas; de repente retiraram-se prum canto escuro da copa. O balconista ficaria satisfeito contanto que Ed e eu lavássemos os pratos. Em quinze minutos terminamos a tarefa. Quando o dia nasceu já estávamos zunindo por Nova Jersey com a imensa nuvem metropolitana de Nova York surgindo à nossa frente na distância nevada. Para se conservar aquecido, Dean usava um suéter enrolado nas orelhas. Disse que éramos um bando de árabes chegando para explodir Nova York. Descemos pelo túnel Lincoln e cortamos caminho, direto à Times Square; Marylou queria ver o pedaço.

"Porra, gostaria de poder encontrar Hassel. Olhem com atenção, vejam se conseguem encontrá-lo." Perscrutamos as calçadas de um canto a outro. "O velho e sumido Hassel. Oh, se vocês o tivessem *visto* no Texas."

Portanto, agora, Dean já havia rodado seis mil e quinhentos quilômetros, desde Frisco, via Arizona, e para o norte até Denver, em quatro dias, recheados por incontáveis aventuras, e isso era apenas o começo.

3

Fomos até minha casa em Paterson e dormimos. Fui o primeiro a acordar no fim da tarde. Dean e Marylou estavam dormindo na minha cama, Ed e eu na cama de minha tia. O gasto e desengonçado baú de Dean jazia estatelado no chão, com as meias saindo para fora. Houve uma chamada telefônica para mim na farmácia do térreo. Desci correndo, a ligação era de Nova Orleans. Era Old Bull Lee que tinha se mudado para lá. Com sua voz chorosa e estridente, ele queria fazer uma queixa. Parece que uma garota chamada Galatea Dunkel acabara de chegar em sua casa procurando por um cara, um tal de Ed Dunkel; Bull não tinha a menor ideia de quem era essa gente. Galatea Dunkel era uma perdedora persistente.

Falei para Bull garantir para ela que Dunkel estava com Dean e comigo, e que o mais provável era que a apanhássemos em Nova Orleans quando estivéssemos a caminho da Costa. Então a própria garota falou ao telefone. Queria saber como estava Ed. Estava preocupada com o bem-estar dele.

"Como é que você foi de Tucson até Nova Orleans?", perguntei. Ela disse que havia telegrafado para casa pedindo dinheiro e pegou um ônibus. Estava decidida a recapturar Ed porque o amava. Subi e contei ao Big Ed. Ele sentou-se numa cadeira com o olhar preocupado; um homem angelical, sem dúvida.

"Agora tá tudo legal", disse Dean acordando de repente e saltando da cama; "o que devemos fazer é comer, já. Marylou, vai lá dar uma geral na cozinha e vê o que tem. Sal, você e eu vamos lá embaixo telefonar para Carlo. Ed, você dá um jeito de arrumar a casa". Segui Dean, que desceu ruidosamente as escadas.

O cara que atendia na farmácia disse: "Você acaba de receber mais uma chamada, desta vez de São Francisco – era para um cara chamado Dean Moriarty. Disse que não tinha ninguém com esse nome aqui". Era a dulcíssima Camille chamando Dean. O balconista da farmácia, Sam, um sujeito comprido e sossegado que era meu amigo, olhou para mim e coçou a cabeça: "Nossa, o que é isso que você está gerenciando, um bordel internacional?".

Dean ria como um maníaco. "Eu gosto de você, cara!" Jogou-se pra dentro da cabina telefônica e fez uma ligação a cobrar para São Francisco. Depois telefonamos para Carlo, que estava em sua casa em Long Island, e dissemos para ele aparecer. Carlo chegou duas horas depois. Nesse meio tempo Dean e eu nos aprontamos para nossa viagem de retorno a Virgínia, só os dois, para pegar o resto da mobília e trazer minha tia de volta. Carlo Marx chegou, poemas debaixo do braço, e sentou-se numa cadeira preguiçosa nos observando com os olhos vidrados. Durante a primeira meia hora recusou-se a falar qualquer coisa; de certa forma, se recusava a participar.

Tinha se acalmado desde aqueles melancólicos dias em Denver; era a melancolia de Dakar que havia provocado isso. Em Dakar, ele tinha perambulado, barbudo, por ruelas afastadas, e fora conduzido por crianças até o barraco de um vidente que lhe previu o futuro. Tinha fotos das doidas ruas com choças de palha, os sórdidos arredores de Dakar. Ele disse que na viagem de volta quase saltou do navio, como Hart Crane. Dean sentou-se no chão com uma caixinha de música e ouviu com enorme surpresa a pequena canção que ela reproduzia, *A Fine Romance.* – "Ah, esses sininhos tilintantes! Ouçam! Vamos todos ajoelhar e olhar no centro da caixinha de música até aprendermos o seu segredo – sininhos tilintantes, oooh." Ed Dunkel também estava sentado no chão, com as minhas baquetas de bateria nas mãos; subitamente começou a marcar o ritmo, acompanhando a música que saía da caixinha e que mal conseguíamos ouvir. Todos prenderam a respiração para escutar. "Tic... tac... tic-tic... tac-tac." Dean botou a mão em concha no ouvido, boquiaberto; ele disse: "Ah! Uau!".

Carlo observava esta tolice com olhos incisivos. Finalmente deu um tapa no joelho e disse: "Tenho algo a declarar".

"Sim? Sim?"

"O que significa essa viagem a Nova York? Em que espécie de negócio sujo estais metidos agora? Quer dizer, cara: onde pensais que ides neste carro reluzente pela noite da América?"

"Onde pensais que ides?", repetiu Dean, de boca aberta. Sentamos sem saber o que dizer; já não havia mais nada a ser dito. A única coisa a fazer era se mandar. Dean deu um salto e disse que estávamos prontos para retornar à Virgínia. Ele tomou uma ducha, eu fui cozinhar um grande prato de arroz com todas as sobras que havia em casa, Marylou costurou as meias dele, e já estávamos prontos para partir. Dean, Carlo e eu zunimos por Nova York. Prometemos rever Carlo em trinta horas, ainda na noite de Ano-Novo. Era de noite, agora. Nós o largamos na Times Square e retornamos através do dispendioso túnel Lincoln para dentro de Nova Jersey e para a estrada. Revezando na direção, Dean e eu chegamos a Virgínia em dez horas.

"Bem, é a primeira vez em anos que estamos sozinhos e em condições de conversar", disse Dean. E ele falou a noite inteira. Como num sonho zunimos outra vez através da adormecida cidade de Washington e de volta às florestas de Virgínia, cruzando o rio Appomattox ao nascer do sol, estacionando na porta da casa do meu irmão às oito da manhã. E durante todo esse tempo Dean estava excitadíssimo com tudo que via, com tudo que falava, com cada detalhe de cada instante que havia se passado. Estava fora de si com uma fé autêntica. "E claro que agora ninguém mais terá coragem de nos dizer que Deus não existe. Passamos por todo tipo de coisa. Você lembra, Sal, quando apareci em Nova York pela primeira vez e queria que Chad King me ensinasse tudo sobre Nietzsche? Vê quanto tempo já se passou desde lá. Tudo está numa ótima, Deus existe, nós captamos o espírito da nossa época. Desde os gregos, tudo tem se firmado sobre bases falsas. Você não pode desbundar com essa geometria e esses sistemas geométricos de pensar. É isso *aí*!" Ele envolveu o pulso com os dedos; o carro se manteve sobre a lista branca, preciso e no prumo. "E não apenas isso, mas nós dois concordamos que eu tenho tempo suficiente para explicar por que sei e você também sabe que Deus existe." Em determinado momento resmunguei sobre os problemas da vida – o quão pobre minha família era, como eu gostaria de poder ajudar Lucille, que também era pobre e tinha uma filha. "Problema é a palavra-chave pela qual Deus existe. O negócio é não esquentar a cabeça. Minha cuca tá zumbindo", gritou ele, dando um safanão na cabeça. Saltou do carro como Groucho Marx, para comprar cigarros – com aquele mesmo passo furioso e rente ao chão e as abas esvoaçantes da casaca, com a diferença que Dean não usava casaca. "Desde Denver, Sal, um monte de coisas – oh, tantas coisas – tenho pensado e pensado. Passei o tempo todo nos reformatórios, era um delinquente juvenil que queria se afirmar – roubando carros, um sintoma perfeito dessa situação, tá na cara. Agora todas as minhas broncas com a prisão já estão superadas. Tanto quanto eu consiga imaginar, jamais serei preso outra vez. O resto não é culpa minha." Passamos por um menininho que estava jogando pedras nos carros que cruzavam na estrada. "Pense nisso", disse Dean. "Um dia ele vai quebrar o para-brisa de alguém e o cara vai bater e morrer – tudo por causa deste garotinho. Tá percebendo o que eu quero dizer? Deus existe e não tem remorso. Enquanto a gente roda nessa estrada, não tenho a menor dúvida de que algo esteja tomando conta de nós mesmo com você temeroso ao volante" (eu odiava dirigir e dirigia cautelosamente), "as coisas vão se desenrolando naturalmente e você não vai sair da estrada; eu posso dormir tranquilo. Além do mais, a gente conhece a América, estamos em casa; eu posso ir a qualquer lugar da América e conseguir o que preciso, porque em qualquer canto é a mesma coisa, conheço as pessoas. Sei como elas agem. Nós damos, pegamos e partimos ziguezagueando por todos os lados nessa complicação incrivelmente pura." Não havia nenhuma clareza nas coisas que ele dizia, mas o que ele pretendia dizer era, de alguma forma, puro e preciso. Ele usava a palavra "puro" um monte de vezes. Jamais imaginei que Dean viraria um místico. Aqueles eram os primeiros dias de seu misticismo, que conduziriam à estranha e esfarrapada santidade W. C. Fieldiana de seus dias subsequentes.

    Até mesmo minha tia o escutava com uma metade curiosa do ouvido enquanto zuníamos de volta ao Norte naquela mesma noite, em direção a Nova York, com a mobília no porta-malas. Agora que minha tia estava no carro, Dean se acalmara, falando de sua rotina de trabalho em São Francisco. Examinamos cuidadosamente cada mínimo detalhe do que um guarda-freios deve fazer, com demonstrações cada vez que passávamos pelos trilhos de trem, e em determinado momento ele chegou a saltar do carro para me mostrar como é que um guarda-freios dá o sinal de que a linha está livre num pátio de manobras. Minha tia se recolheu ao banco de trás e foi dormir. Às quatro da manhã, em Washington, Dean ligou outra vez a cobrar para Camille, em Frisco. Logo depois, quando saíamos de Washington, uma viatura nos alcançou com a sirene ligada, fomos multados por excesso de velocidade, apesar de estarmos rodando a uns 50 quilômetros por hora. O que provocou isso foram as placas da Califórnia. "Vocês pensam que podem passar por aqui voando tão rápido quanto querem só porque são da Califórnia, garotos?", disse o guarda.

Fui com Dean até a mesa do sargento e tentamos explicar aos policiais que não tínhamos dinheiro. Eles disseram que Dean teria de passar a noite na cadeia se não juntássemos a grana. E claro que minha tia tinha, eram quinze dólares; ela tinha vinte ao todo, e isso daria justo na medida. E, de fato, enquanto discutíamos com os guardas, um deles saiu e foi dar uma espiada em minha tia, que estava no banco de trás, toda agasalhada. Ela o notou.

"Não se preocupe, não sou amante de pistoleiro. Se você quiser revistar o carro, vá em frente. Estou indo para casa com meu sobrinho, e esta mobília não é roubada, é da minha sobrinha, que acaba de ter um filho e está se mudando para uma casa nova." Isso deixou o Sherlock perplexo e ele retornou ao posto policial. Minha tia teve de pagar a multa ou ficaríamos retidos em Washington; eu não tinha carteira de motorista. Dean prometeu que a reembolsaria, e realmente o fez, exatamente um ano e meio depois, para a agradável surpresa de minha tia. Minha tia, uma mulher respeitável, às voltas com esse mundo melancólico – e como ela conhecia bem esse mundo! Ela nos contou sobre o guarda: "Estava escondido atrás das árvores, querendo ver qual era a minha aparência. Disse a ele para revistar o carro se quisesse. Não tenho do que me envergonhar". Ela sabia que Dean tinha do que se envergonhar, e eu também, em virtude de minha relação com ele; Dean e eu aceitamos tristemente essa situação.

Certa vez minha tia disse que o mundo jamais encontraria a paz até que os homens se jogassem aos pés das mulheres e lhes pedissem perdão. Mas Dean sabia disso; ele o havia mencionado muitas vezes. "Tenho implorado e implorado a Marylou por um entendimento pleno e pacífico, de puro amor entre nós, com o fim de todas as discórdias para sempre – ela compreende, mas seus pensamentos estão concentrados noutras coisas –, ela me persegue, se recusa a compreender o quanto a amo, está traçando minha sina."

"A verdade disso tudo é que não compreendemos nossas mulheres; nós as culpamos, mas a culpa é toda nossa", disse eu.

"Não é tão simples assim", alertou Dean. "A paz virá de repente, a gente não vai nem compreender quando acontecer – percebe, cara?" Desoladamente, obstinadamente, ele conduzia o carro através de Nova Jersey; ao raiar do dia, eu dirigia em direção a Paterson enquanto ele dormia no banco de trás. Chegamos em casa às oito da manhã e encontramos Marylou e Ed Dunkel sentados ali fumando baganas dos cinzeiros, eles não tinham comido nada desde que Dean e eu partíramos. Minha tia comprou uns quitutes e preparou um fantástico desjejum.

4

Agora já era tempo para o trio do Oeste descobrir um lugar apropriado para morar em Manhattan. Carlo tinha um apê na avenida York; eles estavam se mudando para lá naquela noite. Dormimos o dia inteiro, Dean e eu; acordamos quando uma grande tempestade de neve anunciava a noite de Ano-Novo de 1948. Ed Dunkel estava sentado na minha cadeira-preguiçosa, rememorando a noite de Ano-Novo anterior: "Eu estava em Chicago. Completamente duro. Estava sentado na janela do meu quarto de hotel na rua North Clark quando um cheiro delicioso chegou às minhas narinas vindo da padaria lá embaixo. Não tinha um tostão, mas desci e falei com a garota. Ela me deu pão e bolo de café, de graça. Voltei para o quarto e devorei tudo. Fiquei a noite toda no quarto.

Certa vez, lá em Farmington, no Utah, onde tinha ido trabalhar com Ed Wall – você conhece Ed Wall, filho do rancheiro de Denver –, estava na minha cama e de repente vi minha mãe já falecida parada ali num canto envolta por uma aura luminosa. Gritei: 'Mãe!'. Ela desapareceu. Tenho visões o tempo inteiro", disse Ed Dunkel, meneando a cabeça.

"O que você vai fazer com a Galatea?"

"Oh, veremos. Quando a gente chegar a Nova Orleans, que é que você acha, hein?" Estava começando a se aconselhar comigo também; um só Dean não era o bastante para ele. Mas já estava apaixonado por Galatea e refletia sobre a situação.

"O que você vai fazer da vida, Ed?", perguntei.

"Não sei", respondeu. "Vou tocando em frente. Curto a vida." Repetia isso ao estilo de Dean. Ele não tinha rumo. Permanecia sentado rememorando aquela noite em Chicago e o bolo de café ainda quente naquele quarto solitário.

Havia um turbilhão de neve lá fora. Uma grande festa estava acontecendo em Nova York; todos nós estávamos indo. Dean arrumou seu baú quebrado, enfiou-o no carro e nos arrancamos para a grande noite. Minha tia estava feliz porque meu irmão vinha lhe fazer uma visita na semana seguinte; ela sentou com seu jornal aguardando o programa de fim de ano que seria transmitido ao vivo da Times Square à meia-noite. Zunimos por Nova York, manobrando sobre o gelo. Eu nunca me apavorava quando Dean dirigia, ele podia dirigir um carro sob qualquer circunstância. O rádio tinha sido consertado e agora tocava um bop selvagem impulsionando-nos noite adentro. Eu não sabia aonde tudo isso conduziria; nem me importava.

Justamente nessa época algo estranho começava a me obcecar. Era o seguinte: eu tinha me esquecido de alguma coisa. Uma decisão que estivera prestes a tomar pouco antes da aparição de Dean; e agora ela estava se dirigindo claramente para fora da minha cabeça ainda que suspensa na ponta da língua da minha mente. Eu estalava dedos, tentando relembrar do que se tratava. Não podia dizer se era uma decisão real ou só uma reflexão esquecida. Isso me amedrontava, me espantava, me entristecia. Tinha algo a ver com o Viajante Encapuçado. Certa vez, Carlo Marx e eu nos sentamos frente a frente em duas cadeiras, joelho contra joelho, e eu lhe contei um sonho que tivera, com uma estranha figura árabe que me perseguia através do deserto; uma figura da qual eu tentava escapar mas que finalmente me alcançava pouco antes de chegar à Cidade Protetora. "Quem era?", perguntou Carlo. Refletimos. Sugeri que talvez fosse eu mesmo vestindo um manto. Não era isso. Algo, alguém, algum espírito nos perseguia, a todos nós, através do deserto da vida, e estava determinado a nos apanhar antes que alcançássemos o paraíso. Naturalmente, agora que reflito sobre isso, trata-se apenas da morte: a morte vai nos surpreender antes do paraíso. A única coisa pela qual ansiamos em nossos dias de vida, e que nos faz gemer e suspirar e nos submetermos a todos os tipos de náuseas singelas, é a lembrança de uma alegria perdida que provavelmente foi experimentada no útero e que somente poderá ser reproduzida (apesar de odiarmos admitir isso) na morte. Mas quem quer morrer? No desenrolar dos acontecimentos eu continuava pensando naquilo no fundo da minha mente. Contei tudo a Dean e ele, instantaneamente, reconheceu nisso um puro e simples desejo de morte, e já que a vida é uma só, ele, muito acertadamente, não queria se deter nesse tema; e então acabei concordando com ele.

Fomos procurar minha turma de Nova York. Flores loucas desabrochavam por aqui também. Primeiro fomos à casa de Tom Saybrook. Tom é um sujeito melancólico, bonitão e meigo, generoso e amável. Só que de vez em quando tinha súbitas crises de depressão e se mandava sem dizer uma palavra a ninguém. Nessa noite, estava excitadíssimo. "Sal, onde você encontrou estas pessoas absolutamente maravilhosas? Nunca conheci ninguém como eles."

"Encontrei-os no Oeste."

Dean estava tendo um de seus ataques; pôs um disco de jazz, agarrou Marylou, abraçou-a com força e juntos rebolaram ao balanço da música. Era uma genuína dança de amor. Ian MacArthur chegou acompanhado por um bando enorme. O fim de semana do Ano-Novo começava, prolongando-se por três dias e três noites. Grandes bandos embarcavam no Hudson e deslizavam pelas ruas nevadas de Nova York, de festa em festa. Arrastei Lucille e sua irmã para a maior de todas as festas. Quando Lucille me viu com Dean e Marylou seu rosto ficou enuviado – ela percebia a loucura que eles injetavam em mim.

"Não gosto do jeito que você fica quando está com eles."

"Ah, tudo bem, é só de sarro! A gente só vive uma vez. Estamos apenas nos divertindo."

"Não: é triste e eu não gosto."

Aí Marylou começou a fazer amor comigo; ela disse que Dean ia se juntar com Camille e queria que eu ficasse com ela. "Volta pra São Francisco com a gente. Vamos morar juntos. Vou ser uma garota legal pra você." Mas eu sabia que Dean amava Marylou, sabia também que ela estava fazendo isso só para deixar Lucille com ciúmes, e eu não estava a fim de nada disso. Ainda assim lambi os beiços pensando naquela loira gostosa. Quando Lucille viu Marylou me prensar nos cantos, dando letra e forçando beijos, aceitou o convite de Dean para dar uma volta de carro, mas eles apenas conversaram e beberam um pouco do uísque que eu tinha deixado no porta-luvas. Tudo estava se confundindo, tudo desmoronava. Sabia que meu caso com Lucille não iria durar muito mais. Ela queria que eu fosse do jeito *dela*. Ela fora casada com um estivador que a tratava mal. Eu estava disposto a me casar com ela, adotar sua filhinha e tudo mais, caso ela se divorciasse do cara, mas nem sequer havia dinheiro suficiente para o divórcio e a transa toda era irremediável; além do mais, Lucille jamais me compreenderia; gosto de muitas coisas ao mesmo tempo e me confundo inteiro e fico todo enrolado correndo de uma estrela cadente para outra até desistir. Assim é a noite, e é isso o que ela faz com você, eu não tinha nada a oferecer a ninguém, a não ser minha própria confusão.

As festas eram gigantescas; havia no mínimo umas cem pessoas nesse apartamento de subsolo na zona oeste da cidade. Transbordava gente de dentro dos porões próximos às caldeiras. Em qualquer canto estava acontecendo alguma coisa, em cada cama e sofá – não era uma orgia, apenas uma festa de fim de ano com uma gritaria frenética e a louca música no rádio. Havia até uma garota chinesa. Dean circulava como Groucho Marx, de grupo em grupo, curtindo todo mundo. De vez em quando corríamos até o carro e saíamos para apanhar mais gente. Damion chegou. Damion é o herói da minha turma de Nova York, assim como Dean é o heroico líder do grupo do Oeste. Eles antipatizaram um com o outro de imediato. De repente, a garota de Damion lhe mandou um sopapo direto no queixo. Ele ficou grogue. Ela o carregou para casa. Alguns jornalistas malucos amigos nossos chegaram da redação trazendo garrafas. Havia uma tremenda e maravilhosa tempestade de neve lá fora. Ed Dunkel encontrou a irmã de Lucille e desapareceu com ela; esqueci de dizer que Ed Dunkel é um cara muito insinuante com as mulheres. Ele tem 1,94 de altura; é moderado, afável, agradável, lisonjeiro e encantador. Ajuda as mulheres a vestirem seus casacos. Este é o jeito certo de fazer as coisas. Às cinco da manhã, todos nós estávamos correndo pelo quintal de um prédio e entrando pela janela de um apartamento onde acontecia uma grande festa. Ao raiar do dia, estávamos de volta à casa de Tom Saybruck. As pessoas estavam desenhando e bebiam cerveja choca. Dormi no sofá com uma garota chamada Mona em meus braços. Grupos enormes entravam em fila vindos do bar do campus da universidade de Colúmbia. Tudo nesse mundo, todas as caras do mundo amontoavam-se dentro de um mesmo quarto úmido. Na casa de Ian MacArthur a festa prosseguia. Ian MacArthur é um cara maravilhoso e gentil que usa óculos e espia por cima deles com charme. Começou a aprender a dizer "Sim" para tudo, exatamente como Dean nessa mesma época, e não parou desde então. Sob o furioso som de Dexter Gordon e Wardell Gray soprando *The Hunt,* Dean e eu brincamos de pega-pega com Marylou por cima do sofá; ela já não era nenhuma boneca indefesa. Dean circulava sem camisa, apenas de calças, pés descalços, até que já era hora de pegar o carro e ir buscar mais gente. Aconteceu de tudo. Encontramos o louco, extasiante Rollo Greb e passamos uma noite em sua casa em Long Island. Rollo mora numa bela casa com sua tia; quando ela morrer, a casa passa a ser inteiramente dele. Mas enquanto isso não acontece, ela recusa-se a concordar com qualquer um de seus desejos e odeia seus amigos. Ele arrastou essa gangue esfarrapada que Dean, Marylou, Ed e eu formávamos e deu início a uma festa ensurdecedora. A mulher espreitava lá de cima, ameaçou chamar a polícia. "Ora, cala a boca, seu trapo velho!", berrou Greb. Fiquei imaginando como ele conseguia morar com ela daquele jeito. Ele tinha mais livros do que eu jamais havia visto em toda a minha vida – duas bibliotecas, dois quartos repletos de livros do rodapé ao forro em todas as quatro paredes, e livros como Apócrifos disso e daquilo em dez volumes. Ele colocou óperas de Verdi e fez pantomimas delas metido em seu pijama com um grande rasgão na bunda. Estava cagando para tudo. Um erudito incrível que perambula aos gritos pelo cais de Nova York com os originais de partituras musicais do século XVII. Arrasta-se pelas ruas como uma aranha enorme. Sua excitação explode em seus olhos como diabólicas punhaladas luminosas. Ele girava o pescoço num êxtase espasmódico. Balbuciava, se contorcia, gemia, uivava, arrefecia desesperançado. Mal podia articular uma palavra, a vida o excitava tanto! Dean parou na frente dele balançando a cabeça e repetindo sem parar: "Sim... Sim... Sim..." Arrastou-me prum canto. "Este Rollo Greb é o maior, o mais incrível de todos. É isso que tô tentando te falar – é assim que eu quero ser. Quero ser como ele. Ele nunca se atrapalha, é capaz de entrar em qualquer uma, põe tudo pra fora, saca qual é a da vida, não tem nada a fazer senão seguir o ritmo. Cara, ele é o máximo! Saca só, se você agir como ele o tempo todo, finalmente vai conseguir."

"Conseguir o quê?"

"ISSO! ISSO! Mais tarde te digo – agora não, agora não temos tempo." Dean correu de volta para curtir Rollo Greb um pouco mais.

George Shearing, o grande pianista de jazz, Dean falou, era exatamente como Rollo Greb. Dean e eu fomos assistir a Shearing no Birdland no meio deste fim de semana longo e louco. O lugar estava às moscas, éramos os primeiros fregueses, às dez da noite. Shearing apareceu, cego, com alguém o conduzindo pela mão até o piano. Era um inglês distinto e bem-apessoado, com o colarinho branco duro, levemente rechonchudo, loiro, envolto por uma suave brisa noturna de verão inglês que se tornou evidente no primeiro número suave e murmurante que ele executou, enquanto o baixista se curvava reverencialmente para ele marcando o ritmo. Denzil Best, o baterista, permanecia sentado e imóvel, exceto pelos pulsos batendo as vassouras. E Shearing deu início ao embalo; um sorriso aflorava de seu rosto extasiado; ele começou a suingar no banquinho do piano, para frente e para trás, de início lentamente até que o ritmo esquentou e ele começou a balançar mais rápido, seu pé esquerdo marcando o ritmo de cada batida, seu pescoço começou a acompanhar tortuosamente, ele baixava o rosto até as teclas, jogava o cabelo para trás, seu penteado se desmanchou, e ele começou a suar. A música esquentou. O baixista se curvava surrando as cordas, mais e mais rápido, quer dizer, parecia ir cada vez mais rápido, só isso. Shearing começou a tocar seus acordes; eles ressoavam a cântaros para fora de seu piano em tons incrivelmente suntuosos. Você chegava a pensar que o homem não conseguiria alinhá-los. Eles deixavam o som rolar e rolar, como ondas do mar. A rapaziada gritava "Vai" para ele. Dean estava todo suado, o suor escorria pela sua gola. "Aí está ele! Ele é esse aí! O Pai de Todos! Shearing é o Pai de Todos! Só é! Sim, é ele!" E Shearing já percebera o louco às suas costas, podia ouvir cada uma das exclamações e sussurros de Dean, não podia vê-lo, mas podia senti-lo. "É isso aí!", disse Dean. "Legal!" Shearing sorriu; ele balançava. Shearing levantou-se do piano, suando em bicas; esses eram seus grandes dias de 1949, antes de ele ficar frio e comercial. Quando ele se foi, Dean apontou para o banco desocupado do piano. "O trono vazio de Deus", disse. Sobre o piano repousava um trumpete; sua sombra dourada provocava um estranho reflexo na direção da caravana do deserto pintada na parede, atrás da bateria. Deus se fora, restava o silêncio de sua retirada. Era uma noite chuvosa. Era o mito da noite chuvosa. Dean estava abobalhado e reverente. Essa loucura não iria conduzir a lugar algum. Eu não sabia o que estava acontecendo comigo, e de repente percebi que era apenas a erva que estávamos fumando; Dean tinha comprado um pouco em Nova York. Ela me fazia pensar que tudo estava prestes a acontecer – aquele momento em que você sabe tudo e tudo fica decidido, para a eternidade.

5

Deixei todos eles e fui para casa descansar. Minha tia disse que eu estava perdendo tempo vagabundeando com Dean e a turma dele. Eu sabia que estava errado, também. Vida é vida, estilo é estilo. O que eu realmente queria era fazer mais uma magnífica viagem para a Costa Oeste e retornar a tempo para o semestre de primavera na faculdade. E que viagem seria! Só embarquei nessa por causa da carona, para ver o que mais Dean iria aprontar e, finalmente, também porque, sabendo que Dean ia voltar para Camille em Frisco, queria ter um caso com Marylou. Preparamo-nos para cruzar outra vez o sofrido continente. Preenchi meu cheque de veterano e dei dezoito dólares para Dean enviar para a mulher dele; ela esperava pela sua chegada e estava dura. O que se passava pela mente de Marylou não sei. Ed Dunkel, como sempre, só acompanhava.

Passamos longos e divertidos dias no apartamento de Carlo antes de partirmos. Ele circulava de roupão fazendo discursos semi-irônicos: "Não estou tentando roubar o doce da boca de vocês, crianças, mas me parece que já é hora de decidirem quem são e o que farão da vida". Carlo estava trabalhando como datilógrafo num escritório. "Quero saber o que significa essa vagabundagem dentro de casa o dia inteiro. O que quer dizer toda essa conversa fiada e o que vocês pensam em fazer da vida. Dean, por que você abandonou Camille e está transando com Marylou?" Nenhuma resposta – risadinhas. "Marylou, por que você está viajando pelo país desse jeito e quais suas intenções femininas quanto ao véu?" A mesma resposta. "Ed Dunkel, por que você abandonou sua nova esposa em Tucson e o que está fazendo aqui, sentado sobre essa sua enorme bunda mole? Onde fica sua casa? Qual é a sua ocupação?" Ed Dunkel balançava a cabeça em genuína embriaguez. "Sal – como você pode ter mergulhado em dias tão lamacentos quanto esses, o que você fez com Lucille?" Ele ajustou seu roupão e, sentando-se, continuou nos encarando. "Os dias de cólera ainda estão por vir. O balão não sustentará vocês por muito tempo. E não é só isso, o balão é abstrato. Vocês irão voando para a Costa Oeste e voltarão cambaleantes, em busca do próprio jazigo."

Naquele tempo Carlo havia desenvolvido um tom de voz que, ele esperava, soasse como o que chamava de A Voz da Rocha; a ideia toda era deslumbrar as pessoas com as realizações da rocha. "Vocês podem estar espetando um dragão nos seus chapéus", nos advertia, "ou então ficar encerrados no sótão com os morcegos." Seus olhos loucos resplandeciam, fixos em nós. Depois da Melancolia de Dakar, ele passou por uma fase terrível, chamando-a de Sagrada Melancolia, ou Melancolia do Harlem, quando morou no Harlem em pleno verão e, à noite, acordava solitário em seu quarto ouvindo a "grande máquina" descendo dos céus; e quando caminhava pela rua 125 "sob as águas", junto com todos os demais peixes. Foi uma profusão de ideias radiantes que iluminavam seu cérebro. Ele fez Marylou sentar no seu colo, ordenando-lhe que calasse o bico. Disse a Dean: "Por que você não se senta e relaxa? Por que só fica saltitante por aí o tempo todo?". Dean circulava por ali, pondo açúcar no café e dizendo "Sim! Sim! Sim!". À noite, Ed Dunkel dormia no chão em cima das almofadas. Dean e Marylou expulsaram Carlo da cama e ele ficava lá na cozinha, sentado e debruçado sobre seu cozido de rim, murmurando as terríveis profecias da rocha. Eu aparecia durante o dia e observava tudo.

Ed Dunkel me disse: "Na noite passada caminhei direto até Times Square, e assim que cheguei lá, percebi de repente que era um fantasma – era o meu fantasma andando pela calçada". Ele dizia coisas deste tipo para mim sem maiores comentários, assentindo enfaticamente com a cabeça. Dez horas mais tarde, em meio à conversa de alguém, Ed diria:

"É, era meu fantasma caminhando pela calçada."

De repente, Dean dirigiu-se a mim, com a maior sinceridade, e disse: "Sal, tenho algo pra te perguntar – é muito importante pra mim – eu não imagino como você vai segurar essa – somos amigos, não somos?".

"Claro que sim, Dean." Ele quase corou. Finalmente pôs tudo para fora: ele queria que eu comesse a Marylou. Não perguntei por que pois sabia que ele queria ver como Marylou se comportava com outro homem. Estávamos sentados no bar Ritzy quando ele propôs a ideia. Tínhamos caminhado durante uma hora pela Times Square à procura de Hassel. O Ritzy é o bar dos arruaceiros das cercanias da Times Square, muda de nome todos os anos. Você entra e não enxerga uma única garota, nem mesmo nos reservados, só uma enorme corja de garotos vestidos em todas as variedades de roupas típicas de arruaceiros; das camisas vermelhas ao *zoot suit**. Também é o bar dos michês – garotos que fazem a vida entre os velhos e melancólicos homos da noite na Oitava Avenida. Dean circulava por ali com os olhos atentos para toda e qualquer fisionomia. Havia bichas loucas e negras, caras mal-encarados com pistolas, marinheiros navalhados, drogados esqueléticos e sem atendimento médico, e um fortuito detetive de meia-idade bem-vestido posando de *bookmaker* e perambulando por ali, meio por interesse, meio por obrigação. Era o lugar típico para Dean declinar seu pedido. Todas as espécies de planos diabólicos saem da casca no Ritzy Bar, você pode sentir isso no ar. E todos os tipos de rotinas sexuais insanas principiam ali, para acompanhá-los. O arrombador propõe aos baderneiros não só o assalto a um determinado sótão na rua 14 como também que durmam juntos. Kinsey passou um bom tempo entrevistando alguns dos rapazes; eu estava lá na noite em que um ajudante dele deu as caras lá, em 1945. Hassel e Carlo foram entrevistados.

Dean e eu dirigimos de volta ao apartamento e encontramos Marylou na cama. Dunkel estava arrastando seu fantasma por Nova York. Dean contou a ela o que havíamos decidido. Ela disse que estava satisfeita. Eu próprio não estava tão certo assim. Teria de provar que era capaz de passar por mais essa. A cama havia sido o leito de morte de um homem gordo e havia cedido bem no meio. Marylou deitou-se ali, com Dean e comigo, um de cada lado, suspensos numa protuberância nos confins do colchão, sem saber o que dizer. Eu falei: "Ah, merda, não consigo fazer isso".

"Vai firme, cara, você prometeu", disse Dean.

"Porra, e a Marylou?", disse eu. "E você, Marylou, o que é que você acha?"

"Vai em frente", disse ela.

Ela me abraçou e tentou esquecer que o velho Dean estava lá. Toda vez que eu me dava conta que ali estava ele, no escuro, ouvindo cada suspiro, não conseguia fazer nada senão rir. Foi horrível.

"Temos mais é que relaxar", falou Dean.

"Tenho a impressão que vai ser impossível. Por que você não dá uma chegadinha ali na cozinha?"

Dean foi. Marylou era adorável, mas eu suspirei: "Espera até sermos amantes em São Francisco, meu coração não aguenta essa". Eu tinha razão, ela podia ter certeza. Eram três crianças deste planeta tentando decidir algo dentro da noite e tendo todo o peso dos séculos obstruindo a escuridão à sua frente. Havia uma quietude estranha no apartamento. Cutuquei Dean e disse-lhe que fosse para os braços de Marylou, retirando-me para o sofá. Pude ouvir Dean eufórico, tagarelando e se remexendo freneticamente. Só mesmo um cara que passou cinco anos na prisão podia chegar a tais extremos de desamparo e demência; suplicando nos portais da fonte suave; louco para tentar a completa realização física que é a origem de toda a felicidade na vida; tentando cegamente retornar pelo caminho de onde veio. Esse é o resultado de anos olhando fotos pornográficas atrás das grades; olhando para as pernas e seios das mulheres em revistas populares, avaliando a dureza das paredes de aço e a suavidade da mulher que não está ali. Prisão é o lugar onde você promete a si mesmo o direito de viver. Dean jamais viu o rosto de sua mãe. Cada nova garota, cada esposa nova, toda nova criança era um acréscimo ao seu desemparado empobrecimento. Onde estava seu pai? O velho vagabundo Dean Moriarty, o funileiro, viajando em vagões de carga, empregando-se como um miserável lavador de pratos nos restaurantes da linha férrea; tropeçando, se esborrachando em longas noites de bebedeiras pelos becos, esvaindo-se em montes de carvão; perdendo seus dentes amarelos, um a um, nas sarjetas do Oeste. Dean tinha todo o direito de morrer as doces mortes do amor pleno de sua Marylou. Eu não queria interferir, só queria acompanhá-los.

Carlo retornou ao amanhecer e vestiu seu roupão. Ele não estava mais dormindo durante aqueles dias. "Argh!", gritou. Estava enlouquecendo por causa da confusa mistura que se esparramava pelo chão, calças, vestidos jogados por todos os lados, baganas de cigarro, pratos imundos, livros abertos – era o grande fórum que estávamos conduzindo. Todos os dias a Terra padece para completar uma volta em torno de si mesma; e nós estávamos fazendo nossos estudos aterrorizantes sobre a noite. Marylou estava abatida e roxa por conta de uma briga com Dean sabe-se lá por que; a cara dele estava arranhada. Era hora de cair fora.

Dirigimos até minha casa, uma gangue inteira de dez pessoas, para pegar minha sacola e ligar para Old Bull Lee em Nova Orleans, da cabina telefônica do bar onde Dean e eu travamos nossa primeira conversa anos atrás, quando ele apareceu na minha porta querendo aprender a escrever. Ouvimos a voz queixosa de Bull a 2.800 quilômetros de distância. "Seguinte: o que vocês estão esperando que eu faça com essa tal de Galatea Dunkel, rapazes? Ela está aqui já faz duas semanas, trancada no quarto, recusando-se a falar comigo ou com Jane. Esse tal de Ed Dunkel está aí com vocês? Pelo amor de Deus tragam ele pra cá e me livrem dela. Ela está ocupando nosso melhor quarto e obviamente está ficando sem grana. Isso aqui não é um hotel." Ed deu garantias a Bull entre gritos e uivos ao telefone – lá estavam Dean, Marylou, Carlo, Dunkel, eu, Ian MacArthur, sua mulher, Tom Saybrook, Deus sabe mais quem, todos berrando e bebendo cerveja ao telefone, estonteando Bull que, acima de tudo, odeia confusão. "Bom", disse ele, "talvez vocês raciocinem melhor quando baixarem aqui, se é que vocês vão baixar até aqui." Dei adeus para minha tia prometendo estar de volta em duas semanas e me arranquei outra vez para a Califórnia.

6

Havia chuvisco e mistério no início da nossa viagem. Pude perceber que tudo aquilo seria uma grande saga nebulosa. "Iuupii", gritou Dean. "Lá vamos nós!" Inclinou-se sobre o volante e deu a partida; estava de volta a seu elemento natural, qualquer um podia perceber. Ficamos maravilhados, percebemos que estávamos deixando para trás toda a confusão e o absurdo, desempenhando a única função nobre de nossa época: *mover*-se. E nos movíamos! Passamos como um raio pelas misteriosas placas brancas que, em algum lugar na noite de Nova Jersey, dizem SUL (com uma flecha) e OESTE (com outra flecha), e pegamos o caminho que apontava para o sul. Nova Orleans! Era o que reluzia em nossas mentes. Da neve suja da "frígida e afrescalhada cidade de Nova York", como Dean a chamava, para o verdor e os aromas fluviais da velha Nova Orleans, nos confins rejeitados da América; e daí para o Oeste. Ed ia no banco de trás; Marylou, Dean e eu sentamos na frente e mantivemos uma conversação calorosa sobre a graça e a alegria de viver. Dean enterneceu-se, de repente: "Todos vocês, escutem aqui, raios: temos que admitir que tudo está ótimo e que não há nada no mundo com que nos preocuparmos, e devemos COMPREENDER que, na verdade, REALMENTE, não precisamos nos preocupar com ABSOLUTAMENTE NADA. Estou certo?" Todos concordamos. "Aqui vamos nós, estamos todos juntos... O que fizemos em Nova York? Está tudo perdoado." Todos tínhamos deixado algumas questiúnculas lá. "Ficou tudo pra trás, simplesmente por causa dos declives e de tantos quilômetros rodados. Agora vamos para Nova Orleans, para curtir o Old Bull Lee, e vai ser um barato, e agora escutem só esse sax-tenor perder a cabeça", aumentou o volume do rádio até o carro trepidar, "e ouçam como ele conta sua história, com total relaxamento e sabedoria".

Nos ligamos todos na música e concordamos. A pureza da estrada. A linha branca no meio da pista desenrolava-se e grudava-se na nossa roda dianteira esquerda como se estivesse colada ao nosso embalo. Dean arqueou o pescoço musculoso, vestindo apenas uma camiseta na noite invernal, e meteu o pé na tábua. Insistiu que eu dirigisse no tráfego de Baltimore para treinar; correu tudo bem, só que ele e Marylou aos beijos e movimentos fogosos esbarravam no volante, me atrapalhando. Era uma loucura; o rádio estava quase estourando. Dean tocou bateria no painel até afundá-lo; fiz o mesmo. O pobre Hudson – nosso velho cargueiro para a China – estava sendo bem maltratado.

"Oh, cara, é demais!", berrou Dean. "Agora, Marylou, escuta só, meu bem, você sabe que sou doidamente capaz de fazer tudo ao mesmo tempo e que tenho uma energia ilimitada, por isso, em São Francisco, nós temos mais é que continuar vivendo juntos. Conheço o lugar ideal pra você – no fim da linha férrea principal –, estarei lá num piscar de olhos a cada dois dias, por doze horas de enfiada, e, *cara*, você sabe bem o que nós somos capazes de fazer em doze horas, minha querida. Enquanto isso, continuo morando com Camille como se nada estivesse acontecendo, sacou? Ela não vai ficar sabendo. A gente pode fazer isso, já fizemos antes." Para Marylou estava tudo bem, ela estava mesmo a fim da cabeça de Camille. O combinado era que Marylou iria transar comigo em Frisco, mas então comecei a pressentir que eles iam ficar grudados e eu seria deixado no olho da rua, abandonado na outra extremidade do continente. Mas para que pensar nisso quando se tem pela frente toda a vastidão dourada da Terra e acontecimentos imprevisíveis de todos os tipos estão à espera, de tocaia, para te surpreender e te fazer ficar satisfeito simplesmente por estar vivo para presenciá-los?

Chegamos a Washington de madrugada. Era o dia da posse de Harry Truman em seu segundo mandato. Uma grande exposição do poderio militar estava alinhada ao longo da avenida Pennsylvania quando rodávamos por ali com nossa barcaça maltratada. Havia B-29s, lanchas torpedeiras, artilharia, todos os tipos de aparato bélico com um aspecto assassino enfileirados na grama nevada; o último da fila era um pequenino bote salva-vidas comum e ordinário, com um aspecto estúpido e verdadeiramente digno de piedade. Dean diminuiu a velocidade para observá-lo. Permanecia sacudindo a cabeça, com surpresa. "O que é que esses caras querem? Harry está dormindo na cidade, em algum lugar... O bom e velho Harry... é do Missouri, como eu... Aquele deve ser o barco dele."

Dean foi dormir no banco de trás e Dunkel pegou o volante. Demos instruções específicas para que ele pegasse leve.

Tão logo estávamos roncando, ele acelerou o carro para 120, com a barra do eixo estragada e tudo, e não apenas isso, mas também fez uma ultrapassagem tripla num ponto onde um guarda discutia com um motorista – ele estava na quarta faixa de uma freeway de quatro pistas, na contramão. Logicamente o policial veio atrás da gente, com a sirene uivando. Fomos parados. Ele ordenou que o seguíssemos até o posto policial. Lá estava o tira malvado, que antipatizou imediatamente com Dean; podia sentir o cheiro de prisão nele. Enviou um bando de policiais ao carro para que interrogassem Marylou e a mim, em particular. Queriam saber quantos anos tinha Marylou, esperavam conseguir alguma coisa se ela fosse menor de idade. Mas ela tinha sua certidão de casamento. Depois me chamaram num canto, queriam saber com quem Marylou dormia. "Com o marido dela", disse eu com a maior simplicidade. Eles estavam curiosos. Algo lhes despertava suspeita. Tentaram sherloquear amadoristicamente perguntando duas vezes as mesmas questões na esperança de algum deslize de nossa parte. Falei: "Estes dois caras estão voltando para trabalhar na rede ferroviária da Califórnia, essa é a mulher do mais baixo, e eu sou um amigo em férias de duas semanas da faculdade".

O guarda sorriu e disse: "É mesmo? E essa é tua própria carteira?"

Finalmente o malvado lá dentro multou Dean em 25 dólares. Dissemos a eles que só tínhamos quarenta para fazer todo o percurso até a Costa. Eles disseram que não fazia a menor diferença para eles.

Quando Dean protestou, o tira malvado ameaçou levá-lo de volta para a Pensilvânia e, de uma vez por todas, arranjar uma acusação especial para ele.

"Que tipo de acusação?"

"Não se preocupe com *isso*. A gente dá um jeito, espertalhão." Tivemos de dar os 25 dólares para eles. Mas antes Ed Dunkel, que era o culpado, ofereceu-se para ir para a prisão. Dean considerou a proposta. O policial ficou furioso e disse: "Se você deixar seu companheiro ir para a prisão, te levo agora mesmo para a Pensilvânia, tá entendendo?". Tudo o que queríamos era ir embora. "Outra multa por excesso de velocidade em Virgínia e você perde o carro", disse o malvado, como salva de despedida. Dean estava vermelho de raiva. Arrancamos silenciosamente. Era como se fosse um convite ao roubo, tirarem nosso dinheiro para a viagem. Eles sabiam que estávamos duros e que não tínhamos família na estrada nem ninguém para quem telegrafar. A polícia americana está envolvida numa guerra psicológica contra aqueles americanos que não se intimidam com papéis imponentes e ameaças. É um pelotão de polícia vitoriano; espreita através de janelas mofadas e quer inquirir sobre tudo e pode fabricar crimes se não existirem crimes que a satisfaçam. "Nove linhas de crime e uma de aborrecimento", disse Louis-Ferdinand Céline. Dean estava tão furioso que queria voltar à Virgínia e dar um tiro naquele rato assim que tivesse uma pistola.

"Pensilvânia!", rosnou. "Queria saber só qual era a acusação que ele ia me fazer. Vagabundagem, provavelmente; tiram toda minha grana e me acusam de vagabundagem. Esses caras fazem o que querem. E se você reclama, te dão um tiro ainda por cima." Não havia nada a fazer senão esquecer; e outra vez ficamos contentes com nós mesmos. Quando cruzamos Richmond, estávamos começando a esquecer o que havia acontecido, e em breve tudo estava bem.

Tínhamos agora quinze dólares para a viagem toda. Teríamos de apanhar uns caroneiros pela estrada para filar deles uma grana para a gasolina. Nos ermos de Virgínia subitamente vimos um homem caminhando pela beira da estrada. Dean freou de sopetão. Olhei para trás e disse que era um vagabundo que provavelmente não teria um só tostão.

"Vamos dar uma carona para ele só pela curtição", riu Dean. O homem era um tipo esfarrapado, louco e de óculos, que caminhava lendo um livro enlameado que achara num bueiro da estrada. Entrou no carro e continuou a ler; estava incrivelmente imundo e recoberto de cascas de feridas. Disse que seu nome era Hyman Solomon e que percorria todos os

EUA a pé, batendo e às vezes chutando portas de casas de judeus e exigindo dinheiro: "Me deem dinheiro para comer, sou judeu".

Disse que a tática funcionava muito bem e que lhe agradava bastante. Perguntamos o que ele estava lendo. Ele não tinha a menor ideia. Não se dera o trabalho de olhar o título da capa. Estava apenas olhando pras palavras, como se tivesse encontrado o verdadeiro Torá, em seu lugar de origem, a amplitude selvagem.

"Viu? Viu? Viu?", gargalhou Dean, socando minhas costelas. "Não disse que seria uma curtição? Todo mundo é um barato, cara!" Conduzimos Solomon todo o trajeto até Testament. Agora meu irmão já estava em sua nova casa do outro lado da cidade. Aqui estávamos nós, de volta àquela rua comprida e desolada paralela aos trilhos do trem, e as caras carrancudas dos sulistas espreitavam por detrás das portas das lojas de ferragens e dos bazares.

Solomon disse: "Tô vendo que vocês, pessoas, tão precisando de um dinheirinho para continuar a viagem. Esperem por mim que vou achacar uns dólares na casa de algum judeu e sigo com vocês até o Alabama". Dean não cabia em si de satisfação; fomos comprar pão e queijo para um lanche no carro. Marylou e Ed aguardaram ali mesmo. Passamos duas horas em Testament esperando que Hyman Solomon voltasse; ele estava batalhando seu pão em algum lugar da cidade, mas não podíamos vê-lo. O sol começou a cair, vermelho; era tarde.

Solomon jamais apareceu e então nos mandamos de Testament. "Agora veja só, Sal, Deus existe mesmo, porque continuamos ligados a essa cidade, não importa o que a gente tente fazer, e você já deve ter notado o estranho nome bíblico dela, e o personagem bíblico ainda mais estranho que nos fez parar aqui mais uma vez; todas as coisas estão atadas umas às outras como se a chuva unisse o mundo inteiro numa única corrente..." E Dean prosseguia desse jeito, estava excitado e exultante. Ele e eu de repente vimos que todo o país era como uma ostra pronta para ser aberta por nós; e lá estava a pérola, a pérola estava lá. Seguimos para o Sul. Apanhamos mais um caroneiro, um jovem sombrio que dizia ter uma tia que era dona de uma mercearia em Dunn, Carolina do Norte, bem na saída para Fayetteville. "Quando chegarmos lá você consegue filar um dólar dela? Tá certo! Ótimo! Então vamos!" Em uma hora estávamos em Dunn, ao crepúsculo. Fomos até a o lugar onde o garoto disse que a mercearia da tia ficava. Era uma tristonha ruela sem saída que terminava num muro de fábrica. Havia uma mercearia, mas não havia tia nenhuma. Ficamos sem entender o que o garoto estava querendo dizer. Perguntamos-lhe onde ele queria chegar; ele também não sabia. Era tudo um grande embuste; certa vez, em alguma aventura de beco já esquecida, ele havia visto a mercearia em Dunn, e essa foi a primeira ideia que lhe veio à cabeça febril e desordenada. Compramos um cachorro-quente para ele, mas Dean disse que não poderíamos levá-lo junto porque precisávamos de lugar para dormir e para caroneiros que pudessem pagar um pouco de gasolina. Era triste, mas era verdade. Nós o deixamos em Dunn, ao cair da noite.

Dirigi pela Carolina do Sul até passar Macon, na Geórgia, enquanto Dean, Marylou e Ed dormiam. Totalmente sozinho na noite, entreguei-me a meus próprios pensamentos e mantive o carro junto à linha branca da estrada sagrada. O que eu estava fazendo? Para onde estava indo? Não tardei a descobrir. Depois de Macon, como estava cansado pra cachorro, acordei Dean para que ele reassumisse o volante. Saímos do carro para dar uma respirada e, de repente, estávamos os dois chapados de alegria por percebermos que a escuridão ao nosso redor tinha uma fragrância da relva esverdeada, perfume de estrume fresco e águas cálidas. "Estamos no Sul. Nos livramos do inverno!" A tênue luz matinal iluminava brotos esverdeados ao lado da estrada. Respirei fundo, uma locomotiva uivou na escuridão a caminho de Mobile. Também íamos para lá. Tirei a camisa e exultei. Quinze quilômetros adiante, Dean entrou num posto de gasolina com o motor desligado, verificou que o funcionário estava profundamente adormecido na sua escrivaninha, saltou fora, encheu o tanque silenciosamente, tomando cuidado para não tocar o alarme, e se mandou como um árabe, com cinco dólares de gasolina no tanque cheio para a continuidade da nossa peregrinação.

Adormeci e acordei com os doidos sons exultantes da música e Dean e Marylou conversando e a amplitude esverdeada desfilando pela janela. "Onde estamos?"

"Acabamos de passar a ponta da Flórida, homem: o lugar se chama Flomaton." Flórida! Estávamos descendo a planície costeira em direção a Mobile; à nossa frente grandes nuvens do golfo do México pairavam nos céus. Fazia apenas 32 horas desde que havíamos dado adeus para todo mundo nas imundas neves do Norte. Paramos num posto de gasolina, e lá Dean carregou Marylou nos ombros e Dunkel entrou e roubou três pacotes de cigarros sem o menor esforço. Estávamos renovados. Rodando para dentro de Mobile pela grande estrada marítima, tiramos nossas roupas pesadas de inverno e desfrutamos da temperatura sulista. Foi então que Dean começou a contar a história de sua vida e também quando, depois de Mobile, deparou com um engarrafamento de carros de caipiras num cruzamento e, em vez de diminuir a marcha, desviou-se por um posto de gasolina com a mesma constante velocidade de 120 por hora. Deixamos olhares estarrecidos atrás de nós. Ele prosseguiu sua fábula: "Te garanto, é verdade, iniciei-me aos nove anos, com uma menina chamada Milly Mayfair, atrás da garagem de Rod, na rua Grand – mesma rua onde Carlo morou em Denver. Isso foi quando meu pai ainda estava trabalhando na funilaria, um pouquinho. Me lembro da minha tia gritando na janela: 'O que você está fazendo aí atrás da garagem?' Oh, querida Marylou, se eu te conhecesse naquela época! Uau! Que delícia você deve ter sido aos nove anos!" Movia-se como um maníaco; enfiou o dedo na boca de Marylou e o lambeu; pegou a mão dela e a esfregou por todo seu corpo. E ela permaneceu sentada ali, sorrindo serenamente.

O enorme Ed Dunkel estava sentado olhando pela janela, falando sozinho: "Sim, senhor, pensei que eu era um fantasma naquela noite". Ele também se perguntava o que Galatea Dunkel lhe diria em Nova Orleans.

Dean prosseguiu: "Certa vez peguei um trem de carga do Novo México direto até LA – eu tinha onze anos, me perdi do meu pai num desvio, estávamos numa selva de vagabundos, fiquei com um homem chamado Big Red, meu pai estava mais do que bêbado num vagão – o trem começou a rodar – Big Red e eu o perdemos – não vi meu pai durante meses. Pulei sobre um longo trem de carga e cobri todo o percurso até a Califórnia quase voando, era um cargueiro de primeira classe, o Zipper do deserto. Segui pendurado nos engates durante todo o trajeto – vocês podem imaginar que perigo, eu era apenas um garoto, não sabia nada – com um pedaço de pão debaixo do braço e com a outra mão segurando num freio. Isso não é história, é a verdade. Quando chegamos a LA eu estava tão louco por leite e nata que arranjei um emprego numa leiteria e comi dois quilos de nata batida. Vomitei tudo".

"Pobre Dean", disse Marylou, e beijou-o. Ele olhou em frente orgulhoso. Ele a amava.

De repente, estávamos dirigindo ao longo das águas azuis do Golfo e, no mesmo instante, uma coisa de louco, monumental começou a tocar no rádio: era o programa de Chicken Jazz'n Gumbo, o *disk-jockey* de Nova Orleans, só discos louquíssimos de jazz, discos negros, com o *disk-jockey* dizendo: "Não liguem pra *nada*!". Foi com alegria que vimos Nova Orleans na nossa frente, à noite. Dean esfregou as mãos sobre o volante. "Agora, vamos meter o pé na jaca." Ao crepúsculo, estávamos entrando nas ruas agitadas de Nova Orleans. "Oh, sintam só o cheiro dessas pessoas", gritou Dean com o rosto para fora da janela, farejando. "Oh! Deus! a Vida!" Ultrapassou um trólebus. "Sim." Arremessou o carro em todas as direções à procura de garotas. "Olha só para *ela*!" O ar era tão perfumado em Nova Orleans que parecia vir em *écharpes* macias; podia-se sentir o cheiro do rio e sentir mesmo o cheiro das pessoas, e da lama e do melado, e todos os tipos de exalações tropicais com o nariz subitamente retirado dos gelos do inverno setentrional. Saltitávamos no banco do carro. "E saca só aquela ali!", gritava Dean, apontando para outra mulher. "Oh, eu amo, amo, amo as mulheres! Acho que elas são maravilhosas! Adoro mulheres!" Cuspia pela janela; gemia, agarrava a própria cabeça. Grandes gotas de suor lhe escorriam pela testa, de pura exaustão e excitação.

Enfiamos o carro na balsa de Algiers e lá estávamos nós cruzando o rio Mississippi de barco. "Agora vamos sair e curtir o rio e as pessoas e aspirar todos os perfumes do mundo", disse Dean, afobado, agarrando seus óculos escuros e os cigarros e saltando do carro como um boneco de mola. Nós o seguimos. Nos inclinamos na balaustrada e olhamos para o grande pai moreno de todas as águas escoando desde o meio da América como uma torrente de almas penadas transportando toras de madeira de Montana e lodo dos vales de Dakota e do Iowa e objetos que submergiram em Three Forks, onde os segredos começam no gelo. A enfumaçada Nova Orleans retrocedia de um lado; a velha e sonolenta Algiers com seus arborizados arredores aluvionais vinha ao nosso encontro do outro lado. Negros estavam trabalhando no entardecer calorento, carregando as fornalhas da balsa, que já estavam rubras e quase faziam nossos pneus derreterem. Dean se ligou neles, vendo-os forcejar sob alta temperatura. Percorreu o tombadilho, descendo e subindo escadas com suas calças largas meio caídas abaixo da cintura. De repente o vi ligadíssimo na ponte de comando. Pensei que iria bater asas dali. Ouvi sua risada louca ecoar pelo barco inteiro "hii-hii-hii-hihii!". Marylou o acompanhava. Inspecionou tudo num piscar de olhos, voltou com uma história completa, saltou para dentro do carro quando todos já estavam buzinando para que ele desimpedisse o caminho e zarpamos, ultrapassando dois ou três carros num espaço estreito, e nos vimos zunindo por Algiers.

"Pra onde vamos? Pra onde vamos?", gritava Dean.

Primeiro decidimos nos lavar num posto de gasolina e depois perguntar onde morava Bull. Crianças brincavam ao pôr do sol sonolento do rio; garotas passavam com bandanas, blusas de algodão e pernas nuas. Dean correu para a rua para ver tudo. Olhava ao redor, balançava a cabeça; alisava a barriga. O grande Ed permanecia sentado no banco de trás do carro com um chapéu sobre os olhos, sorrindo para Dean. Sentei no para-lama. Marylou estava no banheiro. Das margens cheias de arbustos onde inúmeros homens pescavam com seus caniços, e do delta sonolento que se espreguiçava pela terra avermelhada adentro, o rio sinuoso com sua corrente murmurante enrolava-se como uma serpente ao redor de Algiers, com um som indistinto. Entorpecida, peninsular Algiers, com todos os seus mutirões e cânticos de trabalho dando a impressão que seria algum dia levada pelas águas. O sol declinava, besouros esvoaçavam, as águas assustadoras gemiam.

Fomos para a casa de Old Bull, fora da cidade, perto do dique do rio. Ficava numa estrada que cruzava uma planície pantanosa. A casa não passava de um velho amontoado de madeiras caindo aos pedaços, com alpendres cercados em toda a volta e salgueiros no quintal; a grama tinha um metro de altura, as velhas cercas estavam derrubadas; os velhos celeiros demolidos. Não havia ninguém à vista. Entramos no quintal e vimos umas tinas de lavar roupa na varanda. Saí e fui até a porta telada. Jane Lee estava lá com as mãos em concha olhando direto para o sol. "Jane", eu disse. "Sou eu. Somos nós."

Ela já sabia. "Sim, eu sei. Bull não está em casa. Não há um incêndio ou algo assim lá na frente?" Olhamos ambos em direção ao sol.

"Você está falando do sol?"

"Claro que eu não estou falando do sol – ouvi umas sirenes vindo lá daquele lado. Você não está vendo um clarão esquisito?" Era na direção de Nova Orleans; as nuvens estavam estranhas.

"Não vejo nada", disse eu.

Jane fungou. "O mesmo velho Paradise."

E foi deste jeito que nos cumprimentamos depois de quatro anos; Jane tinha morado uns tempos com minha mulher e comigo em Nova York. "E Galatea Dunkel está aqui?", perguntei. Jane continuava procurando seu incêndio; nessa época ela estava engolindo três papelotes de benzedrina por dia. Seu rosto, outrora roliço, germânico e bonito, tornara-se macilento, avermelhado e impiedoso. Tinha pegado pólio em Nova Orleans e agora mancava um pouco. Como cordeirinhos, Dean e a gangue saltaram do carro e sentiram-se mais ou menos como se estivessem em casa. Galatea Dunkel abandonou seu retiro altivo e solene na parte de trás da casa para encontrar seu torturador. Galatea era uma garota séria. Estava pálida e parecia recoberta de lágrimas. O grande Ed passou a mão pelo cabelo e disse alô. Ela o encarou resoluta.

"Por onde você andava? Por que fez isso comigo?" E lançou um olhar furioso para Dean; ela já sabia de tudo. Dean simplesmente a ignorou; o que Dean queria agora era comida; perguntou a Jane se havia alguma coisa em casa. A confusão começou exatamente aí.

O pobre Bull chegou no seu Chevrolet Texas e encontrou sua casa invadida por um bando de maníacos; mas me cumprimentou com um entusiasmo que há muito tempo eu não via nele. Tinha comprado essa casa em Nova Orleans com algum dinheiro que juntara plantando feijão fradinho no Texas com um velho camarada da faculdade cujo pai, um paralítico louco, morrera deixando-lhe uma fortuna. O próprio Bull recebia apenas cinquenta dólares por semana de sua família, o que não seria de todo mau se ele não gastasse quase isso por semana em drogas – e sua mulher também lhe custava caro, devorando uns dez dólares semanais em tubos de benzedrina. Em compensação, seus gastos com alimentação eram os menores da região; eles quase nunca comiam; tampouco seus filhos – eles não pareciam se importar com isso. Tinham duas crianças maravilhosas: Dodie, de oito anos, e o pequeno Ray, de um ano. Ray corria pelo quintal completamente nu, um filho dourado do arco-íris. Bull o chamava de "Pequeno Animal", como W. C. Fields. Ele entrou dirigindo o carro no quintal, se desenrolou lá de dentro, osso por osso, e avançou exausto, usando óculos, chapéu de feltro, terno surrado, alto, magro, chupado, estranho e lacônico, dizendo: "Olá, Sal, finalmente você chegou; vamos entrar e tomar um drinque".

Seria preciso a noite inteira para contar tudo sobre Old Bull Lee; digamos agora somente que ele era professor; deve ser dito também que ele tinha todo o direito de ensinar porque passava o tempo inteiro aprendendo; e as coisas que ele aprendia eram as que considerava os "fatos da vida", e não as aprendia apenas por necessidade, mas também porque assim o desejava. Arrastara seu comprido corpo magro por todos os Estados Unidos e vasta parte da Europa e do Norte da África, nos seus bons tempos, só para ver o que estava acontecendo; casou com uma condessa russa na Iugoslávia apenas para salvá-la dos nazistas nos anos 30; havia fotos dele posando com a turma internacional da cocaína dos anos 30 – uma turba com penteados doidos, uns inclinados sobre os outros; havia outras fotografias dele com um chapéu panamá inspecionando as ruas de Algiers; jamais voltou a ver a condessa russa. Foi dedetizador em Chicago, barman em Nova York, oficial de justiça em Newark. Em Paris sentou-se nos cafés, observando uma procissão de caras francesas mal-humoradas. Em Atenas, de seu *ouzo,* olhou para aquilo que chamava de o povo mais feio do mundo. Em Istambul traçou sua trajetória entre viciados em ópio e vendedores de tapetes, sempre em busca dos fatos. Leu Spengler e Marquês de Sade em hotéis ingleses. Em Chicago, planejou assaltar uma sauna, hesitou dois minutos em frente de um copo, terminou só com dois dólares no bolso e tendo de fugir dali correndo. E fazia tudo isso apenas pela experiência. E agora seu estudo mais recente era sobre o uso de drogas. Ele estava em Nova Orleans, se esgueirando pelas ruas com sujeitos de reputação duvidosa, rondando bares suspeitos.

Há uma história estranha dos seus tempos de faculdade que ilustra algo mais a seu respeito: certa tarde recebera uns amigos nos seus distintos aposentos para um coquetel quando, de repente, sua doninha de estimação mordeu o tornozelo de uma bicha refinada e todos se precipitaram porta afora, aos gritos. Old Bull deu um salto, pegou sua espingarda de caça e gritou: "Ela sentiu o cheiro daquele rato outra vez", e disparou um tiro que fez um rombo grande o suficiente para permitir a entrada de cinquenta ratos. Na parede havia a fotografia de uma casa velha e feia em Cape Cod. Seus amigos perguntavam: "Por que você mantém essa coisa horrível pendurada aí?". E Bull dizia: "Gosto dela porque é feia". Toda a sua vida era nesse estilo. Uma vez bati em sua porta na rua 60, na barra-pesada de Nova York, e ele abriu usando um chapéu coco, um colete sem nada embaixo e elegantes calças compridas listradas; tinha um tacho na mão, havia alpiste nele, ele estava tentando esmagar as sementes para enrolar um baseado com elas. Também experimentara ferver xarope de codeína até transformá-lo numa pasta marrom – mas a coisa não funcionou direito. Passava longas horas com livros de Shakespeare – o "Bardo Imortal", como o chamava – no colo. Em Nova Orleans, começou a passar longas horas com os códices maias no colo e, mesmo que ficasse o tempo todo conversando, o livro permanecia aberto. Certa vez, perguntei: "O que vai acontecer conosco quando morrermos?". E ele respondeu: "Quando morrermos estaremos mortos, só isso". Tinha um jogo completo de correntes em seu quarto; dizia que as usava com seu psicanalista; eles estavam experimentando a narcoanálise e descobriram que Old Bull possuía sete diferentes personalidades separadas, cada uma mais terrível que a outra, à medida que se aprofundavam, até que ele se tornava um idiota furioso precisando ser acorrentado. A personalidade superior era um lorde inglês, a inferior, o idiota. Entre uma e outra, ele era um velho negro que ficava parado numa fila junto com todo mundo e dizendo: "Uns são filhos da puta, outros não; e isso é tudo".

Bull possuía um carinho todo especial pelos velhos dias da América, especialmente 1910, quando se podia comprar morfina em qualquer farmácia sem receita e os chineses fumavam ópio em suas janelas ao entardecer e o país era entusiástico, barulhento, louco e livre, com abundância e qualquer espécie de liberdade para todo mundo. Seu ódio primordial era a burocracia de Washington; a seguir, os liberais; depois a polícia. Passava o tempo inteiro falando e ensinando os outros. Jane sentava aos seus pés; e eu também; e Dean também; Carlo Marx também já o fizera. Todos nós tínhamos aprendido com ele. Era um cara acinzentado com uma aparência impossível de descrever e que passaria despercebido na rua, a não ser que se olhasse de perto e se visse sua louca caveira ossuda e sua estranha juventude – um sacerdote do Kansas envolto em mistérios exóticos e uma chama fenomenal. Tinha estudado medicina em Viena, estudara antropologia, leu de tudo; e agora estava instalado para o grande trabalho de sua vida, que era o estudo das coisas em si, nas ruas da vida, e a noite. Sentava em sua cadeira, Jane trazia as bebidas, martinis. As cortinas próximas a sua cadeira estavam sempre cerradas, dia e noite; aquele era seu canto na casa. Em seu colo jaziam os códices maias e uma arma que usava para *pop!* – estourar os tubos de benzedrina pelos cantos da sala. Eu estava sempre me levantando para colocar outros tubos novos na mira. Demos todos uns tiros e, entre eles, conversamos. Bull estava curioso para saber qual a razão da nossa viagem. Ele nos encarava assoando o nariz, *tfompf,* como o som da água jorrando num tanque vazio.

"Bem, Dean, fique calmo um minuto e me conte qual é o sentido de você ficar cruzando o país desse jeito?"

Dean só conseguia corar e responder: "Ah, bem, você sabe qual é...".

"Sal, por que você está indo para a Costa?"

"É só por uns dias. Tenho que voltar logo pra faculdade."

"E qual é a deste tal de Ed Dunkel? Que tipo de pessoa

ele é?" Nesse momento, Ed estava fazendo as pazes com Galatea no quarto; não precisou de muito tempo. Não sabíamos o que dizer a Bull a respeito de Ed Dunkel. Ao perceber que não sabíamos nada sobre nós mesmos, ele sacou três enormes baseados e nos mandou ir em frente, que logo o jantar estaria pronto.

"Não existe nada melhor no mundo para despertar o apetite! Uma vez comi um horrível hambúrguer numa carrocinha depois de fumar um e me pareceu a coisa mais deliciosa do mundo. Voltei de Houston na semana passada, fui falar com Dale sobre nossa plantação de feijão. Eu estava dormindo num motel certa manhã quando, não mais do que de repente, fui jogado fora da cama. Um louco idiota tinha simplesmente dado um tiro na mulher, no quarto ao lado do meu. Todos ficaram ao redor, confusos, e o cara simplesmente pegou seu carro e se mandou, deixando a espingarda atirada no chão para o xerife. Eles finalmente o apanharam em Houma, bêbado como um lorde. As pessoas não estão mais seguras andando por aí nesse país sem uma arma." Ele afastou o casaco para nos mostrar seu revólver. Depois abriu a gaveta e nos mostrou o resto de seu arsenal. Em Nova York, certa vez, ele tivera uma submetralhadora debaixo da cama. "Tenho algo melhor do que isso agora, uma *Scheintoth,* uma pistola alemã de gás; olhem só essa beleza. Pena que tenha só uma cápsula. Posso exterminar cem homens de uma só vez com essa pistola e ainda ter um bom tempo para planejar a fuga. Só há uma coisa errada: tenho apenas essa cápsula."

"Espero não estar por perto quando você resolver testá-la", disse Jane, lá da cozinha. "Mas como *você* sabe que é uma cápsula de gás?" Bull fungou; ele não dava a menor atenção às investidas dela; mas as escutava. Sua relação com a mulher era das mais estranhas; eles conversavam até altas horas da noite; Bull gostava de ser o dono da bola, falava ininterruptamente com sua voz lúgubre e monótona. Ela tentava interrompê-lo, nunca conseguia; ao amanhecer ele se cansava e então era Jane quem falava; e ele a ouvia, a fungar e fazendo *tfompf* com o nariz. Ela era loucamente apaixonada por esse homem, mas numa espécie qualquer de delírio; nunca havia murmúrios e muxoxos naquela casa, apenas longas conversações e um profundo companheirismo que nenhum de nós jamais estaria apto a compreender. Algo de curiosamente frio e antipático que se desenrolava entre eles era, na verdade, um tipo de humor por meio do qual eles comunicavam um ao outro suas emoções mais variadas e sutis. O amor é tudo; Jane nunca se afastava mais do que três metros de Bull e nunca deixava de escutar uma só palavra dita por ele, e ele falava bem baixinho, pode ter certeza.

Dean e eu estávamos loucos por uma noitada em Nova Orleans e queríamos que Bull nos levasse. Ele se comportou como um verdadeiro desmancha-prazeres. "Nova Orleans é uma cidade muito tediosa. É contra a lei ir ao bairro negro. Os bares são intoleravelmente chatos."

"Mas deve haver alguns bares ideais na cidade", arrisquei.

"O bar ideal não existe na América. Um bar ideal é algo fora do nosso alcance. Em 1910, um bar era um lugar onde os homens iam se encontrar durante ou depois do trabalho, e tudo o que havia era um longo balcão, corrimãos de metal, escarradeiras, uma pianola para o fundo musical, uns espelhos, uns barris de uísque a dez centavos a dose ao lado de barris de cerveja a cinco centavos a caneca. Agora tudo o que há são enfeites cromados, mulheres bêbadas, veados, *barmen* hostis, proprietários angustiados espreitando nas portas, preocupados com seus bancos de couro e com a polícia, gritaria em momentos inoportunos e um silêncio mortal quando entra um estranho."

Discutimos a respeito dos bares. "Tá certo", disse ele, "vou levar vocês a Nova Orleans hoje à noite e provar o que estou dizendo". E ele nos levou deliberadamente para os bares mais tediosos. Deixamos Jane com as crianças, o jantar tinha acabado; ela estava lendo os classificados do *Times-Picayune*. Perguntei se ela estava procurando emprego; ela respondeu simplesmente que aquela era a parte mais interessante do jornal. Bull foi conosco para a cidade e continuou falando. "Pega leve, Dean, que daí a gente chega lá, espero; tem uma balsa, não precisa tentar atravessar o rio com o carro." Ele prosseguia, Dean ficava cada vez pior, ele me confidenciou: "Ele me parece estar perfeitamente ajustado para seu destino ideal, que é uma psicose compulsiva conflitando com uma pitada de irresponsabilidade psicopata e alguma violência". Ele olhava para Dean de canto de olho. "Se você for para a Califórnia com esse louco, nunca chegará lá. Por que não fica em Nova Orleans comigo? Vamos apostar nas corridas de cavalo em Graetna e descansar no meu quintal. Tenho uma linda coleção de facas e estou construindo um alvo. Há umas garotas gostosas na cidade também, se é que atualmente você ainda se interessa por isso." Ele fungava. Estávamos na balsa; Dean tinha saltado do carro para se debruçar na amurada. Eu o segui, mas Bull permaneceu no carro, fungando, *tfompf*. Um espectro místico de nevoeiro pairava sobre as águas castanhas nessa noite junto com os negros destroços de madeira; do outro lado Nova Orleans reluzia com um fulgor alaranjado, silhuetando alguns sombrios navios ancorados no porto, galeões nebulosos e fantasmagóricos com sacadas espanholas e popas ornamentadas, até nos aproximarmos e percebermos que não passavam de velhos cargueiros da Suécia ou do Panamá. As fornalhas da balsa resplandeciam na noite escura; os mesmos negros davam duro com as pás e cantarolavam. O velho Big Slim Hazard trabalhara, certa vez, na balsa de Algiers, limpando o convés; isso me fez lembrar também de Mississippi Gene; e enquanto o rio descia pelo centro da América, sob a luz das estrelas, eu soube, compreendi loucamente que tudo que eu jamais conhecera e tudo o quanto haveria de conhecer era apenas Um. O que é estranho, também, é que nessa mesma noite em que cruzávamos o rio na balsa com Bull uma garota suicidou-se jogando-se do tombadilho; ou antes ou depois de nós; lemos a notícia nos jornais do dia seguinte.

Rondamos todos os bares apáticos do bairro francês com Old Bull e voltamos para casa à meia-noite. Naquela noite, Marylou tomou de tudo, tudo que está nos manuais: maconha, excitantes, benzedrina, álcool, e chegou a pedir um pico de M. a Old Bull, que, é claro, não lhe deu, servindo-lhe apenas um martini. Ela estava tão saturada de substâncias assim diversificadas que ficou imobilizada, petrificada e paralisada no alpendre, comigo. Era um alpendre fascinante, o de Bull. Rodeava a casa inteira, entre os salgueiros; ao luar, aquilo tudo parecia uma velha mansão sulista que tivera melhores dias. Dentro de casa, Jane permanecia sentada e lendo os classificados; Bull estava no banheiro tomando um pico, apertando sua velha gravata preta entre os dentes para fazer um torniquete e fincando a agulha em seu esquálido braço, entre milhares de picadas; Ed Dunkel estava esparramado com Galatea sobre o leito senhorial que Old Bull e Jane jamais usavam; Dean enrolava uns baseados; Marylou e eu imitávamos a aristocracia sulista.

"Olá, Miss Lou, você está verdadeiramente deslumbrante esta noite."

"Obrigado, Crawford, realmente aprecio seus encantadores elogios."

Portas abriam e fechavam ao redor do alpendre e membros deste nosso triste drama da noite americana entravam e saíam incessantemente para ver onde todos haviam se metido. Finalmente, dei uma caminhada solitária até o dique. Queria sentar na margem enlameada e curtir o rio Mississippi; em vez disso tive de contemplá-lo com o nariz encostado numa tela de arame. Quando começam a separar as pessoas de seus rios, o que é que nos resta? "Burocracia!", diz Old Bull, sentado com Kafka aberto no colo, as luzes brilhando acima de sua cabeça, e ele fungando, *tfompf*. Sua velha casa inteira estala. E as toras de madeira de Montana rolam pelo rio noturno, escuro e imenso. "Nada mais nos resta, só a burocracia! E os sindicatos! Principalmente os sindicatos!" Mas sua gargalhada fúnebre voltaria a ecoar.

7

Ela já estava lá pela manhã, quando acordei cedo e radiante e encontrei Old Bull e Dean no quintal. Dean tinha vestido seu macacão de mecânico e ajudava Bull. Ele tinha encontrado um enorme pedaço de madeira podre e desesperadamente arrancava com um martelo todos os pequenos pregos ali fincados. Olhamos para os pregos; havia milhões deles; pareciam vermes.

"Quando terminar de arrancar todos esses pregos vou construir uma prateleira que vai durar *mil anos*!", disse Bull, com cada osso estremecendo de satisfação infantil. "E então, Sal, já percebeu que as prateleiras feitas hoje em dia quebram ou então desabam sob o peso das quinquilharias depois de seis meses de uso? O mesmo acontece com as casas, e com as roupas. Esses filhos da puta já inventaram o plástico e com ele poderiam fazer casas que durassem para *sempre*. E os pneus? Os americanos se matam aos milhões todos os anos com pneus de borracha defeituosa que aquecem nas estradas e estouram. Eles poderiam fabricar pneus que jamais estourassem. Com a pasta de dentes acontece a mesma coisa. Eles inventaram uma espécie de goma que não mostram a ninguém, uma goma que, fosse mascada quando criança, a pessoa não teria uma única cárie até o fim dos seus dias. Com as roupas a história se repete. Eles poderiam fazer roupas que durassem para sempre. Preferem fazer trapos ordinários para que todo mundo continue trabalhando e batendo ponto e se organizando em sindicatos imbecis e se aborrecendo enquanto a grande safadeza prossegue em Washington e Moscou." Ergueu sua grande peça de madeira podre. "Você não acha que dará uma esplêndida prateleira?"

Era bem cedo de manhã; sua energia estava no máximo. O pobre sujeito mandava tantas drogas para dentro de seu corpo que só podia vegetar naquela cadeira a maior parte do dia, com a luz acesa e o sol a pino; mas pela manhã ele era magnífico. Começamos a atirar facas no alvo. Ele contou que tinha visto um árabe em Túnis que era capaz de atingir o olho de um homem a mais de dez metros de distância. Isso o fez lembrar de sua tia que tinha ido a Casbah nos anos 30. "Ela estava com um grupo de turistas, acompanhados por um guia. Usava um anel de diamantes no minguinho. Escorou-se numa parede para descansar alguns instantes quando um árabe arrancou-lhe o anel antes que ela conseguisse gritar. De repente, ela percebeu que já não tinha mais o minguinho. Hi-hi-hi-hi-hi!" Quando ria, ele comprimia os lábios e fazia o riso sair da barriga, lá do fundo, e se dobrava até os joelhos. Riu por um longo tempo. "Ei, Jane!", exclamou exultante. "Eu estava contando para Dean e Sal o que aconteceu com minha tia em Casbah!"

"Eu ouvi", disse ela, da porta da cozinha, com sua voz flutuando na manhã amena do Golfo. Lindas, formosas nuvens pairavam acima de nós, nuvens do vale que nos permitiam compreender toda a vastidão da velha, arruinada e santa América, de ponta a ponta, de costa a costa. Bull estava ligadíssimo: "Sal, já te contei sobre o pai de Dale? Ele era o velho mais engraçado do mundo. Sofria de parestesia, uma doença que corrói a parte frontal do cérebro e você já não é mais responsável pelo que te passa pela cabeça. Ele tinha uma casa no Texas e os carpinteiros trabalhavam 24 horas por dia construindo novas alas. Ele acordava no meio da noite e dizia: 'Não quero mais essa maldita ala; construam-na daquele lado'. Os carpinteiros tinham que desmanchar tudo e começar outra vez. Pela manhã, lá estavam eles martelando a nova ala. Então o velho ficava de saco cheio daquilo tudo e dizia: 'Raios, quero ir para o Maine!'. E entrava no carro e arrancava a 160 por hora – imensas nuvens de penas de galinha acompanhavam sua trajetória por centenas de quilômetros. Era capaz de parar o carro no meio da rua, numa cidade qualquer do Texas, e sair para comprar uísque. O tráfego engarrafava atrás dele, os carros buzinando, ele saía da loja e gritava: 'Calem a boca, *cambaza de cilhos da suta!'*. Ele ceceava, ainda por cima; quando se tem parestesia, você *chichia*, quer dizer, cecea. Uma noite ele apareceu na minha casa em Cincinnati, buzinou e disse: 'Vamos lá, vamos visitar Dale no Texas'. Estava voltando do Maine. Alegava ter comprado uma casa – ah, escrevemos uma história a respeito dele, na faculdade: é um naufrágio terrível, as pessoas tentam desesperadamente se agarrar nas bordas do barco salva-vidas, e o velho está lá com uma machadinha, cortando os dedos de todos eles. 'Sóra daqui steus cilhos zda suta. Ezce barco é beu.' Ih, ele era horrível. Poderia passar o dia inteiro contando histórias dele. Diga, o dia não está lindo?"

E estava mesmo. Uma brisa suave soprava do dique; só isso já valia a viagem inteira. Seguimos Bull casa adentro para tirar a medida da parede para a prateleira. Na sala de jantar, ele nos mostrou a mesa que tinha construído. A madeira tinha quinze centímetros de espessura. "Essa mesa vai durar mil anos!", disse Bull, inclinando seu longo rosto chupado até nós, como um maníaco. Golpeou o tampo da mesa com a mão firme.

Ao pôr do sol, ele sentava-se à mesa, ciscando a comida e jogando os ossos para os gatos. Tinha sete gatos. "Adoro gatos. Especialmente os que miam desesperadamente quando os suspendo acima da banheira." Insistiu em fazer uma demonstração; havia gente no banheiro. "Bem", disse, "não dá para mostrar agora. Sabem, estou brigado com os vizinhos aí do lado"; ele nos falou a respeito dos vizinhos: era uma multidão de crianças impertinentes que jogavam pedras em Dodie e Ray, e às vezes em Old Bull, por cima da pequena cerca. Bull ordenou que parassem com aquilo; o pai das crianças saiu de casa e gritou alguma coisa em português. Bull voltou para casa e retornou ao quintal com sua espingarda sobre a qual se apoiou com a maior seriedade; seu incrível meio-sorriso sob o amplo chapéu de brim, seu corpo inteiro se retorcendo timidamente como uma serpente, enquanto ele aguardava; um grotesco, delgado, solitário, espantalho espantoso sob o firmamento. Ao vê-lo, o português deve ter pensado que se tratava de alguma coisa saída de um antigo e terrível pesadelo.

Vasculhávamos o quintal procurando o que fazer. Havia uma tremenda cerca que Bull estava construindo para separá-lo dos odientos vizinhos; nunca seria concluída, a tarefa era pesada demais. Ele a sacudia para frente e para trás para mostrar como era sólida. Subitamente, ficou cansado, calado, entrou na casa e se enfiou no banheiro para tomar seu pico pré-almoço. Saiu com os olhos vidrados e relaxado, e foi sentar-se debaixo de uma lâmpada acesa; a luz tênue do sol entrava debilmente pelas cortinas cerradas. "Escutem, por que não experimentam meu acumulador de orgones? Ponham mais tutano em seus ossos. Saio sempre voando dali direto para o cabaré mais próximo a 150 por hora, hor, hor, hor!" Esse era seu riso "risado" – quando ele não estava rindo de verdade. O acumulador de orgones é uma caixa grande o suficiente para um homem sentar-se numa cadeira dentro dela: uma camada de madeira, outra de metal e mais uma de madeira capturam orgones da atmosfera e os mantêm cativos por um tempo suficiente até que o corpo humano os absorva numa quantidade superior à usual. Segundo Reich, orgones são átomos atmosféricos vibratórios do princípio vital. As pessoas têm câncer porque perdem seus orgones. Old Bull achava que seu acumulador de orgones seria mais eficiente se a madeira utilizada fosse a mais orgânica possível e assim amarrava arbustos e galhos da vegetação pantanosa na sua estufa mística. Ela ficava lá no quintal plano e abafado, uma máquina desfolhada, equipada e enfeitada com engenhocas maníacas. Old Bull se livrou das roupas e foi sentar lá dentro, pensando com seus botões. "Escuta, Sal, depois do almoço eu e você vamos apostar nas corridas de cavalo lá em Graetna." Era um sujeito esplêndido. Tirou uma soneca depois do almoço sentado em sua cadeira, com a pistola de ar comprimido no colo e o pequeno Ray enroscado em seu pescoço, dormindo também. Era um belo quadro, pai e filho juntos, um pai que certamente jamais encheria o saco de seu filho quando chegasse a hora de descobrir coisas para fazer e conversar sobre elas. Ele acordou num sobressalto e me encarou. Levou um minuto para me reconhecer. "Por que você está indo para a Costa, Sal?", perguntou, voltando a cochilar.

Durante a tarde fomos para Graetna, apenas Bull e eu. Pegamos seu velho Chevy. O Hudson de Dean era baixo, macio e lustroso; o Chevy de Bull era alto, frouxo e barulhento. Era como se estivéssemos em 1910. O local das apostas ficava próximo da zona portuária, num grande bar, cheio de couro e metais cromados, cujos fundos davam para uma sala imensa com as listas de competidores e números inscritos nas paredes. Sujeitos de Louisiana vadiavam por ali, com exemplares da *Racing Forms*. Bull e eu tomamos uma cerveja e Bull foi até um caça-níqueis e desleixadamente enfiou uma moeda de meio dólar. A máquina trepidou "Valete" – "Valete" – "Valete" – e o último "Valete" ficou suspenso por um instante, voltando um espaço atrás para "Cereja". Ele deixou de ganhar cem dólares ou mais por um fio de cabelo. "Merda!", gritou Bull. "Estas máquinas são viciadas, tá na cara. O valete que faltava estava vindo e a máquina o fez retroceder. Bem, o que é que se pode fazer?" Examinamos a *Racing Form*. Eu, que não apostava nos cavalos há anos, fiquei estonteado com tantos nomes novos. Havia um cavalo, chamado Big Pop, que me fez entrar num transe temporário relembrando meu pai, que costumava apostar nos cavalos e me levava junto. Eu estava a ponto de mencionar isso para Old Bull quando ele disse: "Bem, acho que vou apostar nesse Corsário de Ébano aqui".

Então eu disse, finalmente: "Big Pop me faz lembrar de meu pai".

Ele hesitou um segundo, seus límpidos olhos azuis fixaram-se nos meus hipnoticamente de forma que eu não conseguia imaginar o que ele estava pensando ou onde estava. Então, seguiu em frente e apostou no Corsário de Ébano. Big Pop venceu e pagou 50 por um.

"Raios", exclamou Bull. "Eu já deveria saber. Já tinha tido essa experiência antes. Oh, quando é que aprenderemos?"

"O que você está querendo dizer?"

"É com relação ao Big Pop. Você teve uma visão, garoto, uma *visão*. Só os idiotas não dão atenção às visões. Vai dizer que você não percebeu que seu pai, que era um velho apostador das corridas, se comunicou momentaneamente com você para dizer que Big Pop ia vencer o páreo? O nome despertou a sensação em você, ele aproveitou para se comunicar. Era nisso que eu estava pensando quando você mencionou sua lembrança. Meu primo em Missouri certa vez apostou num cavalo cujo nome lhe fazia lembrar da mãe, e ganhou um monte de dinheiro. Aconteceu o mesmo esta tarde!" Ele sacudiu a cabeça. "Ah, vamos embora. É a última vez que venho apostar nos cavalos com você por perto; todas essas visões acabam me distraindo." No carro, enquanto dirigíamos de volta à sua velha casa, ele falou: "Algum dia a humanidade compreenderá que, na verdade, estamos em contato com os mortos e com o outro mundo, seja ele qual for; nesse exato instante, se apenas exercitássemos nossa força mental o suficiente, poderíamos prever o que vai acontecer nos próximos cem anos e seríamos capazes de agir para evitar todas as espécies de catástrofes. Quando um homem morre, seu cérebro passa por uma mutação sobre a qual não sabemos nada agora, mas que será bastante clara algum dia, se os cientistas se ligarem nisso. Só que por enquanto esses filhos da puta estão interessados unicamente em ver se conseguem explodir o planeta."

Contamos tudo para Jane. Ela fungou. "Me parece uma bobagem." Ela passava a vassoura pela cozinha. Bull se enfiou no banheiro pro pico da tarde.

Lá fora na estrada, Dean e Ed Dunkel estavam jogando basquete com a bola de Dodie, e com um balde pendurado num poste. Fui me juntar a eles. Então começamos a realizar proezas atléticas. Dean me impressionou profundamente. Ele fez Ed e eu segurarmos uma barra de ferro na altura das nossas cinturas e, sem tomar nenhuma distância, pulou por cima dela, agarrando os tornozelos. "Vão em frente, levantem mais."

Fomos levantando a barra até a altura de nossos peitos, e mesmo assim ele continuava saltando sobre ela, com facilidade. Depois ele experimentou um salto em distância e marcou pelo menos seis metros, ou mais. Depois apostamos uma corrida na estrada. Eu consigo fazer 100 metros em 10 segundos. Ele passou voando por mim, como vento. Enquanto corríamos tive uma louca visão de Dean correndo assim pela vida, seu rosto ossudo arrojando-se para a vida, seus braços como pistões, suor escorrendo de sua fronte, as pernas se contorcendo como as de Groucho Marx, gritando "Sim! Sim, cara, claro que você consegue me acompanhar!". Mas ninguém podia ser tão rápido quanto ele, essa é a verdade. Então Bull saiu com um par de facas e começou a nos demonstrar como desarmar um pretenso agressor num beco escuro. Eu, de minha parte, lhe mostrei um truque muito bom, que consiste em jogar-se ao chão na frente do seu adversário, prendê-lo com os tornozelos e fazê-lo cair com as mãos no chão e segurá-lo pelos pulsos numa imobilização completa. Ele achou ótimo. Depois, deu umas demonstrações de jiu-jítsu. A pequena Dodie chamou a mãe até a varanda e disse: "Olha esses malucos". Ela era uma coisinha tão querida e encantadora que Dean não conseguia despregar os olhos dela.

"Uau! Espera só até *ela* crescer! Já imaginou *ela* rebolando pela rua do Canal com esses olhos lindos? Ah! Oh!" E assobiava entre os dentes.

Passamos um dia louco no centro de Nova Orleans passeando com os Dunkel. Naquele dia, Dean estava fora de si. Quando viu os vagões de carga no pátio de manobras, quis me mostrar tudo de uma só vez. "Você ainda vai trabalhar na rede ferroviária, antes da gente se separar!" Ele, eu e Ed Dunkel corremos entre os trilhos e saltamos num trem em movimento em três pontos diferentes; Marylou e Galatea esperavam no carro. Seguimos dependurados no trem por um quilômetro, abanando para os guarda-freios e para os sinalizadores. Eles me ensinaram a maneira correta de descer de um vagão em movimento, o pé de trás primeiro, depois você deixa o trem se afastar, faz meia-volta e baixa o outro pé. Eles me mostraram os vagões refrigerados, os compartimentos de gelo, ideais para qualquer noite de inverno quando o trem está vazio. "Lembra do que te contei sobre aquela viagem do Novo México até LA?", gritou Dean. "Eu ia pendurado desse jeito..."

Uma hora depois voltamos para as garotas que, logicamente, estavam furiosas. Ed e Galatea tinham decidido arranjar um quarto em Nova Orleans e ficar por lá trabalhando. Para Bull, que começava a ficar de saco cheio dessa corja toda, estava ótimo. O convite, inicialmente, fora para mim, sozinho. No quarto da frente, onde Dean e Marylou dormiam, havia manchas de geleia e de café e tubos de benzedrina vazios esparramados pelo chão; e o pior é que era o quarto de trabalho de Bull e ele não podia ficar lidando com suas prateleiras. A pobre Jane era constantemente enlouquecida pela agitação e correria contínua de Dean. Estávamos esperando pelo meu próximo cheque, da bolsa do governo; minha tia o enviaria. Depois, cairíamos fora, nós três – Dean, Marylou e eu. Quando o cheque chegou, percebi que odiaria deixar a maravilhosa casa de Bull assim tão rápido, mas Dean estava cheio de energia e louco para ir.

Num melancólico entardecer dourado, finalmente nos instalamos no carro, enquanto Jane, Dodie, o pequeno garoto Ray; Bull, Ed e Galatea, parados no meio da grama alta, sorriam. Era o adeus. No último instante, Dean e Bull se desentenderam por causa de dinheiro. Dean queria uma grana emprestada; Bull disse que isso estava fora de questão. Era como se aqueles velhos dias no Texas estivessem de volta. Dean, o vigarista, se antagonizava com as pessoas, afastando-as de si cada vez mais. Mas ele ria como um maníaco e não dava a menor bola; ele coçou o saco, enfiou o dedo na saia de Marylou, alisou o joelho dela enquanto, espumando pelo canto da boca, disse: "Querida, você sabe e eu também que tudo está bem entre nós, para além das mais profundas definições abstratas em termos metafísicos, ou quaisquer outros termos que quiser especificar ou suavemente impor ou retomar..." e assim por diante, e, zumm, o carro rodava, e lá fomos nós outra vez para a Califórnia.

8

Que sensação é essa, quando você está se afastando das pessoas e elas retrocedem na planície até você ver o espectro delas se dissolvendo? – é o vasto mundo nos engolindo, e é o adeus. Mas nos jogamos em frente, rumo à próxima aventura louca sob o céu.

Rodamos sob a velha luz mormacenta de Algiers, de volta à balsa, outra vez na direção daqueles navios enlameados e obscuros, do outro lado do rio, de volta à rua do Canal, e para fora da cidade, numa estrada de duas pistas até Baton Rouge, sob a obscuridade púrpura; lá dobramos para o Oeste e cruzamos o Mississippi num lugar chamado Port Allen. Port Allen – onde o rio é todo chuva e rosas sob uma escuridão nebulosa e insignificante, onde entramos numa estrada sinuosa sob a luminosidade amarelada da neblina, e, de repente, numa volta, vislumbramos o viscoso vulto volátil escoando suas águas sob a ponte e cruzamos outra vez a eternidade. O que é o rio Mississippi? – um torrão lavado na noite chuvosa, um suave transbordamento das margens gotejantes do Missouri, um dissolver, uma cavalgada da corrente acima do leito eterno das águas, uma contribuição às espumas castanhas, uma jornada através de vales sem fim, e árvores, e diques, sempre abaixo, sempre descendo, por Memphis, Greenville, Eudora, Vicksburg, Natchez, Port Allen, e Port Orleans, e Port of the Deltas, por Potash, Venice, e o Grande Golfo da Noite, pelo mundo afora.

Com o rádio sintonizado num programa de suspense, exatamente quando olhei pela janela e vi um *outdoor* que dizia "USE TINTAS COOPER" e disse "Tá bem, vou usar", rodamos em meio à misteriosa luminescência da noite das planícies de Louisiana – Lawtell, Eunice, Kinder e De Quincy, cidades decrépitas, cada vez mais pantanosas à medida que nos aproximávamos do rio Sabine. Em Old Opelousas entrei numa mercearia para comprar pão e queijo enquanto Dean via a gasolina e o óleo. O bar não passava de um barraco; eu podia escutar a família inteira jantando nos fundos. Esperei um instante, eles continuavam conversando. Peguei pão e queijo e escapuli porta afora. Mal tínhamos dinheiro para chegar a Frisco. Enquanto isso, Dean roubou um pacote de cigarros do posto de gasolina, e estávamos com um estoque para a viagem: gasolina, óleo, cigarros e comida. Vigaristas em ação. E ele embicou o carro direto para a estrada.

Em algum lugar nas redondezas de Starks, vimos um grande clarão avermelhado no céu à nossa frente; nos perguntamos o que seria; momentos depois estávamos passando por ali. Era um incêndio, atrás das árvores; havia muitos carros parados na pista. Poderia ter sido a fogueira de um piquenique desastrado, se bem que também poderia ter sido qualquer outra coisa. A região se tornou estranha e sombria próxima a Deweyville. De repente, estávamos nos pântanos.

"Cara, imagina só se encontrássemos um bar com jazz no meio destes pântanos, com negrões enormes gemendo um blues em suas guitarras e bebendo um trago forte e acenando pra nós."

"Sim!"

Havia mistério no ar. O carro seguia por uma estranha estrada esburacada, apenas um aterro acima do pântano, se despencando para ambos os lados, num emaranhado de trepadeiras. Passamos por uma aparição: era um homem negro com uma camisa branca caminhando com os braços jogados para cima, para o firmamento enegrecido. Devia estar rezando ou rogando alguma praga. Zunimos em frente; olhei para trás pela janela para ver seus olhos alvos. "Uau!", disse Dean. "Cuidado! é melhor não pararmos neste pântano!" A certa altura ficamos indecisos num cruzamento e fomos mesmo obrigados a parar. Dean apagou os faróis. Estávamos rodeados por uma imensa floresta de cipós e trepadeiras na qual quase podíamos ouvir o deslizar de um milhão de víboras. A única coisa que conseguíamos distinguir era a luz vermelha do amperímetro do painel do Hudson. Marylou choramingou de medo. Começamos a dar gargalhadas maníacas para amedrontá-la. Mas estávamos assustados também. Queríamos nos mandar dos domínios da Serpente, dessa lodosa e desnivelada escuridão, e zunir de regresso à familiar paisagem americana com suas cidades corriqueiras. Havia um cheiro forte de petróleo e águas mortas. Tudo aquilo era um manuscrito noturno que não conseguíamos decifrar. Uma coruja piou. Decidimos arriscar uma das estradas e logo estávamos cruzando o velho e funesto rio Sabine, que é o formador de todos esses pântanos. Vimos, maravilhados, grandes estruturas luminosas à nossa frente. "Texas! é o Texas! Beaumont, a cidade do petróleo!" Enormes tanques e refinarias se agitavam como cidades no ar recendendo a óleo.

"Estou feliz por termos nos livrado daquele lugar!", disse Marylou. "Vamos escutar mais uns programas de suspense agora."

Zunimos por Beaumont, cruzamos o rio Trinity em Liberty, e seguimos direto para Houston. Então Dean começou a falar de seus dias em Houston em 1947. "Hassel! Aquele louco Hassel! Onde quer que eu vá, procuro por ele e nunca encontro. Ele nos metia em cada encrenca aqui no Texas! Íamos comprar comida com Bull, e Hassel sumia. Tínhamos que procurá-lo em todas as barracas de tiro ao alvo da cidade." Estávamos entrando em Houston. "Na maioria das vezes, tínhamos que procurá-lo nessa parte obscura da cidade. Cara, ele caía no agito com qualquer doidão que encontrasse. Certa noite, nós o perdemos e tivemos que pegar um quarto de hotel. Tínhamos que levar o gelo de volta para Jane porque a comida estava apodrecendo. Levamos dois dias para encontrar Hassel. Eu também me meti em encrenca – dei uns achaques em donas de casa no meio da tarde, aqui mesmo no centro, nos supermercados" – rasgávamos a noite vazia – "e encontrei uma gata doidona e burra, ela estava fora de si, à deriva, tentando roubar uma laranja. Ela era do Wyoming. Seu corpo gostoso só era comparável à sua mente idiota. Encontrei-a balbuciando e a arrastei para o quarto do hotel. Bull estava bêbado, tentando embebedar seu garotinho mexicano. Carlo estava escrevendo um poema, ligado de heroína. Hassel não apareceu até a meia-noite, com o jipe. Encontramos ele dormindo no banco de trás. O gelo estava todo derretido. Hassel disse que havia tomado pelo menos umas cinco pílulas para dormir. Cara, se a minha memória funcionasse no mesmo ritmo da minha mente, eu poderia te contar cada detalhe de tudo que fizemos. Ah, nós sabemos como a vida é! Tudo toma conta de si mesmo. Posso fechar meus olhos e esse velho carro tomaria conta dele mesmo."

Nas ruas desertas das quatro da manhã de Houston, um garoto numa motocicleta surgiu subitamente, rugindo através da madrugada silenciosa, todo reluzente e enfeitado, com botões cintilantes, óculos, jaqueta preta brilhosa, um poeta texano da noite, a garota grudada às suas costas como um bebê indígena, cabelos esvoaçantes, com um ar vanguardista, cantando: "Houston, Austin, Forth Worth, Dallas – e às vezes Kansas City – e outras vezes a velha Antone, ah-haaaaaa!" Dissolveram-se na escuridão. "Uau, saquem só aquela gata agarrada na cintura dele! Vamos alcançá-los!" E Dean tentou alcançá-los. "Ah, não seria ótimo se todos nós nos juntássemos e fizéssemos uma festa de arromba, todo mundo numa boa, sem problemas, sem broncas, nenhum protesto infantil ou equivocados infortúnios corporais ou qualquer embrulhada? Ah, mas nós sabemos como a vida é." Fez um retorno brusco, forçou a máquina e foi embora.

Passando Houston, as energias dele, por maiores que fossem, cederam e eu tive de dirigir. Começou a chover assim que peguei a direção. Estávamos agora na grande planície do Texas e, como disse Dean, "a gente dirige, dirige e amanhã de noite ainda não saiu do Texas". A chuva nos açoitava. Dirigi por uma cidadezinha decadente, com a avenida principal que era lama pura, e dei de cara com um beco sem saída. "Ei, que é que eu faço?" Os dois estavam dormindo. Dei a volta e tornei a cruzar a cidade. Não havia viva alma e nem uma luz sequer. Subitamente, um sujeito a cavalo com um impermeável surgiu no halo dos meus faróis. Era o xerife. Usava um chapéu descomunal que gotejava sob a chuvarada. "Como é que eu pego a estrada pra Austin?" Ele me orientou polidamente e me mandei. Fora da cidade, repentinamente, vi dois faróis brilhando na minha direção sob a chuva açoitante. Ooops, pensei que estava do lado errado da estrada, desviei para a direita e quando dei por mim estava rodando na lama; retornei para a estrada. Os faróis ainda vinham na minha direção. No último instante, percebi que era o outro motorista quem estava do lado errado da estrada e não sabia disso. Dei uma guinada, a cinquenta por hora, direto para a lama; era tudo escorregadio, mas, graças a Deus, não havia valetas. O carro agressor recuou no aguaceiro. Quatro camponeses malencarados, fugidos de sua faina para vociferar alcoolizados, todos de camisas brancas e braços morenos, permaneciam sentados olhando estupidamente para mim, no meio da noite. O motorista estava tão bêbado quanto o resto do bando.

Ele perguntou: "Qual o caminho para Houston?". Apontei para trás com o polegar. Fiquei aterrado com a ideia de que talvez eles tivessem feito aquilo de propósito, só para pedirem a informação, como um mendigo que te aborda de frente na calçada obstruindo teu caminho. Eles olharam pesarosamente para o piso do carro onde rolavam garrafas vazias e saíram tinindo. Tentei arrancar; foi inútil, o carro estava atolado uns trinta centímetros na lama. Suspirei na chuvosa vastidão do Texas.

"Dean", disse, "acorda!"
"O que é?"
"Estamos atolados na lama."
"O que foi que aconteceu?" Eu contei. Ele praguejou de tudo que foi jeito. Calçamos uns sapatos velhos, vestimos um suéter e mergulhamos na chuva torrencial. Encostei-me de

costas no para-choque traseiro, fiz força e consegui erguê-lo. Dean colocou umas correntes debaixo das rodas sibilantes. Em um minuto estávamos cobertos de lama. Acordamos Marylou para aquele pesadelo e mandamos que ela acelerasse o carro enquanto empurrávamos. O atormentado Hudson arfava e gemia. Subitamente, sacolejou e saiu derrapando pela estrada. Marylou travou bem na hora; embarcamos. E foi isso aí, o trabalho tinha nos tomado trinta minutos e estávamos encharcados e num estado deplorável.

Adormeci coberto de lama, e quando acordei de manhã, a lama solidificara-se e na rua tudo estava coberto de neve. Estávamos perto de Fredericksburg, no planalto. Foi um dos piores invernos na história do Texas e do Oeste, quando o gado morreu como mosca nas grandes nevascas, e nevou até mesmo em São Francisco e LA. Nos sentíamos uns desgraçados. Desejávamos ter ficado lá em Nova Orleans, com Ed Dunkel. Marylou dirigia; Dean estava dormindo. Ela dirigia com uma mão na direção e a outra estendida para mim, no banco de trás. Suspirava promessas sobre o que faríamos em São Francisco. Eu me sentia tremendamente lisonjeado com aquilo. Às dez, peguei a direção, Dean ficou fora de jogo por horas – e dirigi muitas centenas de monótonos quilômetros entre moitas nevadas e colinas sisudas e escarpadas. Caubóis passavam com bonés de beisebol e as orelhas cobertas, procurando pelo gado. Casinhas confortáveis com chaminés fumegantes apareciam vez por outra pela estrada. Eu sonhava com um prato de feijão e leite batido na frente de uma lareira.

Em Sonora mais uma vez me servi de graça de pão e queijo enquanto o proprietário tagarelava com um rancheiro enorme do outro lado da loja. Dean deu hurras quando ficou sabendo; ele estava faminto. Não podíamos gastar nem um centavo em comida. "*Yass, yass*", disse Dean, observando os rancheiros zanzando pra cima e pra baixo pela avenida principal de Sonora, "todos eles são uns malditos milionários; têm milhares de cabeças de gado, peões, imóveis, dinheiro no banco. Se eu morasse aqui seria um idiota na charneca, queria ser uma lebre, lamber ramos tenros, eu procuraria por *cowgirls* gostosas – hi-hi-hi-hi! Raios! Bam!" Socou a si mesmo. "Sim! é isso aí! Oh!" Já não sabíamos mais sobre o que ele estava falando. Pegou o volante e voou o resto do caminho através do estado do Texas, uns oitocentos quilômetros, direto até El Paso, chegando lá ao crepúsculo e sem paradas, exceto uma, quando tirou toda a roupa, perto de Ozona, e se meteu pulando e gritando e correndo completamente nu entre os arbustos. Carros passavam zunindo e não o viam. Ele voltou apressadamente para o Hudson e seguiu em frente.

"Agora Sal, agora Marylou, quero que vocês façam o mesmo que eu, livrem-se do peso de todas essas roupas – qual é o sentido de usar roupas agora? É isso aí o que eu tenho a dizer. Vamos bronzear juntos nossas lindas barrigas. Vamos lá!" Estávamos dirigindo para o Oeste, rumo do sol, podíamos senti-lo através da janela do para-brisa. "Libertem suas barrigas enquanto mergulhamos na direção do sol." Marylou obedeceu, e eu também, sem hesitar. Estávamos no banco da frente, os três. Marylou nos besuntou de creme, só de gozação. De vez em quando um grande caminhão passava zunindo; do alto da cabina, o motorista percebia, de relance, o lampejo desnudo de uma beldade dourada sentada entre dois homens também nus; podíamos vê-los perder o prumo na estrada por uns segundos, enquanto desapareciam pelo nosso vidro de trás. Grandes planícies com arbustos, agora sem neve, se estendiam a perder de vista. Logo estávamos entre as rochas alaranjadas da região do Pecos Canyon. Distâncias azuladas espraiavam-se sob o céu. Saímos do carro para visitar uma velha ruína indígena. Dean fez isso completamente nu. Marylou e eu vestimos nossos sobretudos. Perambulamos entre pedras antigas, urrando e uivando. Alguns turistas avistaram Dean nu pela planície, mas não podiam acreditar no que seus olhos viam e seguiam em frente, trôpegos.

Dean e Marylou pararam o carro perto de Van Horn e fizeram amor enquanto fui dormir. Acordei exatamente quando estávamos rodando pelo espantoso vale do Rio Grande através de Clint e Ysleta, até El Paso. Marylou saltou para o banco de trás, eu pulei para o da frente, e seguimos a rota. À nossa esquerda, depois dos vastos espaços do Rio Grande, estavam os avermelhados montes alagadiços da fronteira mexicana, a terra dos Tarahumara; um entardecer ameno brincava na crista dos picos. Longe, em frente, tremeluziam as luzes distantes de El Paso e Juarez, disseminadas num vale tão extraordinariamente grande que se podiam avistar várias linhas férreas com trens soprando suas fumaças em todas as direções ao mesmo tempo, como se fosse o Vale do Mundo. Baixamos na direção dele.

"Clint, Texas!", exclamou Dean. O rádio estava sintonizado na estação de Clint. A cada quinze minutos rolava uma música; o resto do tempo era preenchido com comerciais sobre um curso universitário por correspondência. "Esse programa é transmitido para todo o Oeste", berrou Dean, excitado. "Cara, eu costumava ouvir isso aí dia e noite no reformatório e na prisão. Todos nós nos inscrevíamos. Quem passava nos testes recebia um diploma pelo correio; ou melhor, o fac-símile dele. Todos os jovens vaqueiros do Oeste, de uma forma ou de outra, acabam se inscrevendo nisso aí; é só o que eles escutam; liga-se o rádio em Sterling, Colorado, Lusk, Wyoming, não importa onde, pega Clint, Texas, Clint, Texas. E a música é sempre essa aí: canções caipiras de caubói e melodias mexicanas, simplesmente o pior programa da história do rádio no país, e não há nada que se possa fazer. Eles têm uma potência espantosa; mantêm a terra inteira antenada." Vimos uma antena enorme atrás dos casebres de Clint. "Oh, cara, as coisas que eu poderia te contar!", balbuciou Dean, quase chorando. Com os olhos voltados para Frisco e para a Costa, entramos em El Paso ao cair da noite, totalmente duros. Simplesmente tínhamos de arranjar algum dinheiro para gasolina ou então não chegaríamos até lá.

Tentamos de tudo. Zanzamos pela agência de viagens, mas ninguém estava indo para o Oeste naquela noite. Agência de viagem é o lugar onde se vai à procura de caroneiros para-rachar-a-gasolina, o que é permitido no Oeste. Sujeitos ardilosos esperavam ali, com maletas surradas. Fomos à estação do Greyhound tentar persuadir alguém a nos dar o dinheiro em vez de pagar uma passagem num ônibus para a Costa. Éramos tímidos demais para abordar alguém. Perambulamos por ali, abatidos. Lá fora estava frio. Um colegial transpirava à vista da gostosa Marylou e tentava disfarçar. Dean e eu nos consultamos, mas chegamos à conclusão de que não éramos gigolôs. De repente, um garotão doidão meio idiota, recém-saído do reformatório, se grudou na gente, e Dean e ele caíram fora para tomar uma cerveja. "Vamos lá, cara, vamos arrebentar a cabeça de alguém e pegar a grana dele."

"Me liguei em ti, rapaz!", disse Dean... E eles se lançaram na noite. Por uns instantes fiquei preocupado; mas Dean só queria curtir as ruas de El Paso com o garoto e tirar seu sarro. Marylou e eu esperamos no carro. Ela me abraçou.

Eu disse: "Pega leve, Lou, espera até chegarmos em Frisco".

"Não me importa. Dean vai me abandonar de qualquer maneira."

"Quando você vai voltar para Denver?"

"Não sei. Não me interessa pra onde vou. Posso voltar com você para o Leste?"

"Vamos ter que descolar uma grana em Frisco."

"Conheço uma lanchonete onde você pode conseguir um emprego de balconista, e eu posso ser garçonete. Sei de um hotel onde podemos ficar a crédito. Ficaremos juntos. Nossa, como tô triste."

"Por que você tá triste, garota?"

"Tô triste por tudo. Oh, merda, queria que Dean não estivesse tão doido agora." Dean voltou saltitante, risonho, e saltou para dentro do carro.

"Que gato maluco era ele, uau. Oh, curti ele. Conheci milhares de garotos como ele, são todos iguais. As cabeças deles funcionam no mesmo ritmo, como relógio. Oh, infinitas ramificações. Mas agora já não há tempo, não há tempo..." E ele pôs o carro em movimento, inclinando-se sobre o volante, e rugimos para fora de El Paso. "Bom, vamos ter que apanhar uns caroneiros. Tenho certeza absoluta de que encontraremos uns. Hup, hup, lá vamos nós. Cuidado!", gritou ele para um motorista e o ultrapassou, driblou um caminhão e cruzou os limites da cidade. Do outro lado do rio estavam as cintilâncias radiantes das luzes de Juarez e a terra triste e ressequida, e as estrelas resplandecentes de Chihuahua. Marylou estava observando Dean como o vinha observando ao longo de todo o país, ida e volta: com o canto do olho – com um ar sombrio e tristonho, como se quisesse cortar a cabeça dele e escondê-la em seu guarda-roupa, um amor irado e invejoso por Dean, que era tão espantosamente ele mesmo, todo esfarrapado, sempre fungando e se agitando doidamente; ela lhe dirigia um sorriso de meiga idolatria, mas também sinistramente ciumento, que chegava a me assustar; era um amor que, ela sabia, jamais daria frutos, porque quando ela olhava para a cara ossuda e bem talhada dele, com seu autocontentamento másculo e sua eterna desatenção, percebia que ele era louco demais. Dean estava convencido de que Marylou era uma piranha; me confidenciou que ela era uma mentirosa patológica. Mas quando ela o olhava desse jeito, havia amor também; e quando Dean notava isso, sempre se voltava para ela com seu grande sorriso hipócrita de conquistador, acompanhado pelo balé das pestanas, com seus dentes reluzindo como pérolas alvas, enquanto que no momento anterior estivera sonhando tão somente com sua própria eternidade. Então Marylou e eu ríamos – e Dean não dava sinais de descontentamento, apenas um sossegado sorriso de soslaio que queria dizer: "Mas estamos nos divertindo, *não estamos*?". E estávamos mesmo.

Fora de El Paso, na escuridão, vimos um pequeno vulto todo embrulhado com o dedão esticado. Era nosso aguardado caroneiro. Freamos e paramos ao lado dele. "Quanta grana você tem, garoto?" O garoto não tinha grana alguma, tinha uns dezessete anos mais ou menos, pálido, estranho, com uma mão atrofiada, paralisada, e sem bagagem. "Ele não é *simpático*?", disse Dean, virando-se para mim com um ar sério e respeitoso. "Entra, garoto, vamos te tirar daqui." O garoto viu que estava com sorte. Ele disse que tinha uma tia em Tulare, Califórnia, e que ela era dona de uma mercearia e, assim que chegássemos lá, ele teria algum dinheiro para nos dar. Dean rolou no chão de tanto rir, era uma tirada exatamente igual à do garoto da Carolina do Norte. "Sim! Sim!", ele gritou. "*Todos* nós temos tias; bem, vamos lá, vamos ver as tais tias, tios e as mercearias espalhadas ao LONGO desse enorme trajeto!" E tínhamos um novo passageiro, um garotão gente fina como viria a se revelar mais tarde. Não dizia uma só palavra, só nos escutava. Depois que Dean falou por um minuto ele provavelmente se convenceu de que tinha embarcado num carro de dementes. Disse que estava indo de carona do Alabama para o Oregon, onde morava. Perguntamos o que ele estava fazendo no Alabama.

"Vim visitar meu tio; ele disse que tinha um emprego pra mim numa serraria. O emprego não deu certo e eu estou indo de volta pra casa."

"Indo pra casa", disse Dean, "indo pra casa, sim, eu sei, vamos te levar de volta pra casa; de qualquer maneira, pelo menos até Frisco." Mas não tínhamos nenhum tostão. De repente, me ocorreu que podia pedir cinco dólares emprestados para meu velho amigo Hal Hingham, em Tucson, Arizona. Imediatamente Dean disse que estava tudo certo e que iríamos para Tucson; e fomos.

Cruzamos Las Cruces, Novo México, durante a noite, e chegamos no Arizona ao alvorecer. Despertei de um sono profundo para encontrar todos os outros dormindo como cordeiros no carro estacionado sabe Deus onde, porque eu não podia ver nada pelas janelas embaçadas. Saí do carro, estávamos nas montanhas: era um nascer de sol celestial, fresca brisa púrpurea, encostas avermelhadas, pastos de esmeralda nos vales, orvalho, nuvens douradas transmutantes; no solo, havia tocas de roedores, cáctus, arbustos ressequidos. Era minha vez de dirigir. Empurrei Dean e o garoto e desci a encosta montanhosa em ponto morto e com o motor desligado para economizar gasolina. Dessa maneira, rodei até Benson, Arizona. Me ocorreu que ainda possuía um relógio de bolso que Rocco me dera de presente de aniversário, um relógio que valia quatro dólares. No posto de gasolina, perguntei para o cara se ele sabia onde ficava a casa de penhora de Benson. Ficava justamente ao lado do posto. Bati, alguém saiu da cama, e em um minuto recebi um dólar pelo relógio. Ele se dissolveu no nosso tanque. Agora, tínhamos gasolina suficiente para chegar a Tucson. Mas, de súbito, um policial enorme com uma pistola na cintura apareceu, justamente quando eu estava dando a partida; pediu para ver minha carteira de motorista. "O cara lá no banco de trás é que tem os documentos", falei. Dean e Marylou estavam dormindo juntos sob um cobertor. O guarda disse para Dean sair do carro. De repente, sacou a pistola e gritou: "Mãos ao alto!".

"Seu guarda", ouvi Dean dizer no tom mais gorduroso e ridículo possível, "seu guarda, estou apenas fechando a braguilha". Até o guarda quase riu. Dean saiu do carro, roto, enlameado, de camiseta, alisando a barriga, blasfemando, procurando em todos os cantos pela carteira de motorista e os documentos do carro. O guarda revistou nosso porta-malas. Os papéis estavam todos em ordem.

"Era só para verificar", disse, com um largo sorriso. "Podem ir agora. Benson não é uma cidade de todo má; poderão até gostar se tomarem o café da manhã aqui."

"Sim, sim, sim", disse Dean, sem prestar a menor atenção a ele e arrancando o carro. Suspiramos aliviados. A polícia suspeita quando gangues de garotões aparecem com carros novos sem um tostão em seus bolsos e têm de empenhar relógios. "Oh, eles estão sempre se metendo onde não são chamados", disse Dean, "mas esse era muito melhor do que aquele rato lá de Virgínia. Querem fazer prisões que ganhem as manchetes dos jornais, pensam que em cada carro que passa há uma gangue de Chicago. Eles não têm mais o que fazer". Seguimos para Tucson.

Tucson está situada numa bela região rural entre arbustos e à margem do rio, dominada pela serra de Catalina. A cidade era uma grande loja de materiais de construção; as pessoas na rua, apressadas, loucas, ambiciosas, ocupadas, alegres; varais espalhados pelos quintais, trailers; as ruas fervilhantes e embandeiradas no centro; tudo muito californiano. Fort Lowell Road, onde Hingham morava, fora da cidade, estendia-se entre árvores graciosas e a planície desértica. Vimos o próprio Hingham matutando no jardim. Ele era escritor; viera para o Arizona para trabalhar em paz no seu livro. Era um cara alto, desengonçado, um satirista tímido que falava murmurando e com a cabeça voltada para o outro lado e sempre dizendo coisas engraçadas. Sua mulher e o bebê estavam com ele na casa, uma casa pequena que seu padrasto índio havia construído. A mãe dele morava do outro lado do jardim, em seu próprio cantinho. Era uma mulher excitada, americana, que gostava de cerâmica, bijuterias e livros. Hingham tinha ouvido falar de Dean por cartas vindas de Nova York. Caímos sobre ele como nuvens, todos famintos, até Alfred, o caroneiro aleijado. Hingham estava vestindo um velho suéter e fumando cachimbo no ar penetrante do deserto. Sua mãe saiu da casa e nos convidou para comer em sua cozinha. Fizemos macarrão numa enorme panela.

Então fomos até a esquina, numa loja que vendia bebidas, onde Hingham trocou um cheque de cinco dólares e me deu o dinheiro.

Houve uma breve despedida. "Sem dúvida foi bastante agradável", disse Hingham com o olhar distante. Atrás de umas árvores, do outro lado do areial, um grande letreiro de néon vermelho piscava. Era o saloon onde Hingham sempre ia beber cerveja quando estava farto de escrever. Agora sentia-se muito solitário, queria voltar para Nova York. Foi triste ver sua figura alta mergulhando na escuridão enquanto nos afastávamos, exatamente como as silhuetas de outras figuras em Nova York e Nova Orleans: permaneciam incertas sob céus imensos, e tudo o que lhes dizia respeito ia aos poucos se desmoronando. Para onde ir? O que fazer? Para quê? – dormir. Essa louca gangue seguia em frente.

9

Nos arredores de Tucson vimos outro caroneiro na estrada escura. Esse era um *Okie* que vinha de Bakersfield, Califórnia, e que desembuchou sua história: "Que *grande* merda! Me arranquei de Bakersfield com um carro de uma agência de viagem e esqueci minha viola no porta-mala de um outro e ele sumiu de vez – o violão e meus cacarecos de caubói; vocês já devem ter percebido, sou músico, estava indo pro Arizona para tocar com Johnny Mackaw e os Sagebrush Boys. Bom, inferno, aqui estou eu no Arizona, duro, e meu violão foi roubado. Se vocês, rapazes, me levarem de volta para Bakersfield, eu arranjo um dinheiro com meu irmão. Quanto vocês querem?" Queríamos apenas gasolina suficiente para cobrir a distância de Frisco a Bakersfield, uns três dólares. Agora éramos cinco no carro. "Básnoite, madame", disse ele, tirando o chapéu para Marylou, e caímos fora.

No meio da noite sobrevoávamos as luzes de Palm Springs rodando por uma estrada nas montanhas. Ao amanhecer, em desfiladeiros nevados, avançamos lentamente rumo à cidade de Mojave, que era o pórtico de entrada para o grande Tehachapi Pass. O *Okie* acordou e contou histórias engraçadas; o pequeno e singelo Alfred sorria, sentado. *Okie* nos disse que conheceu um homem que perdoou a esposa que dera um tiro nele e tirou-a da prisão, só para ser atingido uma segunda vez. Estávamos passando pela penitenciária feminina quando ele nos contou isso. Mais adiante, à frente, vimos o começo do Tehachapi Pass. Dean pegou a direção e nos conduziu, sem problemas, ao topo do mundo. Passamos por uma grande fábrica de cimento oculta no cânion. Aí, começamos a descer. Dean desligou o motor, deixou o carro em ponto morto e venceu cada curva fechada, ultrapassou todos os carros, e fez tudo o que está nos manuais, sem o auxílio do acelerador. Eu me agarrava com firmeza. Às vezes a estrada subia por uns instantes e ele simplesmente ultrapassava os outros carros sem o menor ruído, em instantes cristalinos. Ele conhecia todos os truques, todos os segredos de uma ultrapassagem de primeira classe. Quando era para fazer uma curva de 180 graus deixando para lá uma minúscula murada de pedra que permitia visualizar o abismo do fim do mundo, ele apenas se inclinava inteiramente à esquerda, mãos firmes no volante, braços rijos, conduzindo com segurança absoluta; e quando a curva serpenteava outra vez para a direita, agora com o penhasco se despencando à nossa esquerda, ele se inclinava todo para a direita, fazendo com que Marylou e eu nos inclinássemos juntos. Dessa maneira, flutuamos oscilantes em direção ao vale de San Joaquin. O vale se esparramava amplamente uns dois quilômetros à nossa frente, virtualmente o assoalho da Califórnia, febril e extraordinário como podíamos vê-lo, suspensos à beira do nosso rochedo. Percorremos cinquenta quilômetros sem gastar uma só gota de gasolina.

De repente estávamos todos excitados. Dean queria me contar tudo o que sabia de Bakersfield quando atingimos os arredores da cidade. Ele me mostrava as pensões onde se hospedara, hotéis ao lado dos trilhos, bilhares, lanchonetes, pátios de manobra onde saltara da locomotiva para colher uvas, restaurantes chineses onde comia, bancos de praça onde conheceu garotas, e certos lugares onde não havia feito nada, apenas sentado e aguardado. A Califórnia de Dean – louca, tórrida, célebre, a terra aonde os amantes solitários, excêntricos e exilados vêm confraternizar como se fossem pássaros migratórios; a terra aonde, de alguma forma, todos se parecem com artistas de cinema decadentes, elegantes e arruinados. "Homem, passei horas sentado exatamente naquela cadeira defronte àquela farmácia." Ele se lembrava de tudo – cada jogada, cada mulher, cada noite triste. E, de repente, estávamos passando pelas proximidades da linha férrea onde Terry e eu tínhamos sentado naqueles caixotes dos vagabundos ao luar, bebendo vinho, em outubro de 1947, e tentei contar tudo para Dean. Mas ele estava excitado demais. "E aqui é o lugar onde Dunkel e eu passamos a manhã inteira bebendo cerveja e tentando faturar uma garçonetezinha de Watsonville – não, de Tracy, sim, Tracy – e o nome dela era Esmeralda – oh, cara, algo assim." Marylou estava planejando o que faria no momento em que chegasse a Frisco. Alfred disse que a tia lhe daria dinheiro suficiente lá em Tulare. O *Okie* nos conduziu em direção ao apartamento de seu irmão, fora da cidade.

Ao meio-dia estacionamos em frente a um pequeno casebre coberto de rosas; o *Okie* entrou e conversou com uma mulher. Esperamos uns quinze minutos. "Estou começando a achar que esse sujeito não tem mais dinheiro do que eu mesmo", disse Dean. "Vamos nos encrencar ainda mais! Provavelmente ninguém da família dele lhe dará um só centavo depois de uma fuga estúpida como essa." O Okie saiu envergonhado e nos guiou até a cidade.

"Que *grande* merda, gostaria de poder encontrar meu irmão." Fez um monte de perguntas. Certamente, estava se sentindo nosso prisioneiro. Finalmente fomos a uma grande confeitaria e o *Okie* saiu lá de dentro com seu irmão, que estava usando um macacão e provavelmente era mecânico do caminhão lá dentro. O *Okie* conversou com o irmão por alguns minutos. Esperamos no carro. O *Okie* estava contando a todos os seus parentes suas desventuras e falava sobre a perda do violão. Mas arranjou o dinheiro. Finalmente estávamos preparados para Frisco. Agradecemos e caímos fora.

A próxima parada era Tulare. Roncamos vale acima. Eu ia deitado no banco de trás, exausto, desistindo completamente de tudo; em determinado momento daquela tarde, enquanto cochilava, o Hudson enlameado zuniu pelas barracas nos arredores de Sabinal, onde eu havia morado, amado e trabalhado, num passado espectral. Dean estava curvado rigidamente sobre o volante, esmurrando sua barra. Eu dormia quando finalmente chegamos a Tulare; acordei para ouvir detalhes dementes: "Sal, acorda! Alfred encontrou o armazém da tia, mas sabe o que aconteceu? A tia dele deu um tiro no marido e foi presa. O armazém está fechado. Não conseguimos nem um tostão. Pensa nisso! As coisas que acontecem: o *Okie* nos contou uma história exatamente igual, problemas em todos os cantos, os eventos que eventualmente... oh, merda!" Alfred estava roendo as unhas. Estávamos deixando a estrada para o Oregon em Madera, e ali nos despedimos do pequeno Alfred. Desejamos boa sorte e feliz viagem até o Oregon. Ele disse que havia sido a melhor carona que ele jamais havia pegado.

Parecia apenas uma questão de minutos quando começamos a rodar pelo sopé das colinas de Oakland e, repentinamente, atingimos o cume de um morro e vimos, esparramada à nossa frente, a fabulosa cidade de São Francisco, clara, sobre suas onze colinas místicas, com o Pacífico azulado e sua muralha elevada com a plantação de batatas ao longe, sob a névoa, e fumaça e resplendor no fim de tarde do tempo. "Lá ela explode", gritou Dean. "Uau! Conseguimos! Nem uma gota a mais de gasolina! Me dá um gole d'água! Não há mais terra! Não podemos seguir adiante porque não há mais terra! E agora, Marylou, minha querida, você e Sal irão para um hotel imediatamente e esperarão até que eu entre em contato com vocês pela manhã tão logo tudo fique claro entre mim e Camille, e tiver telefonado pro francês pra falar sobre meu relógio lá na ferrovia, e a primeira coisa que você e Sal farão será comprar um jornal para olhar os classificados e os anúncios de empregos." E lá fomos nós pela ponte da baía de Oakland adiante. Os grandes prédios de escritórios do centro estavam cintilantes, o que fazia o cara pensar em Sam Spade. Quando, atordoados, desembarcamos do carro na rua O'Farrell, e farejamos, e nos espreguiçamos, foi como desembarcar numa praia depois de uma longa viagem em alto-mar; a rua lamacenta girava sob os nossos pés; misteriosos *chop sueys* do bairro chinês de Frisco flutuavam no ar. Tiramos todas as nossas coisas de dentro do carro e as empilhamos na calçada.

Subitamente, Dean estava dando adeus. Ele estava a ponto de explodir de tanta vontade de rever Camille e descobrir tudo o que havia acontecido. Marylou e eu ficamos parados na calçada, abobalhados, observando-o zarpar com o carro. "Viu que filho da puta que ele é?", disse Marylou. "Dean é capaz de te deixar na mão toda vez que pinta algo que o interesse mais."

"Eu sei", respondi; olhei para o leste e suspirei. Não tínhamos nenhum tostão. Dean não havia mencionado nada a respeito de dinheiro. "Onde é que vamos ficar?" Perambulamos pelas imediações carregando nossos fardos esfarrapados pelas ruelas românticas. Todos pareciam alquebrados figurantes de cinema, estrelinhas apagadas, dublês desiludidos, pilotos de autorama, comoventes personagens californianos com suas tristezas de fim-de-linha. Casanovas de uma elegância decadente, loiras de motel com os olhos inchados, punguistas, gigolôs, putas, massagistas, *office boys* – uma corja completa; como pode um homem sustentar-se no meio de um bando como esse?

10

De qualquer forma, Marylou já tinha circulado entre gente desse tipo – não estávamos muito longe da zona –, e um recepcionista de hotel com uma cara macilenta nos cedeu um quarto a crédito. Esse era o primeiro passo. Agora, precisávamos comer, e não o fizemos até a meia-noite quando encontramos uma cantora de cabaré em seu quarto de hotel e ela virou um ferro de passar de cabeça para baixo, apoiando-o num cabide suspenso sobre a boca de um cesto de lixo e aqueceu ali uma lata de feijoada com porco. Pela janela olhei a rua, vi as luzes de néon piscando e me perguntei: "Onde está Dean? Por que ele não se preocupa com o nosso bem-estar?". Naquele ano perdi a fé nele. Fiquei uma semana em São Francisco e foi a época mais desgastante da minha vida. Marylou e eu perambulávamos quilômetros tentando conseguir dinheiro para comer. Até visitamos uns marinheiros bêbados num albergue que ela conhecia na rua Mission; eles nos ofereceram uísque.

Moramos juntos no hotel por dois dias. Percebi, agora que Dean estava fora da jogada, que Marylou na real não estava interessada em mim, só estava me usando para tentar fisgar Dean, já que eu era camarada dele. Discutíamos no quarto. Também passamos noites inteiras na cama e eu contei meus sonhos para ela. Falei sobre a grande serpente do mundo que estava enrolada dentro da terra como uma minhoca numa maçã e que algum dia iria jogar pelos ares o topo de uma colina para, mais tarde, ficar conhecida como A Serpente da Colina, e se arrastaria pela planície, com duzentos quilômetros de comprimento, devorando tudo que encontrasse pela frente. Disse-lhe que a serpente era Satã. "E o que vai acontecer?", guinchou ela, enquanto me abraçava com força.

"Um santo chamado Doutor Sax vai destruí-la com ervas secretas que está preparando neste exato instante em seu barraco subterrâneo num canto qualquer da América. Mas também é possível que se descubra que a serpente é apenas o disfarce escolhido pelas pombas; quando ela morrer, nuvens enormes de pombos seminais-cinzentos em revoada trarão novidades apaziguadoras para o mundo inteiro." Eu estava fora de mim, faminto e amargurado.

Certa noite Marylou desapareceu com a dona de uma boate. Eu a aguardava, como combinado, num umbral do outro lado da rua, na esquina da Larkin com a Geary, faminto, quando ela saiu do vestíbulo de um apartamento elegante junto com sua amiga, a dona da boate, e um velho seboso com um maço de notas. Teoricamente ela tinha entrado só para visitar a amiga. Vi que espécie de piranha ela realmente era. Ficou com medo de me fazer um sinal, apesar de ter me visto parado ali no umbral. Deu uns passinhos, entrou no Cadillac e eles se mandaram. Agora eu não tinha nada nem ninguém.

Perambulei catando baganas nas calçadas. Cruzei por um boteco na rua Market e a mulher que estava lá dentro me lançou um olhar terrível enquanto eu passava; era a proprietária, aparentemente ela pensou que eu fosse entrar ali armado de pistola e assaltar o botequim. Caminhei um pouco mais. Subitamente me ocorreu que ela tinha sido minha mãe uns duzentos anos atrás na Inglaterra e eu, seu filho salteador, retornando do cárcere para assombrar seu honesto ganha-pão na taverna. Enregelado pelo êxtase, estanquei na calçada. Olhei para a rua. Não conseguia saber se era mesmo a Market ou a rua do Canal em Nova Orleans; afinal ela ia dar na água, água ambígua e universal, exatamente como a rua 42, em Nova York, que também leva em direção à água, de modo que você nunca sabe bem onde está. Pensei no fantasma de Ed Dunkel se arrastando pela Times Square. Eu delirava. Quis voltar e dar uma espiada na minha estranha mãe dickensiana no boteco. Eu tremia da cabeça aos pés. Era como se um pelotão inteiro de memórias me conduzisse de volta a 1750, na Inglaterra, só que agora eu estava em São Francisco, em outra vida, noutro corpo. "Não", parecia gritar aquela mulher, com seu olhar aterrorizado, "não volte para atormentar sua mãe honesta e trabalhadora. Você já não é mais meu filho, assim como seu pai, meu primeiro marido. Aqui, esse grego generoso se apiedou de mim" (o proprietário era um grego de braços peludos). "Você é mau, com tendências à baderna e à bebedeira e, o que é pior, ao roubo infame dos frutos do meu humilde trabalho nesta taverna. Oh, filho! Você jamais se ajoelhou e rezou pela remissão de todos os seus pecados e más ações? Pobre menino! Suma daqui! Não amedronte mais meu espírito; eu fiz bem em te esquecer. Não reabra velhas feridas; que seja como se você nunca houvesse voltado e me encarado – jamais houvesse visto minha humilde labuta, meus parcos centavos penosamente batalhados – os quais está sempre ávido para agarrar, sempre pronto para roubar, oh, desalmado, maldoso e sombrio filho da minha própria carne. Meu filho! Meu filho!" Isso tudo me fez pensar na grande visão de Big Pop em Graetna, junto com Old Bull. E por um instante alcancei o estágio do êxtase que sempre quis atingir, que é a passagem completa através do tempo cronológico num mergulhar em direção às sombras intemporais, e iluminação na completa desolação do reino mortal e a sensação de morte mordiscando meus calcanhares e me impelindo para a frente como um fantasma perseguindo seus próprios calcanhares, e eu mesmo correndo em busca de uma tábua de salvação de onde todos os anjos alçaram voo em direção ao vácuo sagrado do vazio primordial, o fulgor potente e inconcebível reluzindo na radiante Essência da Mente, incontáveis terras-lótus desabrochando na mágica tepidez do céu. Eu podia ouvir um farfalhar indescritível que não estava apenas nos meus ouvidos, mas em todos os lugares, e não tinha nada a ver com sons. Percebi ter morrido e renascido incontáveis vezes, mas simplesmente não me lembrava justamente porque as transições da vida para a morte e de volta à vida são tão fantasmagoricamente fáceis, uma ação mágica para o nada, como adormecer e despertar um milhão de vezes na profunda ignorância, e em completa naturalidade. Compreendi que somente devido à estabilidade da Mente essencial é que essas ondulações de nascimento e morte aconteciam, como se fosse a ação do vento sobre uma lâmina de água pura e serena como um espelho. Senti uma satisfação suave, serpenteante como um tremendo pico de heroína numa veia principal; como aquele gole de vinho que te traz um arrepio de satisfação num fim de tarde; meus pés se arrepiaram. Pensei que ia morrer naquele exato instante. Mas não morri e caminhei uns sete quilômetros, catei dez longas baganas e as levei para o quarto de Marylou no hotel e derramei os restos de tabaco no meu velho cachimbo e o acendi. Eu era jovem demais para perceber o que havia se passado. Da janela sentia o cheiro de toda a comida de São Francisco. Havia restaurantes de frutos do mar onde os pãezinhos estavam quentes, e o próprio cesto seria bom o suficiente para comer; os próprios *menus* eram tenros, possuíam uma suculência nutritiva como que tendo sido ensopados em caldos escaldantes, depois assados, bons para serem devorados também. Apenas me mostre a anchova desenhada na capa do cardápio dos frutos do mar e eu a devoro; deixem-me cheirar a manteiga derretendo e as patas de lagosta. Havia casas especializadas em tenros rosbifes *au jus*, ou galinha assada ao molho de vinho. Havia bares onde os hambúrgueres chiavam sobre a grelha e onde o café custava só um centavo. E, oh, aquele ar perfumado por *chow mein* que penetrava no meu quarto vindo do bairro chinês, temperado com molhos de espaguete, de North Beach, siris na casca em Fisherman's Wharf – e mais ainda, as costeletas de Fillmore girando lentamente nos espetos! Adicione feijões com chili escaldante da Market, e as batatas fritas da noite alcoólica da Embarcadero, e os mexilhões cozidos de Sausalito, do outro lado da baía, e eis meu sonho – ah! – de São Francisco. Acrescente neblina, neblina úmida que te deixa faminto, e o pulsar do néon da noite suave, o crepitar dos saltos altos das beldades, pombas brancas na vitrine de uma mercearia chinesa...

11

Foi nesse estado que Dean me encontrou quando finalmente decidiu que valia a pena me salvar. Ele me levou para casa, para o apartamento de Camille. "Cadê a Marylou, cara?"

"A piranha deu no pé." Depois de Marylou, Camille era um alívio; uma mulher educada, fina e de boa família, e além do mais ela sabia que os dezoito dólares que Dean havia lhe enviado eram meus. Mas, oh, pra onde foste, querida Marylou? Descansei uns dias na casa de Camille. Da janela da sala do apartamento num edifício de madeira na rua Liberty, podia-se ver São Francisco inteira crepitando suas luzes verdes e vermelhas na noite chuvosa. Nos dias que passei ali, Dean abraçou a tarefa mais ridícula de sua carreira. Arranjou um emprego de demonstrador de um novo tipo de panela de pressão nas cozinhas das casas de família. O vendedor lhe entregou pilhas de amostras e panfletos. No primeiro dia, ele foi um furacão de energia. Dirigi por toda a cidade junto com ele, enquanto ele fazia as visitas. Seu plano era ser convidado para jantar socialmente e aí, num salto, começar a demonstrar a panela de pressão. "Cara", gritava, excitadíssimo, "isso é ainda mais doido do que na época em que eu trabalhava para Sinah. Sinah vendia enciclopédias em Oakland. Ninguém conseguia se livrar dele. Fazia longos discursos, saltava dum lado pra outro, ria, chorava. Certa vez, irrompemos na casa de uns caipiras que estavam se preparando para ir a um funeral. Sinah caiu de joelhos e rezou pela alma do morto. Todos os caipiras começaram a chorar. Ele vendeu um jogo completo de enciclopédias. Era o sujeito mais pirado do mundo. Me pergunto por onde andará ele. Costumávamos nos aproximar das filhas mais jovens e gostosas e boliná-las nas cozinhas. Tive, nessa tarde, a dona de casa mais gostosa do mundo em minhas mãos em sua pequena cozinha – meus braços ao redor dela, demonstrando, ah! Humm! Uau!"

"Vai firme, Dean!", disse eu. "Talvez algum dia você se torne prefeito de São Francisco." Ele tinha todo o discurso da panela na ponta da língua. Todas as noites praticava com Camille e comigo.

Numa manhã ele parou, pelado, olhando para toda São Francisco, da janela, enquanto o sol nascia. Era como se algum dia ele fosse se transformar no prefeito pagão da cidade. Mas suas energias se esvaíram. Numa tarde chuvosa, o vendedor apareceu para ver o que Dean estava fazendo. Dean estava arriado no sofá. "Você está tentando vender essas coisas?"

"Não", disse Dean, "tô pegando outro emprego".

"Bem, o que é que você pretende fazer com todas essas amostras?"

"Não sei." Num silêncio mortal, o vendedor juntou suas tristes panelas e saiu. Eu estava farto e cansado de tudo e Dean também.

Mas certa noite, sem mais nem menos, piramos outra vez; fomos visitar Slim Gaillard numa pequena boate de São Francisco. Slim Gaillard é um negro alto e magro com grandes olhos melancólicos que tá sempre dizendo "Legal-oruni" e "que tal um bourbon-oruni?" Em Frisco, multidões enormes e atentas de garotões semi-intelectuais sentavam a seus pés e o escutavam ao piano, no violão e nos bongôs. Já quente, ele tira a camisa e a camiseta, e vai fundo. Faz e diz tudo que lhe vem à cabeça. Pode cantar "Cement Mixer, put-ti, put-ti" e de repente diminui o ritmo, fica em transe sobre os bongôs, com as pontas dos dedos mal tamborilando o couro, enquanto todos se inclinam para a frente sem respirar só para ouvir; você imagina que ele vá fazer aquilo por cerca de um minuto, mas ele segue em frente por uma hora ou mais, fazendo um barulhinho imperceptível com a ponta de suas unhas, e cada vez mais baixo até que não se pode ouvir mais nada e os sons do trânsito entram pela porta aberta. E então ele se levanta lentamente, pega o microfone e diz, com muita calma: "Grande-oruni... belo-ovauti... olá-oruni... bourbon-oruni... tudo-oruni... como estão os garotos da primeira fila, fazendo a cabeça com suas garotas-oruni... oruni... vauti... oruniruni..." Ficando assim por quinze minutos, sua voz cada vez mais baixa, sussurrante, até que não se pode mais ouvir. Seus enormes olhos melancólicos perscrutam a plateia.

Dean lá atrás dizendo "Meu Deus! Sim!" – e entrelaçando as mãos com reverência e suando: "Sal, Slim saca todas, ele saca todas!" Slim senta ao piano e toca duas notas, dois Mis, aí mais dois, e então um, aí dois e, de repente, o baixista balofo desperta de seu transe reverencial e se dá conta de que Slim está tocando *C-Jam Blues* e dedilha a corda com seu enorme dedo indicador, e um *big boom,* rítmico, ribomba num ritual ritmado e todo mundo começa a rebolar e Slim parece tão melancólico como sempre, e eles rolam jazz durante meia hora, e então Slim pira por completo e agarra os bongôs e toca batuques cubanos tremendamente rápido e grita coisas malucas em espanhol, em árabe, em dialetos peruanos e egípcios, e em cada língua que conhece, e ele conhece inúmeras línguas. O show finalmente termina; cada show dura duas horas. Slim Gaillard se manda do palco e fica encostado numa coluna, olhando melancolicamente por cima de todas as cabeças enquanto as pessoas vêm falar com ele. Um bourbon é rapidamente colocado em sua mão. "Bourbonoruni – obrigado-ovauti..." Ninguém sabe por onde paira a mente de Slim Gaillard. Certa vez, Dean sonhou que estava tendo um filho e sua barriga estava toda inchada e azul enquanto ele jazia na grama de um hospital da Califórnia. Sob uma árvore, sentado junto a um grupo de negros, estava sentado Slim Gaillard. Dean lançou-lhe um desesperado olhar de mãe. Slim disse: "Vai firme-oruni". Agora Dean se aproximava dele, aproximava-se do seu Deus; julgava que Gaillard fosse Deus; arrastando os pés e curvando-se reverencialmente na frente dele, convidou-o para se juntar à gente. "Tá legal-oruni", disse Slim; ele se juntaria a qualquer um, mas não garantia que permanecesse ali em espírito. Dean arranjou uma mesa, trouxe bebidas e sentou, constrangido, na frente de Slim. Slim devaneava por cima da cabeça dele. Cada vez que ele dizia "oruni", Dean dizia "Sim", e ali estava eu sentado, junto com esses dois loucos. Não aconteceu nada. Para Slim Gaillard, o mundo inteiro não passava de um grande oruni.

Nessa mesma noite, curti Lampshade na esquina da Fillmore com a Geary. Lampshade é um negrão que entra nos saloons musicais de Frisco com casaco, chapéu e cachecol e salta para o palco e começa a cantar; as veias se dilatam em sua testa; ele se retorce e geme um blues desesperado com cada músculo de sua alma. Enquanto cantava, gritava às pessoas: "Não é preciso morrer para ir ao paraíso, comece com Doutor Pepper e termine com uísque". Sua voz ribomba por tudo. Faz caretas, se contorce, faz de tudo. Veio até nossa mesa, se inclinou e disse: "Yes!" Depois cambaleou para a rua e foi para outro saloon. E há também Connie Jordan, um maluco que canta e sacode os braços e termina salpicando todo mundo de suor e chutando o microfone e gritando feito mulher, e mais tarde pode-se encontrá-lo exausto, ouvindo loucas sessões de jazz no Jamson's Nook, com olhões redondos e ombros caídos, um olhar meio abobalhado, perdido no espaço, e um drinque à sua frente. Jamais vi músicos tão loucos. Em Frisco, todo mundo sopra um instrumento. Era o fim-de-linha do continente, ninguém estava ligando pra nada. E assim Dean e eu vagávamos por São Francisco, até que recebi meu cheque da bolsa de estudos e preparei minha volta para casa.

O que realizei com essa vinda para Frisco, não sei. Camille queria que eu caísse fora; para Dean não fazia a menor diferença. Comprei pão e frios e com eles fiz dez sanduíches para, outra vez, cruzar o país; apodreceriam todos comigo quando eu chegasse a Dakota. Dean pirou na última noite e encontrou Marylou em algum lugar no centro da cidade e nos metemos no carro e fizemos todo o percurso até Richmond do outro lado da baía, chegando em bares negros em planícies oleosas, onde rolava jazz. Marylou foi sentar-se e um negrão puxou a cadeira de sua bunda. As garotas a abordaram, com propostas, nos banheiros. Também fui abordado. Dean suava. Era o fim; eu queria cair fora.

Na madrugada peguei meu ônibus para Nova York e dei tchau para Dean e Marylou. Eles queriam alguns dos meus sanduíches. Eu lhes disse não. Foi um momento sombrio. Estávamos pensando que nunca mais nos veríamos, e não nos importávamos.

Parte Três

1

Na primavera de 1949, tinha alguns dólares economizados dos cheques da minha bolsa de estudos do governo e fui para Denver, pensando em me estabelecer lá. Imaginei-me no centro da América, um patriarca. Fiquei sozinho. Ninguém estava na cidade – Babe Rawlins, Ray Rawlins, Tim Gray, Betty Gray, Roland Major, Dean Moriarty, Carlo Marx, Ed Dunkel, Roy Johnson, Tommy Snark, ninguém. Perambulei pela Curtis e pela Larimer, trabalhei uns tempos nos mercados atacadistas de frutas onde quase fora contratado em 1947 – o trabalho mais árduo da minha vida; à certa altura os garotos japoneses e eu tivemos de empurrar um vagão inteiro uns trinta metros pelos trilhos usando uma espécie de alavanca que o fazia mover-se, gemendo, uns poucos centímetros a cada puxão. Arrastei caixotes de melancia pelo piso gelado de vagões-frigoríficos, espirrando sob o sol ardente. Em nome de Deus e sob as estrelas, para quê?

Ao pôr do sol eu passeava. Me sentia como um grão de areia na face desta terra triste e avermelhada. Cruzei pelo hotel Windsor, onde Dean Moriarty morara com seu pai nos depressivos anos 30 e, como outrora, procurei o deplorável e lendário funileiro das minhas visões. Ou você encontra alguém que se parece com seu pai em lugares como Montana ou então procura pelo pai de um amigo onde ele já não está.

Num entardecer lilás caminhei com todos os músculos doloridos entre as luzes da 27 com a Welton no bairro negro de Denver, desejando ser um negro, sentindo que o melhor que o mundo branco tinha a me oferecer não era êxtase suficiente para mim, não era vida o suficiente, nem alegria, excitação, escuridão, música, não era noite o suficiente. Parei num pequeno quiosque onde um homem vendia chili apimentado em embalagens de papel; comprei alguns e comi percorrendo ruas escuras e misteriosas. Desejava ser um mexicano de Denver, ou mesmo um pobre japonês sobrecarregado de trabalho, qualquer coisa menos aquilo que eu tão aterradoramente era, um "branco" desiludido. Durante toda a minha vida, tivera ambições de branco: fora por isso que abandonara uma boa mulher como Terry no vale de San Joaquin. Passei pelos portais escuros das casas dos mexicanos e dos negros; por ali ecoavam vozes amenas e, ocasionalmente, podia-se vislumbrar até o joelho moreno de alguma garota enigmática e sensual, ou rostos sombrios de homens por trás das roseiras. Criancinhas sentavam-se como sábios em antigas cadeiras de balanço. Um grupo de negras foi se aproximando e uma das mais jovens destacou-se das anciãs de aspecto maternal e dirigiu-se rapidamente a mim – "Alô, Joe" – e de repente viu que eu não era o Joe, e recuou, enrubescendo. Desejei ser Joe. Mas era apenas eu, Sal Paradise, melancólico, errando nessa escuridão violeta, naquela noite insuportavelmente encantadora, desejando poder trocar meu mundo pelo dos alegres, autênticos e extasiantes negros da América. Aquela periferia caindo aos pedaços me fez lembrar Dean e Marylou, que desde a infância conheciam tão bem aquelas ruas. Como gostaria de poder encontrá-los.

Na 23 com a Welton havia um jogo de beisebol, sob as luzes de holofotes que também iluminavam um tanque de gasolina. Uma multidão entusiástica vibrava a cada jogada. Aqueles estranhos heróis jovens de todos os tipos, brancos, negros, mexicanos, índios puros estavam em campo jogando com uma seriedade comovente. Eram apenas garotos de terreno baldio uniformizados. Em minha vida de atleta jamais permiti a mim mesmo exibir-me dessa forma na frente de famílias inteiras e namoradas e garotos da vizinhança, à noite, sob luzes; foram sempre pomposos jogos universitários, a sério; nunca uma alegria infantil e humana como essa. Agora era tarde demais. Próximo a mim sentava-se um velho negro que aparentemente assistia aos jogos todas as noites.

Perto dele estava um velho vagabundo branco; depois, uma família mexicana e então algumas meninas, uns garotos – a humanidade inteira, todo mundo. Oh, a tristeza das luzes naquela noite! O jovem lançador parecia Dean. Uma loira bonita na plateia parecia Marylou. Era a noite de Denver; tudo o que fiz foi morrer.

Lá em Denver; lá em Denver.
Tudo o que eu fiz foi morrer.

Do outro lado da rua, famílias negras sentavam-se nos degraus de suas portas olhando a noite estrelada entre as árvores, relaxando sob aquela reluzente imensidão; às vezes olhavam o jogo. Enquanto isso, muitos carros passavam pela rua e paravam na esquina cada vez que o sinal ficava vermelho. Havia uma certa excitação e o ar estava repleto de vibrações da vida verdadeiramente alegre que não tem nada a ver com o desapontamento e a "tristeza branca" e tudo mais. No bolso de seu casaco, o velho negro tinha uma lata de cerveja que tratou de abrir; e o velho branco olhou invejosamente para ela e enfiou a mão no bolso para ver se *ele* poderia comprar uma lata também. Como eu morria! Me afastei dali.

Fui visitar uma garota rica que conhecia. Pela manhã ela puxou uma nota de cem dólares de sua meia de seda e disse: "A noite inteira você não parou de falar que queria viajar para Frisco; se é esse o caso, pega isso, cai fora e divirta-se". E assim se acabaram meus problemas; arranjei carona num carro numa agência de viagens que cobrava uma taxa de onze dólares de gasolina até Frisco e zarpei.

O carro era dirigido por dois sujeitos; disseram que eram gigolôs. Dois outros sujeitos eram passageiros como eu. Sentávamos rígidos, com as mentes fixas em nosso destino. Passamos pelo Passo Berthoud, baixando depois até o grande platô, Tabernash, Troublesome, Kremmling, pelo Passo Rabbit Ears até Steamboat Springs e adiante; oitenta quilômetros por um desvio poeirento; aí Craig e o grande deserto americano. Quando cruzávamos a fronteira entre Colorado e Utah, vi Deus no céu sob a forma de enormes nuvens douradas sobre o deserto que pareciam apontar seu dedo para mim e dizer: "Passe por aqui e siga em frente, você está na estrada que leva ao paraíso". Ah, pobre de mim, estava mais interessado nuns velhos vagões caindo aos pedaços e mesas de bilhar assentadas no deserto de Nevada perto das bancas de Coca-Cola, entre cabanas de madeira com tabuletas carcomidas, ainda balançando no ar mal-assombrado do deserto, dizendo: "Aqui viveu Rattlesnake Bill" ou então "Brokenmouth Annie se enfiou aqui durante anos". Sim, zuumm! Em Salt Lake City, os gigolôs conferiram suas garotas e depois seguimos em frente. Antes que pudesse perceber, estava avistando de novo a fabulosa cidade de São Francisco, esparramada na baía no meio da noite. Corri direto até Dean. Agora ele tinha uma casinha. Eu estava louco pra saber o que se passava pela cabeça dele e o que iria acontecer agora, porque atrás de mim já não havia mais nada, todas minhas pontes queimadas e eu já não me importava com nada. Bati na porta dele às duas da manhã.

2

Ele veio abrir a porta nu em pelo; poderia ser o presidente dos Estados Unidos batendo que ele estava pouco se lixando. Recebia todo mundo peladão. "Sal", exclamou, com espanto genuíno. "Nunca imaginei que você faria isso. Finalmente voltou pra *mim.*"

"É!", balbuciei. "Meu mundo caiu. E você como vai?"

"Não muito bem, não muito bem. Mas temos um milhão de coisas para conversar. *Fi-nalmente* chegou a hora de falarmos sério, Sal." Concordamos que, de fato, chegara a hora, e demos a largada. Meu regresso, de certo modo, era como a chegada de um misterioso anjo mau ao reduto das ovelhas imaculadas, afinal mal Dean e eu começamos a conversar excitadamente lá embaixo, na cozinha, ouvimos suspiros no andar de cima. Tudo o que eu dizia a Dean era respondido por um "Sim!" louco, vibrante, exaltado. Camille sabia o que ia acontecer. Aparentemente, Dean havia mantido a calma por alguns meses; agora o anjo chegara e ele estava prestes a enlouquecer outra vez. "Qual o problema dela?", sussurrei.

Ele respondeu: "Ela vai de mal a pior, cara. Ela chora e tem chiliques, não quer me deixar sair para ver Slim Gaillard, fica furiosa cada vez que me atraso e então, quando resolvo ficar em casa, ela simplesmente não fala comigo, diz apenas que sou um idiota completo". Subiu as escadas correndo para acalmá-la. Ouvi Camille gritar: *"Você é um mentiroso, um mentiroso, um mentiroso!"*. Aproveitei a chance para examinar a casa realmente maravilhosa que eles possuíam. Era um chalé de madeira de dois andares, alquebrado e envelhecido, entre os prédios de apartamentos bem no topo da Russian Hill, com vista para a baía; tinha quatro peças, três no andar de cima e no térreo uma cozinha imensa que parecia uma espécie de porão. A porta da cozinha dava para um pátio gramado onde ficavam os varais. Atrás da cozinha ficava a despensa e, lá dentro, os velhos sapatos de Dean jaziam recobertos por uma camada de três centímetros de lama do Texas desde aquela noite em que o Hudson atolara no rio Brazos. Claro que aquele Hudson já era; Dean não fora capaz de pagar mais prestações. Agora, ele simplesmente não tinha carro. Acidentalmente, o segundo filho deles estava a caminho. Era horrível ouvir Camille soluçando daquele jeito. Não conseguimos suportar e saímos para comprar umas cervejas e voltamos à cozinha. Camille finalmente adormeceu, ou então passou a noite com os olhos escancarados na escuridão. Não conseguia imaginar o que havia de tão errado assim, exceto talvez que finalmente Dean tivesse conseguido enlouquecê-la.

Depois que eu partira de Frisco da última vez, ele tinha ficado louco de novo por Marylou e passara meses assombrando o apartamento dela na Divisadero, onde cada noite ela transava com um marinheiro diferente e ele espreitava pelo buraco da caixa do correio, de onde podia ver a cama dela. A cada manhã, ele via Marylou esparramada na cama com um garoto. Seguiu-a por toda a cidade. Queria a prova definitiva de que ela não passava de uma puta. Ele a amava, estava louco por ela. Então ele comprou por engano uma palha verde – é assim que os traficantes chamam a maconha nova e não tratada – e fumou toneladas dela.

"No primeiro dia", contou, "caí duro como uma tábua na minha cama, e não conseguia me mover ou dizer uma só palavra; apenas olhava para o teto, com os olhos esbugalhados. Minha cabeça zumbia, tive todos os tipos de visões coloridas e deslumbrantes, me senti maravilhosamente bem. No segundo dia tudo ficou claro para mim, TUDO que eu tinha feito, ou aprendido, ou lido, ou ouvido, ou pensado retornou ao meu cérebro, rearranjando-se lá dentro com uma lógica nova e, por não encontrar nenhum outra maneira para manter e abastecer meu espanto e gratidão interiores, permaneci balbuciando: 'Sim, sim, sim, sim'. Sem gritar. Apenas um 'sim' tranquilo, moderado; e essas visões provocadas pela maconha ainda se prolongaram até o terceiro dia. Nessa altura, eu já havia compreendido tudo, toda a minha vida estava decidida, soube que amava Marylou, soube que precisava encontrar meu pai onde quer que ele estivesse e salvá-lo, soube que você era meu amigo do peito etc., soube o quanto Carlo é incrível. Sabia um monte de coisas sobre todas as pessoas em todos os lugares. E então, no terceiro dia, comecei a ter uma terrível série de pesadelos acordado, e eram tão horrivelmente medonhos, assustadores, esverdeados, que eu só conseguia ficar encolhido, em posição fetal, com os braços em torno dos joelhos, balbuciando: 'Oh, oh, oh, ah, oh...' Os vizinhos ouviram e chamaram um médico. Camille estava fora, com o bebê, visitando os pais dela. A vizinhança inteira se envolveu. Eles entraram e me encontraram tombado na cama com os braços abertos, como morto. Sal, corri para encontrar Marylou com um pouco daquela erva. E sabe o que se passou naquela estúpida cachola? As mesmas visões, a mesma lógica, as mesmas decisões definitivas com relação a tudo, o vislumbre de todas as verdades num trambolho doloroso conduzindo aos sofridos pesadelos – argh! Compreendi então que a amava tanto que queria matá-la. Corri de volta para casa e bati com a cabeça na parede. Voei até a casa de Ed Dunkel; ele estava de volta a Frisco com Galatea; perguntei sobre um sujeito que conhecemos e que tem uma arma, encontrei o cara, descolei a arma, voltei para a casa de Marylou, olhei pelo buraco da caixa do correio, ela estava dormindo com um cara, vacilei e caí fora, voltando uma hora depois, invadindo o apê; ela estava sozinha – dei-lhe a pistola e pedi que me matasse. Ela ficou com a arma na mão um tempo interminável. Propus a ela um singelo pacto de morte. Ela não topou. Eu disse que um de nós tinha que morrer. Ela disse que não. Bati com a cabeça na parede. Cara, eu estava fora de mim. Ela vai te contar tudo, ela conseguiu me tirar dessa."

"E o que aconteceu depois?"

"Tudo isso foi meses atrás – logo depois que você partiu. Ela acabou casando com um vendedor de carros usados, um imbecil filho da puta que jurou me matar caso me encontre; se for necessário terei que me defender e matá-lo e aí irei para San Quentin, porque, Sal, mais uma condenação de *qualquer* espécie e vou para San Quentin pro resto da vida – será o meu fim. Com mão doente e tudo." Ele me mostrou sua mão. Com a excitação da chegada, não havia notado que ele tinha sofrido um acidente terrível na mão. "Dei um soco na testa de Marylou às seis horas da tarde do dia 26 de fevereiro – na verdade, foi às seis e dez, porque me lembro que tinha que entregar uma carga importante dentro de uma hora e vinte minutos, foi na última vez que nos encontramos e quando decidimos tudo de uma vez por todas, e escuta só: meu polegar apenas roçou na testa dela, ela nem sequer ficou roxa, e até riu, mas o polegar quebrou logo acima do pulso e um médico horrível fez um arranjo complicadíssimo nos ossos, com três gessos separados, ao todo 23 horas esperando sentado em bancos duros esperando etc., e o último gesso tinha um pino de tração fincado na ponta do meu polegar e aí, em abril, quando tiraram o gesso, o pino infectou meu osso e peguei osteomielite que se tornou crônica, e depois de uma operação fracassada e de um mês engessado, o resultado final foi a amputação de um pedacinho de carne dessa porra dessa ponta do dedão."

Desenrolou o curativo e me mostrou. Faltava um centímetro de carne debaixo da unha.

"Tudo foi ficando cada vez pior. Eu tinha que sustentar Camille e Amy; trabalhando o mais rápido possível como borracheiro na Firestone, recauchutando pneus recapados e depois erguendo enormes pneus de cem quilos para cima dos caminhões – só podia usar a mão boa e sempre machucava a ruim –, quebrei o osso de novo e tive que reengessá-lo, e agora tudo está infeccionado e inchado outra vez. Portanto, no momento, tomo conta do bebê enquanto Camille trabalha. Tá entendendo? Que porra, sou da classificação A-3; Moriarty, o aficionado do jazz, tem um dedo ferido, sua esposa lhe dá injeções diárias de penicilina, que lhe provocam eczemas porque ele é alérgico. Por isso, tem que tomar sessenta mil unidades mensais de suco de Fleming. De quatro em quatro horas, durante um mês inteiro, tem que tomar também um comprimido para combater a alergia que o remédio lhe provoca. Precisa tomar codeína para evitar a dor no polegar. Terá que sofrer uma cirurgia na perna por causa de um quisto inflamado. Na próxima segunda-feira terá que levantar às seis da manhã para fazer uma limpeza nos dentes. Tem que consultar um ortopedista duas vezes por semana para fazer um tratamento no pé. Deve tomar xarope contra tosse todas as noites. Tem que assoar o nariz e fungar constantemente para manter as narinas desentupidas, já que uma operação no septo nasal as enfraqueceu anos atrás. Perdeu o polegar de seu braço de arremessador. O melhor jogador do reformatório do estado do Novo México. E no entanto, no entanto, nunca me senti melhor e mais feliz em toda minha vida, adoro ver crianças maravilhosas brincando ao sol e estou satisfeitíssimo de te ver, meu esplêndido Sal, e sei, realmente *sei* que tudo vai dar certo. Você a verá amanhã, minha fantástica, extraordinária, linda e maravilhosa filha, que já consegue ficar de pé, sozinha, trinta segundos cada vez, pesa quase dez quilos, mede setenta centímetros. Acabo de calcular que ela é 31,25 por cento inglesa, 27,5 por cento irlandesa, 25 por cento alemã, 8,75 por cento holandesa, 7,5 por cento escocesa e 100 por cento maravilhosa." Cumprimentou-me calorosamente pelo livro que eu tinha acabado de escrever e que fora aceito pelos editores. "Nós captamos a vida, Sal, ambos estamos envelhecendo pouco a pouco e começamos a saber cada vez mais das coisas. O que quer que seja que você fale a respeito da sua vida, compreenderei com perfeição. Sempre percebo teus sentimentos e agora você já está no ponto, está pronto para se ligar a uma garota legal de verdade, caso consiga encontrá-la; você precisa conversar com ela, fazê-la captar a tua essência, como de todas as formas tenho tentado fazer com essas minhas malditas mulheres. Merda! Merda! Merda!", gritou ele.

E pela manhã Camille nos botou no olho da rua com as malas e tudo. Tudo começou quando telefonávamos para Roy Johnson, o velho Roy de Denver, convidando-o para vir tomar uma cerveja, enquanto Dean cuidava do bebê e lavava os pratos e as roupas no quintal, mas de tão excitado fez o serviço nas coxas. Johnson concordou em nos levar de carro até Mill City à procura de Remi Boncoeur. Camille, de volta de seu emprego no consultório de um médico, nos lançou o olhar entristecido de uma mulher cuja vida é atarefadíssima. Tentei demonstrar àquela esposa temerosa que não tinha quaisquer más intenções com relação a sua vida familiar dando um "olá" para ela e falando da maneira mais gentil que podia, mas ela sabia que eu era um cafajeste, provavelmente instruído por Dean, e me deu apenas um sorriso pálido. Pela manhã houve uma cena terrível: ela se jogou na cama aos prantos e, no meio da confusão, repentinamente senti uma vontade incontrolável de ir ao banheiro e o único jeito de chegar até lá era cruzando pelo quarto dela. "Dean, Dean," chamei, "onde fica o bar mais próximo?"

"Bar?", disse ele, surpreso; estava lavando as mãos na pia da cozinha lá embaixo. Pensou que eu queria me embebedar. Contei-lhe o meu dilema e ele disse: "Ora, vai firme, ela faz isso o tempo inteiro". Mas não, eu não poderia fazer isso. Saí voando à procura de um bar; caminhei colina acima e colina abaixo pela vizinhança percorrendo quatro quarteirões da Russian Hill e encontrando apenas lavanderias, *soda fountains*, cabeleireiros. Voltei para a decrépita casinha. Eles gritavam um com o outro quando deslizei pelo quarto com um sorriso amarelo e me tranquei no banheiro. Em poucos minutos Camille estava atirando as coisas de Dean no chão da sala e mandando que ele fizesse suas malas. Para minha surpresa, vi uma pintura a óleo em tamanho natural de Galatea Dunkel em cima do sofá. Subitamente percebi que essas mulheres passavam meses de solidão e feminilidade juntas, tagarelando sobre as loucuras de seus homens. Ouvi as risadinhas maníacas de Dean ecoando pela casa, junto com o choro do bebê. E a próxima coisa que me lembro é ele deslizando pela casa como Groucho Marx, com seu polegar quebrado envolto num enorme curativo branco, ereto como um farol imóvel sob a fúria das ondas. Vi, mais uma vez, seu mísero baú, enorme e maltratado, derramando meias e cuecas sujas; inclinado sobre o baú ele ia jogando dentro tudo que podia encontrar. Então ali estava sua mala, pronta; a mala mais surrada dos EUA. Era feita de papelão imitando couro, tinha um tipo de dobradiças coladas. Um grande rasgão a atravessava de lado a lado; Dean a amarrava com uma corda. Então agarrou seu saco de marinheiro e enfiou umas coisas. Aí apanhei meu próprio saco, arrumei-o e, enquanto Camille jazia na cama gritando "Mentiroso! Mentiroso! Mentiroso!", saltamos fora e nos arrastamos pesadamente em direção ao bonde mais próximo – uma massa disforme de homens e malas, com aquele enorme polegar enfaixado esticado no ar.

Aquele polegar se transformou no símbolo da evolução definitiva de Dean. Agora, ele já não se preocupava mais com nada (como antes), simplesmente passou a se *preocupar com tudo, por princípio:* quer dizer, para ele continuava dando tudo no mesmo. Ele pertencia ao mundo e não havia nada que pudesse fazer para mudar isso. Me parou no meio da rua.

"Agora, homem, sei que você deve ter enlouquecido de vez; nem bem chegou na cidade e somos postos pra fora no primeiro dia e você deve estar se perguntando o que eu devo ter feito para merecer isso e por aí afora – e todas suas horríveis implicações – hii-hii-hii –, mas olha para mim. Por favor, Sal, olha pra mim." Olhei para ele. Estava de camiseta, vestia calças rasgadas que ficavam muito abaixo da cintura, os sapatos estavam rotos, a barba por fazer, cabelos compridos e hirsutos, olhos injetados e aquele tremendo polegar enfaixado suspenso no ar à altura do peito (ele precisava mantê-lo assim) e em seu rosto se desenhava o sorriso mais apatetado que jamais vi. Cambaleou, descrevendo um círculo completo, e olhou para todos os lados.

"Que veem meus globos oculares? Ah – o céu azul. Meu grande amigo!" Gingou e pestanejou. Esfregou os olhos. "E as janelas, também – você já parou para curtir as janelas? Vamos lá, vamos falar sobre janelas. Tenho visto algumas verdadeiramente muito loucas, que até fizeram caretas para mim, e algumas estavam com as cortinas cerradas e mesmo assim piscavam para mim". Do fundo de seu saco de marinheiro, pescou um exemplar dos *Mistérios de Paris,* de Eugène Sue, e, ajustando a camiseta, começou a ler, parado na esquina com ar pedante. "Agora, de verdade, Sal, vamos nos divertir com o que aparecer enquanto vamos adiante...". Mas logo se esqueceu disso e olhou para os lados, era um olhar vazio. Eu estava feliz por ter vindo, ele precisaria de mim agora.

"Por que Camille te pôs na rua? O que você vai fazer agora?"

"Uhn?", fez ele. "Uhn? Uhn?" Fundimos a cuca pensando pra onde ir e o que fazer. Percebi que ia sobrar para mim.

Pobre, pobre Dean – nem o demônio tinha caído tão fundo; numa bobeira completa, com o dedo infeccionado, rodeado pelas malas maltratadas de sua vida febril e desamparada pela América e sempre de volta a ela inúmeras vezes, um pássaro perdido. "Vamos a pé até Nova York", disse ele, "e enquanto caminhamos vamos pegando tudo que precisamos, sim." Puxei meu dinheiro e contei; mostrei para ele.

"Tenho aqui", disse, "a quantia de 83 doláres e uns trocados, e se você vier comigo, nos mandaremos para Nova York – e depois para a Itália."

"Itália?", exclamou ele. Seus olhos brilharam. "Itália, claro! – como chegaremos lá, caro Sal?"

Meditei. "Arranjarei o dinheiro, vou ganhar mil doláres dos editores. Vamos curtir todas as mulheres loucas de Roma, Paris, de todos aqueles lugares; vamos sentar nos cafés ao ar livre, viver nos cabarés. Por que não ir pra Itália?"

"Por que não?", disse Dean, e então percebeu que eu estava falando sério. Pela primeira vez olhou para mim com o rabo do olho porque eu jamais havia me comprometido assim com sua pesada existência, e aquele era o olhar de um homem que pesava suas chances um instante antes de fazer sua última aposta. Naquele olhar havia júbilo e insolência, era um olhar diabólico, e ele pousou seus olhos em mim por um longo, longo tempo. Encarei-o e enrubesci.

Falei: "Qual é o problema?" Me senti um traste ao fazer a pergunta. Ele não deu resposta e continuou me encarando com o mesmo canto de olho desconfiado e insolente.

Tentei lembrar de tudo que ele tinha feito na vida e ver se não havia nada que o deixasse desconfiado agora. Firme e resolutamente repeti o que havia dito: "Vem pra Nova York comigo; eu tenho dinheiro". Olhei para ele: meus olhos estavam se enchendo de lágrimas e constrangimento. Ele continuava me fitando. Seus olhos agora estavam vazios e me atravessavam. Provavelmente foi o ponto crucial da nossa amizade, quando ele percebeu que eu realmente tinha gasto algumas horas pensando nele e em seus problemas, e agora ele estava tentando catalogar isso em suas categorias mentais tremendamente confusas e complicadas. Algo – *clic!* – estalou em nós. Em mim foi a súbita preocupação com um homem que era cinco anos mais moço que eu e cujo destino estivera ligado ao meu no curso dos últimos anos; nele era algo que só posso calcular pelo que fez depois. Ficou extraordinariamente satisfeito e disse que estava tudo combinado. "Que olhar foi aquele?", perguntei. Ele ficou chateado com a pergunta. Franziu as sobrancelhas. Era raro vê-lo fazer isso. Ficamos perplexos e inseguros com relação a algo que não sabíamos bem o que era. Estávamos no topo de uma colina num belo dia ensolarado de São Francisco, nossas sombras caídas na calçada. Do prédio de apartamentos ao lado da casa de Camille, onze gregos, homens e mulheres, saíram em fila e, instantaneamente, se alinharam contra um muro ensolarado enquanto um deles atravessava a ruela, sorridente atrás de uma câmera fotográfica. Encaramos aquelas pessoas antiquadas que estavam festejando o casamento de uma de suas filhas, provavelmente a milésima, numa ininterrupta geração de pele morena e sorrisos ao sol. Estavam todos arrumados, e eram estranhos; no fim das contas, Dean e eu bem poderíamos estar em Chipre. Gaivotas revoavam no céu translúcido.

"Bem", disse Dean numa voz muito tímida e singela, "vamos embora?"

"Sim", respondi, "vamos para a Itália". E assim juntamos nossa bagagem, ele pegou o baú com a mão boa e eu agarrei o restante e nos arrastamos até o ponto de bonde mais próximo; em um segundo descíamos colina abaixo com as pernas dependuradas, acima do estribo trepidante de um daqueles velhos bondes de Frisco – dois heróis arrasados na noite do Oeste.

3

De cara fomos para um bar na Market e lá decidimos tudo – ficaríamos juntos e seríamos amigos até a morte. Dean estava calado e preocupado, olhava para os velhos vagabundos que perambulavam pelo salão e faziam-no lembrar seu pai. "Acho que ele está em Denver – desta vez temos que encontrá-lo de qualquer maneira. Ele pode estar no presídio ou então perambulando pela Larimer outra vez, mas tem que ser encontrado, concorda?"

Sim, eu concordava; iríamos fazer tudo que nunca havíamos feito porque antes éramos babacas demais para fazer. Depois prometemos a nós mesmos dois dias de curtição em São Francisco antes de partirmos, e claro que o combinado era pegar, nas agências de viagem, caras que quisessem rachar a gasolina e seguir para Nova York gastando o mínimo possível. Dean assegurou que não precisava mais de Marylou embora ainda a amasse. Ambos concordamos que ele se daria bem em Nova York.

Dean vestiu seu terno listrado, uma camisa esporte e por dez centavos deixamos nossa bagagem guardada no guarda-volumes da Greyhound e saímos para encontrar Roy Johnson, que seria nosso motorista nesses dois loucos dias em Frisco. Roy aceitou a tarefa, por telefone. Pouco depois ele aparecia na esquina da Market com a Terceira para nos apanhar. Roy agora estava vivendo em Frisco, trabalhando num escritório e casado com uma loirinha linda chamada Dorothy. Dean me confidenciara que o nariz dela era comprido demais – por algum obscuro motivo, esse era seu grande senão com relação a ela –, mas o nariz dela não era de forma alguma comprido. Roy Johnson era um garoto magro, moreno, maneiro, com um rosto afilado e um cabelo impecavelmente penteado que ele estava sempre jogando para trás. Tinha uma maneira extremamente simpática de abordar as pessoas, e um sorriso largo. Sua esposa Dorothy, evidentemente, havia batido boca por causa da ideia de ele ser o nosso motorista, mas, disposto a provar que era o homem da casa (eles moravam num quartinho), mesmo assim manteve a promessa que nos fizera, apesar das consequências; seu dilema mental se autor-resolveu sob um silêncio amargo. Ele nos conduzia, a Dean e a mim, pelos quatro cantos de Frisco a qualquer hora do dia ou da noite sem jamais dizer uma única palavra; tudo que ele fazia era avançar sinais vermelhos e deixar o carro em duas rodas em todas as curvas fechadas; esse era seu jeito de nos mostrar em que situação o havíamos metido; ele estava entre dois fogos: de um lado as ameaças de sua nova esposa, do outro, o desafio do velho líder de sua antiga turma do bilhar. Dean estava satisfeito e, é claro, imperturbável com relação ao jeito que Roy dirigia. Simplesmente não dávamos a menor bola para ele; íamos no banco de trás, tagarelando.

O agito seguinte era ir a Mill City para ver se conseguíamos encontrar Remi Boncoeur. Percebi, com alguma surpresa, que o velho navio, o *Admiral Freebee,* já não se encontrava na baía; e é claro que Remi já não ocupava o antepenúltimo chalé daquele cânion pedregoso. No lugar dele, quem abriu a porta foi uma linda garota negra; Dean e eu conversamos um tempão com ela. Roy Johnson esperava no carro lendo os *Mistérios de Paris,* de Eugène Sue. Dei uma última olhadela para Mill City e percebi que não havia sentido em revolver o passado espectral; em vez disso resolvemos visitar Galatea Dunkel para arranjar um lugar onde dormir. Ed a tinha abandonado mais uma vez, estava em Denver, e raios me partam se ela ainda não planejava recuperá-lo. Nós a encontramos sentada de pernas cruzadas em seu tapete tipo oriental no apartamento de quatro quartos, na parte de cima da Mission, frente a um baralho com o qual previa o futuro. Boa garota. Vi melancólicos sinais de que Ed Dunkel tinha vivido um tempo ali e que partira, apenas por indiferença e desafeto.

"Ele voltará", disse Galatea. "Esse cara não consegue tomar conta de si mesmo sem mim." Lançou um olhar raivoso para Dean e Roy Johnson. "Desta vez o responsável foi Tommy Snark. Antes de ele chegar, Ed estava completamente satisfeito, trabalhando, e nós saíamos à noite e curtíamos momentos maravilhosos. Você sabe disso, Dean. Então, eles começaram a sentar-se no banheiro durante horas. Ed na banheira, Snark na privada, e falavam, falavam, falavam cada bobagem."

Dean riu. Durante anos fora o profético chefe daquela gangue e agora eles estavam aprendendo suas técnicas. Tommy Snark tinha deixado crescer a barba e, com seus imensos e melancólicos olhos azuis, tinha vindo atrás de Ed Dunkel em Frisco; o que aconteceu (é a pura verdade) é que Tommy teve seu dedo mínimo amputado num acidente em Denver e recebeu uma bela indenização. Sem nenhuma razão aparente, decidiram dispensar Galatea e se mandaram para Portland, Maine, onde Snark aparentemente tinha uma tia. Portanto, agora estavam em Denver de passagem ou já em Portland.

"Quando o dinheiro de Tom acabar, Ed estará de volta", garantiu Galatea, olhando as cartas. "Estúpido idiota – não sabe nada, jamais saberá. Tudo que ele tem a fazer é compreender que eu o amo."

Galatea parecia a filha dos gregos da câmera fotográfica, sentada ali no tapete, seu longo cabelo se derramando até o chão, lendo o futuro nas cartas. Fui obrigado a gostar dela. Decidimos sair naquela noite e curtir jazz, e Dean levaria uma loira de um metro e oitenta que morava naquela mesma rua; Marie era o nome dela.

Naquela noite, Galatea, Dean e eu fomos apanhar Marie. A garota morava num apartamento no subsolo, com sua filha pequena, e tinha um carro velho que mal andava e que Dean e eu tivemos de empurrar rua abaixo enquanto as garotas tentavam fazê-lo pegar. Voltamos para a casa de Galatea e todos sentaram-se – Marie, sua filhinha, Galatea, Roy Johnson, sua mulher Dorothy –, todos taciturnos na sala atravancada pela mobília, enquanto eu ficava ali no canto, neutro com relação aos problemas de Frisco, e Dean permanecia no meio da sala com seu dedo-balão suspenso no ar à altura do peito, dando suas risadinhas. "Que grande merda", disse, "estamos todos perdendo nossos dedos – rô, rô, rô".

"Dean, por que você age dessa maneira idiota?", perguntou Galatea. "Camille ligou dizendo que você a abandonou. Não percebe que tem uma filha?"

"Ele não a abandonou, ela é que o expulsou!", eu disse, quebrando minha neutralidade. Todos lançaram olhares rancorosos para mim; Dean deixou escapar um sorriso sórdido. "E com esse dedo, o que vocês esperavam que esse pobre sujeito fizesse?", acrescentei. Todos me encararam, especialmente Dorothy Johnson, que me lançou um olhar maligno. Aquilo não passava de uma espécie de roda de tricô maledicente, e no centro dela estava o culpado, Dean – responsável, quem sabe, por tudo que estava errado. Olhei pela janela, para a noite urbana e fervilhante da Mission; queria cair fora e botar para quebrar ao som do incrível jazz de Frisco – afinal, essa era somente minha segunda noite na cidade.

"Acho que Marylou teve muito, muito juízo ao te abandonar", prosseguiu Galatea. "Há anos que você não demonstra o menor senso de responsabilidade com ninguém. Você já fez tantas coisas horríveis que nem sei o que te dizer."

Na verdade, era justamente esse o xis do problema, mas eles continuaram sentados olhando para Dean com olhares sórdidos e enfurecidos e ele permaneceu em pé, no centro do tapete, com uma risadinha sarcástica – ele apenas ria. Executou uns passos de dança. Seu curativo estava ficando cada vez mais sujo, começou a se desfraldar como uma bandeira. De repente percebi que em virtude de seus muitos pecados, Dean estava se transformando no Idiota, o Imbecil, o Mártir do grupo.

"Você não tem a menor consideração por ninguém, a não ser por você mesmo e por suas malditas diversões. Só pensa no que tem pendurado entre as pernas e em quanto dinheiro e divertimento poderá arrancar das pessoas que te cercam antes de simplesmente largá-las na mão. E não é só, o pior é que você nem mesmo se importa com isso. Nunca passa pela sua cabeça que a vida é coisa séria e que existem pessoas tentando fazer algo decente em vez de apenas ficar agindo feito estúpidos o tempo todo."

Era isso que Dean era, o ESTÚPIDO SAGRADO.

"Hoje à noite, Camille está sofrendo, mas nem por um só momento pense que ela quer você de volta; disse que jamais quer te ver outra vez e garantiu que desta vez é o fim. Entretanto, você fica parado aí fazendo essas caretas e não demonstra a menor preocupação."

Não era verdade; eu o conhecia melhor e poderia ter dito tudo a eles. Mas não vi o menor sentido em tentar. Estava louco para dar um passo à frente, colocar meu braço em torno de Dean e dizer: ouçam aqui, todos vocês, e lembrem-se de uma coisa: esse rapaz também tem seus problemas, só que ele jamais se queixa, e tem outra coisa, ele propiciou a vocês todos grandes momentos apenas sendo o que ele é, e se não foi o suficiente, mandem-no logo para o pelotão de fuzilamento, o que, de qualquer maneira, parece ser o que vocês estão loucos para fazer...

Contudo, Galatea Dunkel era a única do grupo que não temia Dean e podia sentar ali calmamente, com o rosto erguido, e destratá-lo na frente de todos. Houve uma época, em Denver, em que Dean fazia todos sentarem na penumbra com as garotas e apenas falava, e falava, e falava, com a voz que era ao mesmo tempo estranha e hipnótica e que, segundo se dizia, tinha o dom de fazer com que as garotas lhe caíssem nos braços – pela pura força de persuasão e o conteúdo daquilo que ele dizia. Isso quando tinha quinze, dezesseis anos. Agora seus discípulos estavam casados e as esposas de seus aprendizes o sentavam num tapete e o julgavam por causa da sexualidade intensa e da vida que ele ajudara a criar. Escutei mais.

"Agora você está indo para o Leste com Sal", comentou Galatea, "e o que acha que vai ganhar com isso? Agora que você caiu fora, Camille terá que ficar em casa cuidando do bebê – como é que ela poderá manter seu emprego? Ela jamais vai querer te ver de novo e não a culpe por isso. Se você encontrar Ed aí pela estrada, diga-lhe que volte para mim senão eu o mato."

Tão chato assim. Foi uma noite melancólica. Eu me sentia como que num sonho desprezível, cercado por irmãos e irmãs, todos estranhos. Então um silêncio pesado caiu sobre a sala; em vez de falar, como teria feito antigamente, Dean silenciou também, mas permaneceu em pé na frente de todos, esfarrapado, alquebrado, abestalhado sob a luz das lâmpadas nuas, com o louco rosto ossudo coberto de suor; as veias dilatadas, repetindo "sim, sim, sim", sem parar, como se as revelações terríveis o estivessem apunhalando naquele instante, e estou convencido de que realmente estavam, e os outros também suspeitavam disso e ficaram amedrontados. Ali estava um BEAT – a raiz, a alma da Beatitude. Quais seriam seus profundos conhecimentos? Ele estava tentando me dizer, com todas as suas forças, o que ele estava sabendo, e era exatamente isso que eles invejavam em mim, a posição que eu ocupava ao lado dele, defendendo-o e sorvendo sua sabedoria como outrora eles haviam tentado fazer. Então eles me encararam. O que estava eu, um estranho, fazendo ali naquela noite amena da Costa Oeste? Era uma pergunta que me repugnava.

"Nós vamos para a Itália", respondi, lavando as mãos de toda aquela confusão. Então uma estranha sensação de satisfação maternal pairou no ar, já que as garotas estavam realmente encarando Dean do jeito que uma mãe olha pro filho mais querido e mais errático, e ele sabia bem disso, com suas profundas percepções e seu triste dedão, e só por isso conseguiu manter aquele silêncio pesado e sair do apartamento sem dizer uma única palavra, para nos esperar lá embaixo, até que decidíssemos o que pensar a respeito da vida. Era isso que sentíamos com relação àquele fantasma na calçada. Olhei pela janela. Lá estava ele, sozinho no limiar da porta, curtindo a efervescência da rua. Amarguras, recriminações, conselhos, moralidade, tristeza – tudo lhe pesava nas costas enquanto à sua frente descortinava-se a alegria esfarrapada e extasiante de simplesmente ser.

"Vamos lá, Galatea e Marie, vamos curtir o jazz dos bares e deixar pra lá esse papo furado. Dia desses Dean vai morrer. E aí o que vocês dirão dele?"

"Quanto mais cedo ele morrer, melhor", disse Galatea, falando oficialmente por quase todos os que estavam naquele quarto.

"Muito bem, então", falei, "mas por enquanto ele continua vivo e aposto que vocês gostariam de saber o que ele fará logo em seguida, simplesmente porque ele conhece o segredo, o segredo de que nós todos estamos atrás e que é justamente o que lhe racha e escancara a cabeça, e se ele enlouquecer, não liguem, a culpa não é de vocês, é de Deus."

Eles discordaram; disseram que eu não conhecia Dean de verdade; falaram que ele era o maior patife que jamais pisara na face da Terra e que algum dia, para meu arrependimento, eu descobriria isso. Era engraçado ouvi-los protestar tanto. Roy Johnson levantou-se e saiu em defesa das senhoras do grupo, disse que conhecia Dean melhor do que qualquer um e que ele simplesmente não passava de um vigarista fascinante e até engraçado. Caí fora para encontrar Dean e conversamos ligeiramente sobre o incidente.

"Ah, homem, não liga não, tudo está perfeito, tá tudo ótimo." Ele esfregou a barriga e lambeu os beiços.

4

As garotas desceram também e iniciamos a nossa grande noite empurrando o carro mais uma vez rua abaixo. "Iuuupi! Vamos lá!", gritou Dean, e nos atiramos no banco de trás e lá fomos nós, tilintando, para o pequeno Harlem da rua Folsom.

Mergulhamos na noite cálida e louca, ouvindo um sax-tenor incrível soprando o trajeto inteiro, fazendo "ii-yah! ii-yah! ii-yah!", batíamos palmas na batida do jazz e a rapaziada gritava "vai, vai, vai!". Dean já estava correndo pela rua com seu dedo suspenso no ar, aos gritos: "Toca, homem, toca!". Um bando de negros em roupa de sábado à noite armou um burburinho na entrada da boate. Era um *saloon* ordinário e empoeirado com um pequeno tablado no fundo servindo de palco; os rapazes se acotovelavam lá em cima, metidos em seus chapéus, tocando jazz acima das cabeças da plateia, um lugar louco; mulheres muito doidas, desleixadas, circulavam por lá, algumas com roupões de banho, garrafas rolavam chocando-se pelos becos. Nos fundos do bar, num corredor escuro além dos lavatórios destroçados, homens e mulheres em grupos se escoravam nas paredes e bebiam vinho barato, cuspindo sob as estrelas – vinho e uísque. O maravilhoso saxofonista soprava até atingir o êxtase, era um improviso soberbo com *riffs* em crescendos e minuendos que iam desde um simples "ii-yah!" até um louco "ii-di-lii-yah!" flutuando com furor e acompanhados pelo rolar impetuoso da bateria toda queimada por baganas e que era martelada com fervor por um negro brutal com pescoço de touro que estava pouco se lixando para o mundo exterior, apenas surrando ininterruptamente seus tambores arruinados, bum-bum, ti-cabum, bum-bum. A música rugia e o saxofonista dominava a situação, todos estavam vendo que ele a dominava. Dean agarrava a cabeça no meio da multidão, e era uma multidão muito louca. Todos imploravam, com gritos e olhares desvairados, para que o saxofonista mantivesse o mesmo ritmo, e ele se contorcia, se inclinava até os joelhos e voltava a erguer-se com o sax, em sintonia com o uivo nítido acima do furor da plateia. Uma negra alta e magra sacudia os ossos quase dentro da boca do sax; ele a afastou com seu som. "Ii-hii-hi!"

Naquela balbúrdia, todos se balançavam, bramiam, bagunçavam. Com copos de cerveja nas mãos, Galatea e Marie permaneciam sentadas em suas cadeiras, saltitantes, agitadas. Bandos de negros entravam no bar aos trombolhões, tropeçando uns nos outros para chegar lá. "Segura as pontas, rapaz!", berrou um sujeito com voz de alarme de nevoeiro, e depois soltou um urro que deve ter sido ouvido até em Sacramento, ah-haa! "Uau", disse Dean. E alisava o peito, a barriga; o suor saltava de sua cara. Bum-bum, tica-bum, aquele baterista estava soterrando sua bateria e mantinha o ritmo flutuando no ar fumacento da sala com a força assassina de suas baquetas, tica-bum! Um gordão pulava no tablado, fazendo-o vergar e ranger. "Iiiu!" O pianista apenas triturava o teclado com as mãos em garra e acordes fortuitos, lançados nos intervalos em que o incrível sax-tenor tomava fôlego para outra explosão – acordes chineses que faziam o piano estremecer inteiro; o madeirame, *nhec;* as cordas, *boing!* O saxofonista saltou do tablado e se misturou ao público, soprando; seu chapéu estava caído sobre os olhos, alguém o arrumou para ele. Ele pulou de volta para o palco marcando o ritmo com o pé e soprando uma nota rouca, áspera, ferina, e tomou fôlego, e ergueu o sax e soprou ainda mais forte mantendo o som suspenso no ar. Dean estava exatamente à frente dele com o rosto voltado para a boca do sax, batendo palmas, pingando suor nas chaves do sax, e o cara percebeu e gargalhou com o sax, uma longa, louca, trepidante gargalhada musical, e todos os demais riram e requebraram e balançaram os quadris e finalmente o saxofonista decidiu explodir com tudo, dobrando-se inteiramente e mantendo um dó suspenso no ar por um longo, longo tempo, enquanto todos enlouqueciam e os gritos aumentavam e eu pensava que a polícia acabaria vindo com as sirenes ligadas da delegacia mais próxima. Dean estava em transe. Os olhos do saxofonista estavam pregados nele. Afinal, ali à sua frente estava um maluco que não apenas entendia tudo aquilo como também se interessava e queria entender mais, muito mais do que o que estava acontecendo naquele instante; e, assim, duelaram; jorrou de tudo daquele sax; não eram mais simples frases musicais, mas gritos, uivos, gemidos, "Boohh", baixando para "Biihi!" e voltando a subir até "Hiiiii!", retinindo, tilintando, ecoando em sons laterais de um sax incontrolável. Ele experimentou tudo, tocou inclinado para cima, para baixo, para os lados, de ponta-cabeça, na horizontal, torto, e finalmente caiu duro nos braços de alguém, desistindo; todos se acotovelaram em torno do palco e gritaram: "Sim! Sim! Ele conseguiu!". Dean enxugou o rosto com o lenço.

E depois o saxofonista voltou a subir ao palco, pediu um ritmo mais lento para a banda e olhou melancolicamente para a porta da rua, que estava escancarada; e, com o olhar flutuando acima das cabeças da plateia, cantou *Close Your Eyes*. As coisas se acalmaram por uns instantes. O saxofonista vestia uma jaqueta esfarrapada, de camurça, uma camisa púrpura, sapatos gastos e uma calça larga e de cintura alta, toda amarrotada; ele não ligava pra nada. Parecia um Hassel negro. Seus enormes olhos castanhos transmitiam tristeza e seu jeito lento de cantar era entremeado por longas e pensativas pausas. Mas já no segundo refrão, ele ficou excitado, agarrou o microfone, saltou do tablado e se curvou. Para cantar uma simples nota, tinha de buscá-la lá embaixo, na sola dos sapatos, e puxá-la com força para o alto para então lançar seu lamento, e o lançava com tanta força que ele próprio ficava cego com o efeito, só se recuperando no instante exato da próxima, longa e lenta nota. "Mu-u-u-usic pla-a-a-a-a-ay!" Reclinava-se para trás, fitava o teto, o microfone abaixado. Tremia, trepidava, resvalava. Depois voltava a inclinar-se para a frente, quase mergulhando o rosto no microfone. "Ma-aake it drea-my for dan-cing" – e olhava para a rua lá fora com os lábios contorcidos em desprezo, e com os quadris num requebro sarcástico do jeito de Billie Holiday – "while we go ro-man-n-ncing" cambaleava para ambos os lados – "lo-o-o-ove's holida-a-ay" – sacudia a cabeça, farto, saturado do mundo inteiro – "will make it seem" – o que viria a seguir? Todos aguardavam, ansiosos; ele gemia – "O-kay". O piano lançou um acorde. "So baby come on just clo-o-o-ose your pretty little ey-y-y-y-yes" – sua boca estremeceu, ele nos encarou, Dean e a mim, com uma expressão que parecia querer dizer: Ei rapazes, o que estamos fazendo nesse mundo triste e sombrio? – e então chegou ao fim da canção, mas para isso teve de fazer um final elaborado durante o qual você poderia enviar qualquer mensagem para Garcia, umas doze vezes ao redor do mundo, mas que diferença isso fazia para qualquer um? Porque afinal ali estávamos nós, lidando com o inferno e com a amargura da pobre vida beat nessas horrorosas ruas da humanidade, e foi isso o que ele disse, o que ele cantou, "Close-your-" e lançou seu uivo em direção ao teto, para além dele, rumo às estrelas e ainda mais longe – "Ey-y-y-y-y-y-es" – e cambaleou para fora do palco e ficou ruminando. Sentou-se num canto junto com uma garotada e não deu a menor bola para eles. Olhou para o chão e chorou. Era o maior.

Dean e eu fomos lá falar com ele. Convidamos para que viesse até o nosso carro. Chegando lá ele gritou de repente: "Sim! Não há nada que me agrade mais do que grandes curtições! Pra onde vamos?". Dean estava incontrolável, saltitando no banco, rindo como doido. "Calma! Calma!", disse o saxofonista. "Mais tarde meu amigo vai nos levar ao Jamson's Nook, tenho que cantar lá. Eu *vivo* de cantar, cara. Venho cantando 'Close Your Eyes' há duas semanas – nem consigo pensar em cantar outra coisa. E vocês, garotos, qual é a de vocês?" Dissemos para ele que iríamos para Nova York dentro de dois dias. "Meu Deus! Nunca estive lá, e todos dizem que é uma cidade ligadíssima, mas não tenho por que me queixar da vida por aqui. Sou casado, entendem?"

"Ah, é mesmo?", perguntou Dean, bem interessado. "E onde se encontra a querida essa noite?"

"O que você quer dizer com isso?", inquiriu o saxofonista, olhando para ele com o canto do olho. "Já disse que sou *casado* com ela, não disse?"

"Oh, claro, é claro", respondeu Dean. "Eu estava só perguntando. Talvez ela tenha umas amigas, não? Irmãs? Um baile, entende, tudo o que eu quero é um baile."

"Sim, um baile é uma boa. Mas a vida é triste demais para se ficar bailando o tempo inteiro", disse o saxofonista baixando os olhos para a sarjeta. "Me-eeerr-da!", exclamou. "Não tenho nenhum dinheiro e não quero nem saber, essa noite."

245

Voltamos ao bar para novas curtições. As garotas, indignadas com Dean e comigo por termos declarado aberta a temporada de "caça" e por não pararmos quietos um segundo, se mandaram a pé para o Jamson's Nook; de qualquer maneira o carro não queria pegar. Vimos uma cena terrível no bar: um *hipster*, branco e veado, de camisa havaiana, que tinha acabado de entrar, e perguntava ao enorme baterista se podia se juntar a eles. Os músicos o olharam cheios de desconfiança. "Você toca alguma espécie de corneta?" Ele respondeu que sim, se requebrando todo. Eles se entreolharam e disseram: *"Yeah, yeah,* sem dúvida é exatamente isso que ele faz, meerda!"*.* Aí, o veado sentou-se na bateria e os rapazes começaram a tocar uma música rápida e ele resolveu acompanhar o ritmo nos tambores, usando as escovas macias do bop, gingando o pescoço com aquele êxtase complacente de quem passou por uma análise reichiana, e que não significa nada além de muita maconha, comidas açucaradas e algumas enlouquecidas eventuais. O cara não estava nem aí. Sorria alegremente para o vazio e mantinha o ritmo, ainda que com suavidade, com as sutilezas do bop, apenas um sussurro, um murmúrio risível, servindo de fundo para o sólido e forte blues que os rapazes estavam tocando sem nem sequer dar uma olhada para o cara. O negrão com pescoço de touro da bateria permanecia sentado aguardando sua hora para entrar em ação. "O que esse sujeito tá fazendo?", se perguntava. "Toca direito, rapaz", falou com voz grave. "Que porra!", blasfemou. "Meer-rr-da!", e olhou para o lado, irritado.

O garoto de que o saxofonista falara finalmente apareceu; era um negrinho dirigindo um enorme Cadillac. Saltamos para dentro do carro. Ele se curvou sobre o volante e cruzou Frisco velozmente sem dar uma única brecada, a 120 por hora, cortando o tráfego sem que ninguém o percebesse, era bom demais no volante. Dean entrou em êxtase: "Saca só esse cara, homem, saca o jeito que ele senta ali sem mexer um só músculo, tocando o pé na tábua, e ele poderia ficar falando a noite inteira enquanto dirige, o único problema é que ele não está nem aí pra conversa, ah, homem, as coisas, as coisas que eu poderia – que eu gostaria – oh, podem crer, vamos nessa, vamos lá, não pare! É isso aí!". E o garoto dobrou a esquina velozmente e nos largou defronte ao Jamson's Nook. Um táxi estacionou; dele saltou um pastor negro, magro, pequeno, enrugado, que atirou uma moeda de gorjeta para o motorista, gritando-lhe: "Sopra!", e correu para dentro do clube e lançou-se ao bar que ficava no subsolo, sempre gritando "soprasoprasopra!", tropeçando pelas escadas, quase caindo de cara no chão e empurrando a porta mergulhou na jazz-session com as mãos estendidas para a frente para se proteger de qualquer objeto contra o qual pudesse se chocar, indo esbarrar em Lampshade, que estava trabalhando de garçom durante aquela temporada no Jamson's Nook, e a música explodia e ribombava e ele permaneceu petrificado na porta, gritando: "Toca pra mim, homem, toca!". E o músico era um negrinho maneiro e malandro com um sax-alto e Dean disse que obviamente ele deveria morar com sua avó, como Tom Snark, e provavelmente dormia o dia inteiro e soprava a noite toda, tocando centenas de acordes antes de botar para quebrar, e era isso que ele estava fazendo.

"É a cara do Carlo Marx!", gritou Dean sob o furor.

E era mesmo. Esse netinho da vovó com o sax remendado tinha olhos brilhantes como contas de vidro, pés pequenos e tortos, pernas curvas, e saltitava e pulava com seu sax e chutava o ar com o olhar fixo na plateia (que não passava de um bando de pessoas às gargalhadas, numa dúzia de mesas: a sala tinha dez por dez e um forro baixo) e não parava nunca. Suas ideias eram bastante simples. Ele gostava era da surpresa que uma nova e simples variação de um acorde provocava. Por isso, ia de "ta-tup, tader-rara... ta-tup-tader, rar", repetindo e saltitando e sorrindo e beijando o sax, até chegar a "ta-tup-EE-da-dera-RUP! ta-tup-EE-da-dera, RUP!" em momentos de pura e intensa alegria e profunda compreensão tanto para ele quanto para todos os que o escutavam. Sua tonalidade era nítida como a de um sino, alta, pura, e ele soprava direto na nossa cara, estávamos a meio metro dele. Dean permanecia bem à sua frente, fora do mundo, com a cabeça inclinada, socando as mãos, pulando nos calcanhares e com o suor, sempre o suor, gotejando e salpicando e se derramando pelo seu colarinho atormentado, formando uma poça a seus pés. Galatea e Marie estavam lá, e nós só precisamos de cinco minutos para perceber. Uau, as noites de Frisco, o limite do continente e o fim de todas as dúvidas, adeus dúvidas estúpidas e tolas! Lampshade rugia com uma bandeja de cerveja nas mãos; ele fazia tudo no ritmo e gritava para a garçonete acompanhando a batida: "Alô, garota, abra caminho, abra caminho, aqui vem Lampshade passando de fininho", e passava por ela feito furacão com as cervejas equilibradas, entrando como um vendaval pelas portas de vaivém da cozinha, dançava entre os cozinheiros e retornava para o bar, suando. O saxofonista permanecia sentado, absolutamente imóvel numa mesa, no canto do bar, com um drinque intocado à frente, um olhar vago fitando o espaço, os braços caídos ao lado do corpo de modo que suas mãos quase encostavam no chão, pés esticados para a frente como línguas de fora, seu corpo ressequido pela fadiga absoluta e pelo máximo desgosto e tudo mais que lhe passava pela cabeça! Um homem que se extinguia a cada entardecer e deixava que os outros lhe mandassem o golpe mortal no findar da noite. Tudo girava ao seu redor, confusamente, como nuvens. E aquele netinho do sax, aquele pequeno Carlo Marx saltitava e se contorcia com seu instrumento mágico, soprando duzentos blues, cada um mais excitante que o anterior, sem dar sinais de enfraquecimento de suas energias, ou intenção de encerrar a sessão. A sala se arrepiava, inteira.

Uma hora mais tarde, na esquina da Quarta com a Folsom, eu estava com Ed Fournier, um sax-alto de São Francisco que aguardava comigo enquanto Dean telefonava de um bar para que Roy Johnson viesse nos buscar. Não era nada de mais, estávamos apenas conversando, mas, de repente, tivemos uma estranha e insana visão. Era Dean. Ele queria dar o endereço do bar para Roy Johnson, por isso pediu para que ele esperasse um pouco ao telefone e saiu correndo para ver as placas na rua, e para fazer isso teve de cruzar correndo pelo meio da confusão de um bar repleto de bêbados barulhentos bebendo com suas camisas de mangas curtas brancas e ir para o meio da rua. E ele o fez curvado, quase agachado, como Groucho Marx, seus pés transportando-o numa velocidade espantosa para fora do bar, como uma aparição, seu dedão-balão fincado dentro da noite; ele deu uma travada brusca, ficou rodopiando no meio da rua e olhando nervosamente para cima tentando ver as placas. Mas no escuro era difícil enxergá-las, e ele rodopiou uma dúzia de vezes no meio da rua, com o dedão suspenso, num silêncio louco, ansioso, um sujeito descabelado e com um dedão que parecia um balão, suspenso no ar como um pato selvagem dos céus, girando em meio à escuridão, com a outra mão distraidamente metida nas calças. Ed Fourier estava dizendo: "Onde quer que eu vá, sempre toco músicas suaves, e se as pessoas não gostam não posso fazer nada. Ei, cara, teu amigo é mesmo um sujeito doidão, olha só o que ele tá fazendo" – e nós olhamos. Houve um silêncio profundo em todos os lugares enquanto Dean via as placas e corria de volta ao bar, praticamente passando por baixo das pernas das pessoas que saíam e deslizando tão rapidamente lá para dentro que todos tinham de olhar com dupla atenção para vê-lo. Logo em seguida Roy Johnson apareceu, e com a mesma e fantástica rapidez. Dean flutuou pelo meio da rua e mergulhou dentro do carro, sem um ruído. E lá fomos nós, mais uma vez.

"Bem, Roy, sei que você está preocupado, pensando na sua mulher, e por isso e por tudo mais é absolutamente necessário que estejamos na esquina da 46 com a Geary no incrível tempo de três minutos ou tudo estará perdido. Hum! Sim! (Coff-coff). Pela manhã, Sal e eu estamos nos mandando para Nova York, e esta é definitivamente nossa última noite de farra e tenho certeza de que você não vai se importar."

Não, Roy Johnson não se importava: limitou-se a cruzar por todos os sinais vermelhos que conseguiu encontrar e imprimiu ainda mais velocidade à nossa loucura. Ao amanhecer, foi para casa. Dean e eu terminamos a noite em companhia de um sujeito negro chamado Walter que pedia os drinques no bar e os enfileirava à sua frente, gritando: "Vinho-spodiodi!", que é uma dose de vinho do Porto, um gole de uísque e outro gole do Porto. "Um bom invólucro para um mau uísque!", garantia.

Nos convidou para ir à casa dele beber uma cerveja. Morava num prédio de apartamentos atrás da Howard. Quando entramos, sua esposa estava dormindo. A única luz no apartamento era uma lâmpada que ficava em cima da cama dela. Tivemos de trepar numa cadeira e desenroscar a lâmpada enquanto ela continuava lá, deitada, sorrindo; foi Dean quem fez o serviço, pestanejando. Ela era uns quinze anos mais velha do que Walter e, sem dúvida, a mulher mais compreensiva do mundo. Aí tivemos de ligar a extensão por cima da cama, e ela sempre ali sorrindo. Não perguntou para Walter onde ele estivera, que horas eram, nada. Finalmente nos instalamos na cozinha, sob a luz da extensão, sentados ao redor de uma mesa humilde para beber cerveja e conversar. Raiar do dia. Já era tempo de cair fora, levar a extensão novamente para o quarto e enroscar outra vez a lâmpada em cima da cama. A esposa de Walter continuava sorrindo enquanto nós refazíamos as mesmas loucuras. Não disse uma só palavra.

Lá fora, na rua do amanhecer, Dean falou: "Viu só? Essa, sim, é a mulher *ideal* para caras como nós; nunca uma crítica, uma queixa, uma lamúria, o marido chega em casa a qualquer hora da noite, com quem quer que seja, conversa na cozinha, bebe cerveja e cai fora quando bem entende. Esse é o homem e ali está seu castelo". Apontou para o edifício. Fomos embora, nos arrastando. A grande noite estava encerrada. Uma radiopatrulha nos seguiu desconfiadamente por uns quarteirões. Compramos umas rosquinhas saídas do forno, numa padaria da Terceira, e fomos comendo pela rua descuidada e cinzenta. Um cara alto, de óculos, bem arrumado, subia a rua se arrastando ao lado de um negro com chapéu de caminhoneiro. Formavam uma dupla estranha. Um enorme caminhão cruzou a rua e o negro apontou para ele animadamente e tentou explicar o que sabia. O cara alto olhava nervosa e furtivamente sobre os ombros, contando seu dinheiro. "É Old Bull Lee", gozou Dean. "Contando dinheiro e preocupado com tudo enquanto tudo que aquele outro cara pretende é falar de caminhões e das coisas que conhece." Nós os seguimos por um tempo.

Flores sagradas flutuando no ar, eram todos aqueles rostos cansados no amanhecer da América do Jazz.

Tínhamos de dormir; a casa de Galatea Dunkel estava fora de cogitação. Dean conhecia um guarda-freios chamado Ernest Burke que morava com o pai num quarto de hotel na Terceira. Originalmente, a relação entre eles fora boa, mas no momento nem tanto. A ideia era que eu tentasse convencê-los a nos deixar dormir no chão. Foi horrível. Tive de telefonar de um bar que servia café da manhã. O velho atendeu, desconfiado. Lembrava-se de mim pelo que seu filho falara. Para nossa surpresa, desceu até a portaria e nos deixou entrar. Era somente uma espelunca escura, melancólica e antiquada de Frisco. Subimos, e o velho foi gentil o suficiente para nos oferecer a cama inteira. "Tenho que levantar agora, de qualquer maneira", disse ele, retirando-se para preparar um café na pequena cozinha. Começou a recordar histórias de sua vida como ferroviário. Ele me fazia lembrar meu pai. Fiquei acordado ouvindo as histórias. Dean, sem escutar mais nada, estava escovando os dentes e saltitando pelo quarto afirmando: "Sim, sim, é verdade!", para tudo que o velho dizia. Finalmente adormecemos; pela manhã, Ernest voltou do trabalho e tomou a cama enquanto Dean e eu levantávamos. Agora o velho senhor Burke estava se preparando para um encontro com sua namorada de meia-idade. Vestiu um terno verde, de *tweed,* um boné, de *tweed* também, e enfiou uma flor na lapela.

"Esses velhos guarda-freios de Frisco, românticos e alinhados, vivem vidas tristes mas agitadas", disse a Dean no banheiro. "Foi muito gentil da parte dele nos deixar dormir aqui."

"Sim, sim", disse Dean, sem escutar uma só palavra. Se mandou em seguida para tentar arranjar uma carona paga na agência de viagens. Minha missão era voar até a casa de Galatea e pegar nossa bagagem. Lá estava ela, sentada no chão, lendo o futuro nas cartas.

"Bem, tchau, Galatea, espero que tudo dê certo pra você."

"Quando Ed voltar, vou arrastar ele para o Jamson's Nook todas as noites e deixar que ele tome sua dose diária de loucura. Você acha que vai funcionar, Sal? Não sei mais o que fazer."

"Que dizem as cartas?"

"O ás de espadas está longe dele. As cartas de copas ficam sempre ao seu redor – a rainha de copas nunca está longe. Tá vendo esse valete de espadas? É Dean, fica sempre rondando."

"Bom, a gente tá se mandando pra Nova York dentro de uma hora."

"Algum dia Dean vai partir numa dessas viagens e não voltará mais."

Ela deixou que eu tomasse um banho e me barbeasse, e então me despedi e desci as escadas com os sacos de viagem e chamei um táxi-lotação de Frisco, que é uma espécie de táxi comum que tem rota fixa e que você pode apanhar em qualquer esquina e saltar onde bem entende, tudo por quinze centavos. Você vai espremido junto com outros passageiros, como num ônibus, mas pode conversar e contar piadas, como se estivesse num carro particular. Naquele último dia em Frisco, a Mission fervilhava com as obras da construção civil, crianças brincando, negros ruidosos voltando do trabalho para casa, poeira, excitação e o grande zumbido e o múrmurio vibrante daquela que de fato é a cidade mais agitada da América

– e, sobre as cabeças, o céu azul e límpido e a alegria do *fog* marítimo que durante a noite sempre recobre a cidade para deixar todos famintos de comida e excitação. Eu odiava ter de ir embora; minha estada tinha se prolongado por míseras 60 horas. Com Dean, o frenético, eu apenas cruzava o mundo sem chance de vê-lo. À tarde, estávamos zunindo em direção a Sacramento – outra vez rumo ao Leste.

5

O carro pertencia a uma bicha alta e magra, que estava voltando para casa no Kansas, usando óculos escuros e dirigindo com excessivo cuidado; o carro era o que Dean chamou de "Plymouth maricas"; não tinha força, carecia de poder real. "Um carro afeminado", sussurrou Dean ao meu ouvido. Havia dois passageiros, um casal, típicos turistas pinga-pinga que queriam parar e dormir em todos os lugares. E a primeira parada seria logo em Sacramento, que não era nem sequer o começo da viagem para Denver. Dean e eu sentávamos sozinhos no banco de trás e conversávamos o tempo inteiro, e deixamos tudo por conta deles. "Cara, o saxofonista de ontem à noite tinha AQUILO – e depois que conseguiu, soube manter. Nunca vi ninguém que conseguisse manter durante tanto tempo." Quis saber o que era "AQUILO". "Ah, bem" – Dean riu – "você está me perguntando impon-de-rabilidades – hum! Bem, ali está um músico e aqui está a plateia, certo? A função dele é deixar rolar o que estão todos esperando. Ele começa com os primeiros acordes, então delineia suas ideias, o público *'yeah, yeah'*, percebe tudo, então ele se ilumina e tem que tocar com energia à altura daquilo que se espera dele. De repente, no meio do refrão, ele consegue *aquilo* – todo mundo olha e percebe, todos escutam; ele segura e vai em frente. O tempo para. Ele preenche o espaço vazio com a substância de nossas vidas; são confissões vindas do âmago de seu umbigo, lembranças de ideias, reinterpretações de velhos sopros. Ele tem que tocar cruzando todas as pontes, ida e volta, e tem que fazê-lo com infinito sentimento, explorando as profundezas da alma, porque o que conta não é a melodia daquele momento, que todos conhecem, mas AQUILO" – Dean já não podia prosseguir; suava a cântaros depois de ter me contado tudo isso.

Então comecei a falar; nunca falei tanto em toda a minha vida. Contei a Dean que quando era criança e andava de carro costumava imaginar que possuía uma foice gigante e com ela ia cortando todas as árvores, postes e até mesmo as colinas, tudo que passava zunindo pela janela do carro eu cortava com a foice. "Sim! Sim!", gritava Dean. "E eu também, mas era diferente – e já te digo por quê. Viajando pelas imensidões do Oeste, a minha foice teria que ser incomensuravelmente maior e teria que se curvar até as distantes montanhas para decepar-lhes os cumes, e simultaneamente atingir outro nível para cortar montanhas ainda mais afastadas e, ao mesmo tempo, derrubar todos os postes ao longo da estrada, latejantes postes ordinários. Por essa razão – oh, homem, tenho que te contar, AGORA, preciso, preciso te falar da vez em que meu pai e eu e um outro vagabundo da rua Larimer viajamos pro Nebraska em plena depressão para vender uns mata-moscas. E o jeito como nós os fazíamos! Comprávamos pedaços velhos de telas de arame de janelas e portas e também uns pedaços de arame que amarrávamos juntos e uns trapos de fazenda vermelha e azul para costurar em torno das bordas, e tudo isso por apenas uns centavos em pequenos bazares, e fazíamos milhares de mata-moscas, aí embarcávamos no calhambeque do vagabundo e íamos direto para o Nebraska, a todas as fazendas da região, e os vendíamos por um níquel cada – era mais por caridade que nos pagavam isso, dois vagabundos e um garoto, tortas de maçã ao ar livre, e naqueles dias meu velho pai cantava sempre 'Aleluia, sou um vagabundo, um vagabundo outra vez'. E escuta só, homem. Depois de duas semanas de trabalho incrivelmente árduo, de intensa movimentação, se esforçando em dias abafados para vender aqueles mata-moscas terrivelmente malfeitos, eles iniciaram uma discussão sobre a divisão dos lucros e começaram uma pancadaria no acostamento da estrada, mas logo em seguida fizeram as pazes e compraram tudo em vinho e beberam sem parar durante cinco dias e cinco noites, enquanto eu me encolhia e chorava no bagageiro, e depois de beberem o último gole lá estávamos nós exatamente onde havíamos começado, na rua Larimer. Meu velho foi preso, e tive que pedir ao juiz que o liberasse, porque era meu papai e eu não tinha mãe. Sal, fiz discursos fantásticos e maduros aos oito anos de idade em frente de advogados atentos..." Estávamos com calor, estávamos indo para o Leste, estávamos excitados.

"Deixa eu te contar mais", falei, "você fez um parêntese, mas deixa eu concluir meu pensamento. Quando era menino, atirado no banco de trás do carro do meu pai, também tive uma visão de mim mesmo montado num cavalo branco galopando ao lado do carro e vencendo todos os obstáculos que surgiam na frente: e isso incluía me esquivar dos postes, contornar casas, às vezes saltando sobre elas quando as via tarde demais, galopar sobre as colinas, cruzar praças repletas de tráfego que tinha que evitar sob pena de..."

"Claro! Claro! Claro!", exclamou Dean, extasiado. "A diferença é que eu não tinha cavalo, quem corria era eu mesmo. Você era um garoto do Leste e sonhava com cavalos, claro que não podemos mais assumir essas coisas, já que agora sabemos que elas não passam de fantasia, meras imagens literárias, no entanto, na minha esquizofrenia ainda mais maluca, quem *corria* ao lado do carro era eu mesmo, e desenvolvendo uma velocidade fantástica, às vezes até 160 por hora, saltando por cima de cada arbusto, cada cerca, cada fazenda e às vezes chegando a fazer rápidas incursões às colinas, ida e volta, sem perder terreno..."

Relembrávamos essas coisas todas e suávamos. Tínhamos nos esquecido totalmente das pessoas que estavam sentadas na frente e elas começaram a se perguntar o que estava se passando no assento traseiro. A certa altura o motorista falou:

"Pelo amor de Deus, vocês estão fazendo o carro balançar aí atrás". E estávamos mesmo! O carro oscilava de um lado para outro enquanto Dean e eu balançávamos no mesmo ritmo, e AQUILO era nossa alegria excitada e derradeira, a alegria que tínhamos de falar e viver e que nos conduzia ao transe vazio que punha fim a todos os inumeráveis pormenores angélicos e turbulentos que haviam estado à espreita em nossas almas durante toda a nossa vida.

"Oh, cara! cara! cara!", balbuciou Dean. "E isso não é nem o começo – e agora finalmente estamos juntos indo para o Leste, nunca tínhamos ido pro Leste juntos, Sal, pensa nisso, vamos curtir Denver juntos e ver o que todos estão fazendo, mesmo que isso não nos interesse muito, a questão é que nós sabemos o que AQUILO significa e sacamos a VIDA e sabemos que tudo está ÓTIMO." Depois, me puxando pela manga, e suando horrores, ele me segredou: "Agora saca só esse pessoal aí na frente. Estão preocupados, contando os quilômetros, pensando em onde irão dormir essa noite, quanto dinheiro vão gastar em gasolina, se o tempo estará bom, de que maneira chegarão onde pretendem – e quando terminarem de pensar já terão chegado onde queriam, percebe? Mas parece que eles têm que se preocupar e trair suas horas, cada minuto e cada segundo, entregando-se a tarefas aparentemente urgentes, todas falsas; ou então a desejos caprichosos puramente angustiados e angustiantes, suas almas realmente não terão paz a não ser que se agarrem a uma preocupação explícita e comprovada, e tendo encontrado uma, assumem expressões faciais adequadas, graves e circunspectas, e seguem em frente, e tudo isso não passa, você sabe, de pura infelicidade, e durante todo esse tempo a vida passa voando por eles e eles sabem disso, e isso também os preocupa num círculo vicioso que não tem fim. Escuta só: 'Bem, agora'", imitou ele, "'não sei, talvez devêssemos parar para encher o tanque de gasolina ali naquele posto. Li recentemente no *National Petroffious Petroleum News* que esse tipo de gasolina tem grande quantidade de *O-Octane* e alguém já me falou que ela até possui um aditivo semioficial de alta potência e quem sabe... bem, não sei se deveríamos, acho que talvez... De qualquer forma eu não tô afim.' Cara, você também saca tudo isso." Dava-me cotoveladas furiosas nas costelas, pra que eu o entendesse. Tinha de usar minha energia máxima. Naquele banco de trás era só bing, *bang*. Sim! Pode crer! É isso aí!, e os outros lá na frente enxugando o suor, aflitos, desejando não terem jamais nos apanhado naquela agência de viagens. E tudo isso era apenas o começo.

Em Sacramento, a bichona ardilosamente hospedou-se em um hotel e convidou Dean e eu para subir para um drinque, enquanto o casal foi dormir na casa de uns parentes; no quarto do hotel, Dean fez de tudo para conseguir algum dinheiro da bicha. Foi uma loucura. A bicha começou dizendo que estava muito feliz por termos vindo junto porque ela gostava de rapazes como nós e, acreditássemos ou não, realmente não gostava de garotas e recentemente tinha terminado um caso com um homem em Frisco onde fizera o papel de macho e o outro de mulher. Dean o espremeu com perguntas de ordem prática, assentindo vigorosamente com a cabeça. A bicha disse que adoraria saber o que Dean pensava a respeito disso tudo. Depois de alertá-la que já havia transado por dinheiro na adolescência, Dean perguntou à bicha quanto dinheiro ela trazia. Eu estava no banheiro. A bicha ficou extremamente mal-humorada e, acho eu, desconfiada das reais intenções de Dean; disse que não tinha nenhum dinheiro sobrando e fez vagas promessas para Denver. Ficou o tempo todo contando sua grana e verificando se ainda estava com a carteira. Dean levantou os braços e desistiu: "Veja só, é melhor você não perder mais tempo. Ofereça-lhes o que eles secretamente mais desejam e, é claro, eles ficam absolutamente tomados pelo pânico". Mas ele já havia conquistado suficientemente o dono do Plymouth para, no dia seguinte, assumir o volante sem discussões, e daí em diante realmente viajamos.

Saímos de Sacramento com o sol raiando e na hora do almoço já estávamos cruzando o deserto de Nevada, depois de uma vertiginosa passagem pelas Sierras que obrigou a bichona e os turistas a se agarrarem uns aos outros no banco de trás. Agora íamos na frente, estávamos no comando. Dean estava feliz outra vez. Tudo o que ele precisava era de uma roda na mão e quatro na estrada. Falava de quão mal Old Bull Lee dirigia e fez umas demonstrações: "Sempre que aparece algum caminhão gigantesco e sobrecarregado como aquele que vem vindo ali, Old Bull leva um tempo interminável para percebê-lo porque não consegue enxergar direito. Ele simplesmente não vê". Apertou furiosamente os olhos para imitar a cara de Old Bull ao volante. "E eu dizia a ele: 'Ei, cuidado Bull, um caminhão'. E ele respondia: 'O quê? O que foi que você disse, Dean?' 'Caminhão, caminhão.' E no *último segundo* ele jogava o carro contra o caminhão, assim." E Dean se jogou com o Plymouth de encontro ao caminhão que avançava na direção oposta, dançando e rebolando à sua frente por um instante, dando tempo de ver a fúria na cara do caminhoneiro crescendo rapidamente à nossa frente, e o pessoal no banco de trás se encolhendo ofegante, arfando, todos horrorizados, e no último segundo Dean desviou. "Era bem assim, sabe, exatamente assim, oh, como ele dirigia mal." Eu não estava nem um pouco assustado; conhecia Dean. Mas o povo no banco de trás perdeu a voz. Na verdade, tinham medo de reclamar. Sabe-se lá Deus o que o Dean seria capaz de fazer se eles tivessem a audácia de reclamar, pensavam. Ele tocou o pé na tábua cruzando todo o deserto dessa maneira, fazendo várias demonstrações de como não dirigir, de como seu pai guiava seus calhambeques, como os grandes motoristas fazem as curvas, como os maus motoristas se lançam rápido demais no começo e acabam derrapando no fim da curva, e assim por diante. Era uma tarde quente e ensolarada. Reno, Battle Mountain, Elko, todas as cidades ao longo da estrada de Nevada vencidas uma a uma e ao entardecer lá estávamos nós em Salt Lake City com as luzes da cidade cintilando infinitamente minúsculas quase a uns cinquenta quilômetros através da miragem da planície, despontando duplamente, acima e abaixo da curvatura da Terra, uma imagem nítida, a outra nebulosa. Eu disse a Dean que o que nos mantém unidos nesse mundo é o invisível, e, para prová-lo, apontei para as longas filas de postes telefônicos que se curvavam a perder de vista, suspensas sobre mais de cem quilômetros de sal. O curativo de seu dedo agora estava imundo e desatado, dançando no ar. Seu rosto resplandecia: "Oh, acredite, homem, meu Deus, é isso aí, é isso aí!". Subitamente ele brecou o carro e simplesmente saiu do ar. Olhei para o lado e o vi enroscado no canto do banco, dormindo. Sua mão boa apoiava a cabeça, enquanto a mão ferida permanecia suspensa, automaticamente obediente.

Os passageiros do banco de trás suspiraram aliviados. Pude ouvi-los combinando um motim, aos sussurros. "Não é possível deixá-lo dirigir mais, ele é completamente maluco, deve ter fugido do hospício ou coisa assim."

Ergui-me em defesa de Dean e me virei para falar com eles: "Ele não é maluco, não, e em breve estará novo em folha. Não se preocupem com o jeito dele dirigir, ele é o melhor motorista do mundo".

"Mas é demais para mim", disse a mulher num murmúrio abafado e histérico. Recostei-me e curti o pôr do sol do deserto, esperando que Dean, o Anjo Desamparado, acordasse. Estávamos no topo de uma colina acima da silhueta nítida e modelar das luzes de Salt Lake City e ele abriu seus olhos para ver o lugar desse mundo espectral onde ele nascera, lambuzado e sem nome, anos atrás.

"Sal, Sal, olha, foi lá que nasci, pensa nisso! As pessoas mudam, elas comem refeições ano após ano e se transformam, a cada jantar, a cada almoço. Ei, olha só." Ficou tão excitado que me fez chorar. Aonde tudo isso conduziria? Os turistas insistiram para dirigir o carro o resto do caminho até Denver. Tudo bem, a gente não se importava, sentamos no banco de trás e continuamos conversando. Mas pela manhã eles estavam esgotados e Dean pegou a direção no deserto do leste do Colorado, em Craig. Tínhamos passado praticamente toda a noite nos arrastando cautelosamente pelo Strawberry Pass, em Utah, e perdemos um tempo enorme. Agora eles dormiam e Dean dirigia despreocupadamente em direção ao poderoso paredão do Berthoud Pass, a uns 150 quilômetros à frente, no topo do mundo, uma tremenda porta gibraltariana envolta em nuvens. Ele tratou o Berthoud Pass como uma brincadeira de criança – e exatamente como no Tehachapi Pass, com o motor desligado, flutuando na estrada, ultrapassando todo mundo sem nunca alterar o ritmo ditado pelas próprias montanhas, até que vislumbramos mais uma vez a imensa e calorenta planície de Denver – e Dean estava em casa.

Foi com uma grande dose de alívio apalermado que aqueles caras nos largaram na esquina da 27 com a Federal. Nossa sofrida bagagem estava ali, amontoada mais uma vez na beira da calçada; tínhamos um percurso muito maior pela frente. Mas estava tudo bem, a estrada é a vida.

6

As circunstâncias que tivemos de encarar dessa vez em Denver eram completamente diversas daquelas de 1947. Podíamos arrumar imediatamente outro carro na agência de viagens ou então ficar curtindo a cidade por uns dias, e procurar pelo pai de Dean.

Estávamos imundos e exaustos. No banheiro de um restaurante, eu usava o mictório, impedindo a passagem de Dean até a pia; então, antes de acabar, dei um salto e continuei mijando noutra bacia. "Sacou o truque?", perguntei a Dean.

"Legal, cara", respondeu ele lavando as mãos, "é um bom truque, só que é péssimo para os rins, e já que você está ficando um pouco mais velho agora, todas as vezes que o fizer, estará acrescentando mais uns aninhos de sofrimento à tua velhice, terríveis dores renais nos dias em que estiver sentado nos bancos dos parques e das praças."

Aquilo me enlouqueceu. "Quem é que está ficando velho? Não sou muito mais velho do que você."

"Não foi isso que eu quis dizer, homem."

"Ah", eu disse, "você está sempre fazendo piadinha com a minha idade. Não sou uma bicha velha como aquela do carro; não precisa ficar dando recomendações pros *meus* rins". Voltamos para o bar e no instante exato em que a garçonete pousou os sanduíches de rosbife à nossa frente – normalmente Dean teria saltado como um lobo sobre a comida – eu disse, para coroar minha fúria: "Não quero mais papo". E então os olhos dele ficaram cheios d'água e ele se levantou, deixou a comida ali fumegando e saiu do restaurante. Fiquei imaginando se aquela saída seria para sempre. Para mim não fazia diferença, de tão indignado que estava. Eu tinha pirado momentaneamente e descarregado em Dean. Mas a visão de seu sanduíche intocado me fez ficar mais triste do que qualquer outra coisa em muitos anos. Eu não deveria ter dito aquilo... Ele gostava tanto de comer, jamais deixara a comida assim desse jeito... Mas, raios, ele bem que merecia, era para aprender.

Dean ficou do lado de fora do restaurante durante exatamente cinco minutos e então voltou e sentou-se. "Bem", falei, "o que você estava fazendo lá fora, aquecendo os punhos? Me amaldiçoando ou inventando novas piadas a respeito dos meus rins?"

Ele sacudiu a cabeça. "Não, homem, não. Você está absolutamente equivocado. Se você realmente quer saber, bem..."

"Vai firme, conta", falei, sem desviar os olhos do meu prato. Me sentia como um animal.

"Eu estava chorando", disse Dean.

"Ah, porra nenhuma, você nunca chora."

"Por que você fala assim? Por que acha que eu nunca choro?"

"Porque você nunca sofre o suficiente para chorar." Cada frase era como uma punhalada em mim mesmo. Todos os ressentimentos secretos que eu guardara contra meu irmão estavam agora sendo postos para fora: como eu era horrível e quanta sujeira eu estava descobrindo no fundo de minha própria e impura psicologia.

Dean balançava a cabeça. "Não, Sal, eu estava chorando mesmo."

"Coisa nenhuma, aposto que você estava tão furioso que teve que sair."

"Acredite em mim, Sal, acredite agora se é que alguma vez você acreditou em mim."

Eu sabia que ele estava dizendo a verdade e ainda assim não estava interessado; quando olhei para a frente e o encarei, acho que estava com os olhos vesgos, porque a comida tinha entalado no fundo da minha barriga miserável. Então, percebi que estava errado.

"Ah, cara, oh, Dean, me desculpe, jamais me portei assim com você. Bem, pelo menos agora você me conhece. Você sabe que não consigo me aprofundar com ninguém – não sei o que fazer com essas coisas. Seguro-as nas mãos como se fosse um lixo fedorento e simplesmente não sei onde depositá-lo. Vamos esquecer o que passou!" O vigarista sagrado começou a comer. "A culpa não é minha, a culpa não é minha!", disse a ele. "Nada do que acontece nesse mundo repugnante é culpa minha, entende? Não quero que seja, e não pode ser, e *não será*!"

"Tá bem, cara, tá bem. Mas, por favor, volte atrás e acredite em mim."

"Eu acredito em você. Acredito mesmo." E foi essa a história triste daquele entardecer. E nessa noite, quando Dean e eu fomos dormir na casa daqueles caipiras, começaram a surgir todas as espécies de terríveis complicações.

Essa família, os caipiras, tinha sido minha vizinha durante minha solidão de Denver há duas semanas. A mãe era uma mulher maravilhosa que vestia *jeans* e dirigia caminhões de carvão pelas montanhas nevadas para sustentar seus filhos, quatro ao todo; o marido a tinha abandonado alguns anos antes, quando estavam viajando pelo país num trailer. Já haviam rodado todo o percurso desde Indiana até LA naquele *trailer*. Depois de muita farra e um grande porre num domingo à tarde num bar de beira de estrada e serenatas e gargalhadas noite adentro, o grande imbecil atravessou a planície escura e jamais voltou para casa. Seus filhos eram maravilhosos. O mais velho estava ausente naquele verão, tinha ido para uma colônia de férias nas montanhas; a seguir vinha uma adorável menina de treze anos que escrevia poemas e apanhava flores silvestres pelo campo e queria ser atriz em Hollywood quando crescesse: chamava-se Janet; a seguir vinham os dois menores, o pequeno Jimmy, que sentava ao redor da fogueira, à noite, e pedia sua "patata" muito antes de ela estar assada, e a pequena Lucy, que colecionava minhocas, sapos, besouros, e tudo que rastejasse, dando-lhes nomes e estabelecendo lugares onde deveriam morar. Tinham quatro cães. Viviam suas vidas esfarrapadas e alegres, numa pequena rua repleta de construções novas, e eram desprezados pela vizinhança classe média semirrespeitável e medíocre só porque a pobre mulher tinha sido abandonada pelo marido e seu quintal era sujo e desarrumado. À noite, todas as luzes de Denver se estendiam como um grande círculo luminoso e radiante, lá embaixo, na planície, já que a casa ficava na parte oeste da cidade, onde as montanhas se transformavam em colinas arredondadas que suavizavam-se à medida que chegavam à borda da planície e onde, nos primórdios, mansas ondas do mar imenso que era o rio Mississippi vinham quebrar, formando assim cumes e curvas tão perfeitos como eram os daqueles morros-ilhas, o Evans, o Pike, o Longs. Dean acompanhou-me até lá e, é claro, foi todo suor e sorrisos ao vê-los, especialmente Janet, mas o alertei para que não a tocasse, e provavelmente não teria sido necessário. A mulher tinha sido casada com um sujeito muito louco e se amarrou em Dean no primeiro olhar, mas ela era tímida e ele também. Falou que Dean a fazia lembrar o marido sumido. "Bem como ele – igualzinho, oh, ele era maluco mesmo, pode acreditar!"

O resultado disso tudo foram ruidosos porres de cerveja na sala desarrumada, jantares barulhentos, tumultuadas audições do *Cavaleiro Solitário* pelo rádio. As complicações nos envolveram como nuvens de borboletas: a mulher – Frankie, como todos a chamavam – decidira finalmente comprar um calhambeque, o que há anos vinha ameaçando fazer, e tinha recentemente economizado o suficiente. Dean imediatamente assumiu a responsabilidade de escolher o carro e estudar o melhor preço, porque logicamente estava pensando em usar a caranga e assim, exatamente como durante sua adolescência, apanhar as garotas saindo da escola no fim de tarde e levá-las pras montanhas. A pobre e inocente Frankie sempre concordava com tudo; quando chegaram ao posto de vendas e pararam em frente ao vendedor, ela ficou receosa de se desfazer de suas economias. Dean sentou-se no meio-fio empoeirado do boulevard Alameda e socou a própria cabeça com o punho cerrado. "Por cem dólares é *impossível* arranjar algo melhor." Jurou que jamais voltaria a falar com ela, amaldiçoou-a até ficar com a cara vermelha de tanta raiva, estava a ponto de saltar para dentro do carro e sair cantando os pneus mesmo sem ter comprado o carro.

"Oh, esses caipiras burros, estúpidos, tapados, jamais mudarão, são completa e absolutamente estúpidos. Chega o momento de agir e eles ficam paralisados, histéricos, assustados – nada os amedronta mais do que aquilo que *querem – ela é exatamente como era meu pai, meu pai, meu pai – igualzinha!"*

Naquela noite Dean estava excitadíssimo porque seu primo Sam Brady viria nos encontrar num bar. Vestiu uma camiseta limpa e estava radiante. "Escuta só, Sal, tenho que te falar sobre Sam – ele é meu primo."

"Falando nisso, você procurou seu pai?"

"Essa tarde, homem, fui até o Jiggs' Buffet, onde ele costumava ficar tomando uns chopes em estado de singela embriaguez e recebendo descomposturas do patrão e se mandando dali trôpego – e nada! – aí fui até a velha barbearia, próxima ao Windsor – e nada, não estava lá – um velho camarada dele me disse que talvez ele estivesse – imagina!

– trabalhando numa espécie de boate ou *dancing* à beira da estrada de ferro da *Boston e Maine* na Nova Inglaterra! Mas não acreditei, o homem está sempre contando histórias furadas. Mas agora escuta bem: na minha infância, Sam Brady, meu primo-irmão, era meu herói absoluto. Ele contrabandeava uísque pelas montanhas e certa vez brigou a socos com o irmão, uma luta terrível que durou duas horas no quintal da casa dele e deixou as mulheres aterrorizadas e histéricas. Costumávamos dormir na mesma cama. Era o único homem da família que demonstrava algum carinho por mim. E hoje à noite, vou vê-lo outra vez, pela primeira vez em sete anos, ele acaba de voltar do Missouri."

"E de que jeito você pretende encrencá-lo?"

"Oh, cara, não é nada disso, não quero encrencar ninguém, só quero saber como vai a família – eu tenho família, lembra? – e mais especificamente, Sal, quero que ele me conte coisas da minha infância que já esqueci. Quero recordar, entende? Quero relembrar tudo!" Nunca vi Dean tão feliz e excitado. Enquanto esperávamos pelo primo no bar, ele conversou horas com vários *hipsters* e sórdidos marginais, informando-se a respeito das novas gangues e sobre os agitos do momento. Depois fez umas perguntas sobre Marylou, já que ela estivera em Denver recentemente. "Sal, quando era garoto e costumava vir até essa esquina para roubar umas moedas daquela banca de jornais e com o dinheiro comprar um guisado de carne, aquele brutamontes que você tá vendo ali só tinha ódio no coração, vivia se metendo numa briga horrível atrás da outra, lembro até das cicatrizes dele, até que agora os anos e mais a-n-o-s de permanência nessa esquina parecem finalmente tê-lo suavizado e castigado furiosamente; aqui ele se tornou singelo, atencioso, paciente com todos; virou um *apêndice* da esquina. Tá vendo como são as coisas?"

Então chegou Sam, um sujeito de 35 anos, rijo, cabelos crespos, com mãos ásperas e maltratadas de trabalhador braçal. Dean ficou boquiaberto na frente dele. "Não", disse Sam Brady, "não bebo mais."

"Tá vendo? Tá vendo?", sussurrou Dean ao meu ouvido. "Ele não bebe mais e foi o maior beberrão da cidade; converteu-se, é religioso agora, foi o que me disse ao telefone, olha só pra ele, repare as mudanças pelas quais um homem pode passar – meu herói ficou tão estranho." Sam Brady não confiava mais em seu jovem primo. Nos levou para dar uma volta em seu cupê velho e barulhento e abriu o jogo imediatamente, dizendo o que pensava de Dean, sem rodeios.

"Escute, Dean, não acredito mais em você ou em qualquer outra coisa que você queira me dizer. Só vim te ver essa noite porque há um papel que quero que você assine, é para a família. Seu pai já não é mencionado entre nós e não temos mais nada a ver com ele e, lamento dizer, com você também não." Olhei para Dean, seu rosto estava nublado.

"Tudo bem, tudo bem", disse ele. O primo continuou dando umas voltas de carro conosco e até nos ofereceu uns sorvetes. Mesmo com tudo o que havia acontecido, Dean cobriu-o com uma quantidade infindável de perguntas sobre o passado e o primo respondeu e, por um momento, Dean quase começou a suar outra vez, de tão excitado. Oh, por onde andava seu pai maltrapilho naquela noite? O primo nos largou sob as luzes melancólicas de um parque de diversões na esquina da boulevard Alameda com a Federal. Marcou um encontro com Dean para a assinatura do tal papel na tarde seguinte e se mandou. Falei a Dean que me sentia triste porque ninguém mais nesse mundo acreditava nele.

"Lembre-se de que eu acredito em você. Estou tremendamente chateado por causa daquela discussão estúpida que tivemos ontem à tarde."

"Tudo bem, homem, de acordo", disse Dean. Curtimos juntos o parque de diversões. Carrocéis, rodas-gigantes, pipoca, roletas, serragem espalhada pelo chão, e centenas de garotos de Denver vagabundando metidos em seus jeans. A poeira se elevava até as estrelas, junto com todas as canções deprimentes dessa terra. Dean vestia uma Levis desbotada e uma camiseta justa e, de repente, parecia outra vez um verdadeiro personagem de Denver. Havia jovens motoqueiros com visores e bigodes e jaquetas com tachas de metal dando suas voltas, geralmente indo para trás das tendas com garotas gostosas de Levis e blusinhas cor-de-rosa. E também as garotas mexicanas, e uma menininha encantadora com um metro de altura, uma anã, com o rosto mais bonito e suave desse mundo, que se virou para sua companheira e disse: "Ei, vamos telefonar para o Gomez e cair fora". Dean estancou paralisado à vista dela. Era como se uma facada o tivesse atingido no peito, saída da escuridão da noite. "Cara, me apaixonei por ela, estou *apaixonado*..." Tivemos de segui-la durante um longo tempo. Finalmente ela cruzou a autoestrada para dar um telefonema na cabina de um motel. Dean fingiu que estava olhando um número qualquer na lista telefônica, mas na verdade estava espiando nervosamente, vidrado nela. Tentei iniciar uma conversa com suas lindas amigas, mas elas não nos deram a mínima bola. Gomez chegou num caminhão barulhento e levou-as, todas. Dean ficou paralisado no meio da estrada, agarrando o próprio peito. "Oh, cara, quase morri..."

"Porra, e por que você não falou com ela?"

"Não pude, não consegui..."

Decidimos comprar umas cervejas e ir escutar uns discos lá em cima, na casa de Frankie. Pedimos carona com uma sacola cheia de latas de cerveja. A pequena Janet, a filha de 13 anos de Frankie, era a menina mais linda do mundo e já estava quase se tornando mulher, uma maravilhosa mulher. O melhor eram seus dedos longos, pontiagudos, sensíveis, com os quais ela costumava falar, uma Cleópatra dançando no Nilo. Dean sentou-se no canto mais afastado da sala, olhando para ela com os olhos semicerrados e balbuciando: "Sim, sim, sim!". Janet, que estava avisada a respeito dele, voltou-se para mim buscando proteção. Nos meses anteriores desse mesmo verão, eu havia passado um bom tempo com ela, falando sobre livros e outras pequenas coisas nas quais ela estava interessada.

7

Não aconteceu nada naquela noite; fomos todos dormir. Em compensação, no dia seguinte, aconteceu de tudo. Durante a tarde Dean e eu fomos ao centro de Denver para tratar de vários assuntos e ver, na agência de viagens, se conseguíamos um carro que nos levasse a Nova York. Já no fim da tarde, a caminho da casa de Frankie, ao subirmos pela Broadway, Dean entrou numa loja de esportes, apanhou uma bola de beisebol e saiu tranquilamente, jogando-a de uma mão para outra. Claro que ninguém notou; ninguém nunca nota uma coisa dessas. Era uma tarde de calor sufocante. Ficamos brincando, jogando a bola de um lado para o outro enquanto seguíamos em frente. "Tenho certeza de que amanhã arranjaremos um carro na agência de viagens."

Uma amiga me dera uma garrafa de bourbon Old Granddad. Na casa de Frankie, começamos a bebê-la. Do outro lado da plantação de milho que ficava atrás da casa, morava uma linda garota que Dean estava tentando conquistar desde a nossa chegada. As complicações começaram a fermentar. Ele jogou tantas pedras na janela dela que a assustou. Enquanto bebíamos o bourbon na sala bagunçada, com todos os cães e brinquedos espalhados, e prosseguíamos nossa conversação nostálgica, Dean continuava a sair correndo pela porta da cozinha e cruzando velozmente a plantação de milho para jogar pedras e assobiar. De vez em quando Janet ia atrás para espiar o que ele estava fazendo. De repente, Dean voltou, pálido. "Problemas, meu rapaz. A mãe da garota vem vindo aí com uma espingarda e junto com ela vem uma turma inteira de colegiais, todos a fim da minha cabeça!"

"Como é que é?! Onde é que eles estão?"

"Do lado de lá da plantação, meu garoto..." Dean estava tão bêbado que nem ligava. Saímos juntos e atravessamos a plantação de milho sob o luar. Vi um grupo de pessoas se movimentando no caminho escuro.

"Lá vêm eles!", pude ouvi-los gritar.

"Esperem um pouco", falei. "Por favor, o que é que está acontecendo?"

A mãe estava de tocaia atrás do grupo empunhando uma espingarda enorme. "Esse seu amigo idiota já nos perturbou o suficiente. Não sou do tipo que chama a polícia. Se ele voltar aqui mais uma vez, vou atirar, e atirar pra matar." Os colegiais permaneciam em grupo, com os punhos cerrados. Eu também estava bêbado e por isso não estava nem aí para eles, mas mesmo assim consegui serenar os ânimos.

Falei: "Ele não vai fazer mais. Vou ficar de olho nele. É meu irmão e vai me ouvir. Por favor, abaixe a espingarda e não precisa se preocupar mais".

"Mais uma única vez que seja", disse ela com uma firmeza indignada, na escuridão. "Quando meu marido chegar em casa, vou mandá-lo atrás de vocês."

"Não precisa fazer isso; ele não vai incomodar mais, pode ter certeza. Agora mantenha a calma, que tudo ficará bem." Atrás de mim Dean blasfemava baixinho. A garota estava lá, tímida, espiando da janela de seu quarto. Eu conhecia essas pessoas da minha estada anterior e eles confiaram em mim o suficiente para se acalmarem um pouco. Peguei Dean pelo braço e cruzamos assim o milharal enluarado.

"Iuuuuupiii!", gritou ele. "Vou me embebedar hoje à noite." Voltamos para Frankie e as crianças. De repente Dean ficou indignado com um disco que a pequena Janet estava escutando e quebrou-o no joelho: era um disco de música caipira. Na casa, também havia um disco de Dizzy Gillespie que ele realmente admirava – *Congo Blues,* com Max West na bateria. Eu o tinha dado de presente para Janet na minha primeira estada, e agora eu lhe dizia, enquanto ela chorava, que pegasse o disco e o quebrasse na cabeça dele.

Foi exatamente o que ela fez. Dean cambaleou e entendeu tudo. Rimos todos. Estava tudo bem. Então mamãe Frankie quis sair para beber cerveja nos bares da estrada. "Vamos logo!", gritou Dean. "Tá vendo que merda? Se você tivesse comprado aquele carro que te mostrei na terça-feira, não teríamos que caminhar."

"Não gostei daquela merda daquele carro", berrou Frankie. Nhéé, nhéé, as crianças começaram a choramingar. E como se fosse uma imensa mariposa de asas cinzentas, a eternidade pousou densamente naquela sala maluca e escura com aquele papel de parede deprimente, o lampião cor-de-rosa, rostos excitados. O pequeno Jimmy estava assustado; fiz o moleque dormir no sofá e deixei um dos cães ao seu lado. Embriagada, Frankie chamou um táxi e, de repente, quando estávamos esperando por ele, minha amiga me telefonou. Ela tinha um primo de meia-idade que simplesmente me odiava e, no início da tarde, eu havia escrito uma carta para Old Bull Lee, que agora estava na cidade do México, relatando minhas aventuras com Dean e em que circunstâncias estávamos passando essa temporada em Denver. Escrevi: "Tenho uma amante que me dá uísque, dinheiro e grandes jantares".

Estupidamente dei a carta pro seu primo colocá-la no correio logo depois de termos comido um frango assado. Ele abriu a carta e depois de lê-la levou direto a ela, para provar que eu não passava de um gigolô. Agora ali estava ela me telefonando, entre lágrimas, dizendo que nunca mais queria me ver. Então o primo, triunfante, pegou o telefone e começou a me chamar de filho da puta. Enquanto o táxi buzinava lá fora, e as crianças choravam, e os cães latiam, e Dean dançava com Frankie, e eu gritava ao telefone todos os palavrões concebíveis que pude imaginar, inventando até mesmo uns novos, e no meu frenesi borracho mandei-os para o inferno, desliguei o telefone na cara deles e saí para encher a cara.

Saltamos do táxi tropeçando uns nos outros e entramos cambaleantes no bar, um bar caipira próximo às montanhas, e pedimos umas cervejas. Tudo estava ruindo, e para tornar a cena ainda mais inconcebivelmente frenética havia um sujeito espástico, extasiado num canto do bar, e ele enroscou os braços em torno de Dean e começou a gemer no rosto dele, e Dean pirou de vez, reiniciando seu ritual de suor e insanidade. E para adicionar um novo ingrediente à já intolerável confusão, Dean caiu fora e num segundo roubou um carro no estacionamento ali em frente, dando a seguir uma rápida investida até o centro de Denver e de lá voltando com um novo carro, ainda melhor. De repente, olhei pela janela do bar e vi um grupo, pessoas e policiais reunidos no estacionamento, sob as luzes faiscantes da radiopatrulha, falando a respeito do carro roubado. "Tem alguém roubando carros a torto e a direito por aqui!", dizia um dos guardas. Dean estava exatamente ali, atrás dele, escutando e dizendo: "Ah, sim, ah, sim". Os policiais saíram para investigar. Dean retornou ao bar e ficou às voltas com o coitado do espástico, era apenas um garoto, tinha se casado naquele mesmo dia e estava tomando um tremendo porre enquanto sua noiva o aguardava, sabe-se lá onde. "Oh, cara, esse é o sujeito mais fantástico do mundo!", urrou Dean. "Sal, Frankie, vou cair fora agora e arrumar um carro realmente bom desta vez e sairemos todos para dar umas voltas, e Tony também" (era o santo espástico), "vamos curtir um tremendo giro pelas montanhas." E se mandou. Simultaneamente, um guarda entrou dizendo que um carro recém-roubado no centro de Denver estava parado no estacionamento. Todos discutiam, desconfiados. Pela janela, pude ver Dean saltar para dentro do carro mais próximo e sair voando com os pneus rangendo, sem que uma só pessoa o visse. Minutos mais tarde, estava de volta num carro completamente diferente, um conversível novo em folha. "Esse, sim, é uma beleza", sussurrou ao meu ouvido. "O outro falhava demais – abandonei-o numa encruzilhada, vi essa maravilha estacionada em frente a uma fazenda. Dei uma volta por Denver com ele. Vamos nessa, cara, vamos dar um giro por aí." A amargura e a loucura de sua vida inteira em Denver estavam jorrando para fora de seu corpo como se fossem punhais. Seu rosto estava vermelho, suado e maldoso.

"Não, não quero saber de carros roubados."

"Ah, qual é, cara? Tony vem comigo, não vem, querido e maravilhoso Tony?" E Tony – um magricela de cabelos negros e olhos puros, alma perdida em babadas e lamentos – se escorou em Dean porque começara a se sentir mal e então, subitamente, por alguma sábia razão intuitiva, ficou aterrorizado com a presença de Dean e, jogando suas mãos para o céu, afastou-se rapidamente, com o horror estampado em sua face. Dean baixou a cabeça e seu suor gotejou. Saiu, entrou no carro e sumiu. Frankie e eu pegamos um táxi no estacionamento e decidimos ir para casa. Enquanto o táxi avançava pela infinitamente escura boulevard Alameda, pela qual tantas vezes eu havia caminhado em muitas e muitas noites desiludidas nos primeiros meses desse verão, sempre cantarolando e gemendo, e me deliciando com as estrelas e deixando o sumo de meu coração pingar no asfalto ainda escaldante... Dean surgiu atrás de nós, de repente, dirigindo o conversível roubado e começou a buzinar, buzinar e nos fechar a passagem, sempre gritando. O rosto do motorista empalideceu.

"É apenas um amigo meu", falei. Dean ficou irritado conosco e de repente disparou à frente, uns 150 por hora, lançando uma fumaça fantasmagórica pelo escapamento. Então, dobrou na rua de Frankie e estacionou defronte à casa; e no instante seguinte saiu de novo com os pneus rangendo e, fazendo um retorno brusco, se arrancou para a cidade enquanto descíamos do táxi e pagávamos a tarifa. Segundos mais tarde, enquanto aguardávamos ansiosamente no quintal escuro, ele voltou – e ainda por cima com outro carro, um cupê maltratado –, parando em meio a uma nuvem de poeira na frente da casa, para depois sair se arrastando e cambaleando direto para a cama, onde tombou pesadamente, duro de bêbado. E ali estávamos nós com um carro roubado estacionado bem na frente da nossa porta.

Tive de acordá-lo; não consegui fazer o carro pegar para abandoná-lo em algum lugar longe dali. Ele cambaleou fora da cama, de cuecas, e entramos juntos no carro, enquanto a criançada ria baixinho na janela, e lá fomos aos pulos e sacolejos pela estrada de terra batida entre campos de alfafa, *rompti-rompti,* até o carro já não aguentar e morrer sob uma velha paineira ao lado do moinho. "Não vai mais", disse Dean saindo do carro e caminhando naturalmente de volta pelo milharal, mais ou menos um quilômetro, de cuecas ao luar. Chegamos em casa e ele foi dormir. Tudo era uma horrível confusão, tudo o que acontecera em Denver, minha amiga, os carros roubados, as crianças, a pobre Frankie, a sala suja com latas de cerveja esparramadas por todos o cantos e eu tentando dormir. Um grilo me manteve desperto por algum tempo. À noite, nessa parte do Oeste, as estrelas, como eu já as tinha visto no Wyoming, são enormes como fogos de artifício e tão solitárias quanto o Príncipe do Dharma, que perdeu seu percurso ancestral e viaja por todos os lugares, no espaço, na cauda da Ursa Maior, tentando reencontrá-lo. Assim, giravam as estrelas lentamente sob a maquinaria da noite e então, muito antes do verdadeiro nascer do Sol, uma grande claridade avermelhada surgiu, ao longe, no descampado árido e cinzento, lá para os lados do Kansas, enquanto os pássaros começavam a trinar sobre Denver.

8

Acordamos com náuseas horríveis. A primeira coisa que Dean fez foi atravessar o milharal para ver se o carro estava em condições de nos conduzir até o Leste. Eu me opus, mas ele foi mesmo assim. Retornou pálido. "Cara, o carro pertence a um delegado e qualquer delegacia de Denver conhece minhas impressões digitais, daquele ano em que roubei quinhentos carros. Você viu o que faço com eles, apenas dou umas voltas, cara! Tenho que cair fora! Escuta, vamos acabar enjaulados se não nos mandarmos daqui imediatamente."

"Você está certo!", falei; e começamos a arrumar nossas coisas tão rápido quanto podíamos. De calças nas mãos nos despedimos da família caipira e nos arrancamos para a estrada protetora, onde ninguém nos reconheceria. A pequena Janet começou a chorar – ao nos ver partir, ou ao me ver ou sabe-se lá o quê – e Frankie foi delicada, e eu a beijei e pedi desculpas.

"Ele é mesmo um sujeito muito maluco", disse ela. "Realmente me faz lembrar meu marido fujão. É exatamente como ele era. Só espero que meu Mickey não seja assim quando crescer, esses meninos hoje em dia..."

E dei adeus também para a pequena Lucy, que estava com um besouro na mão; o pequeno Jimmy dormia. Tudo isso em poucos segundos, num adorável amanhecer de domingo, enquanto saíamos aos trambolhões com nossa mísera bagagem. Nos apressamos. Temíamos que a qualquer minuto uma radiopatrulha surgisse de alguma estradinha empoeirada e se lançasse vorazmente sobre nós.

"Se aquela mulher da espingarda nos descobre, estamos fritos", disse Dean. "*Temos* que conseguir um táxi, só assim estaremos salvos." Estávamos a ponto de acordar uma família da vizinhança para usar seu telefone, mas um cão nos manteve a distância. A cada minuto as coisas ficavam mais perigosas; o carro acabaria sendo encontrado arruinado, no milharal, por algum camponês madrugador. Uma velhinha adorável nos deixou usar seu telefone e finalmente chamamos um táxi no centro de Denver, mas o táxi não apareceu. Nos arrastamos estrada abaixo. O trânsito matinal começava e cada carro parecia da polícia. Então, de repente, vimos mesmo um camburão e eu percebi que aquilo era o fim da minha vida tal como eu a conhecia e o início de um novo e horrível período de prisões e mágoas encarceradas. Mas, na verdade, o camburão era o nosso táxi, e daquele momento em diante já nos sentimos voando rumo ao Leste.

Na agência de viagens havia uma oferta inacreditável: alguém teria de levar um Cadillac limusine 1947 até Chicago. O dono vinha dirigindo desde o México com sua família e estava exausto; enfiou todos num trem. Tudo o que ele queria era ver os documentos e que o carro chegasse lá inteiro. Meus papéis lhe asseguraram que tudo correria bem. Disse-lhe que não se preocupasse. Alertei Dean: "E vê se te comporta bem com esse carro!" Dean saltitava de excitação. Tivemos de esperar uma hora. Deitamos na grama próxima à igreja onde em 1947 eu tinha passado alguns momentos com os vagabundos depois de acompanhar Rita Bettencourt até a casa dela, e ali adormeci de puro horror e exaustão, com o rosto voltado para os pássaros do entardecer. Na verdade, havia uma música de órgão tocando em algum lugar. Dean saiu para dar uma volta pela cidade. Conheceu uma garçonete numa lanchonete, marcou encontro e ficou de apanhá-la naquela mesma tarde com o Cadillac; retornou para me acordar com as novidades. Eu já estava me sentindo melhor. Levantei para encarar novas complicações.

Quando o Cadillac chegou, Dean se enfiou dentro dele imediatamente e arrancou para "botar gasolina", e o cara da agência olhou para mim e perguntou: "Quando é que ele volta? Os passageiros estão prontos para partir." Mostrou-me dois garotos irlandeses de um colégio jesuíta do Leste esperando sentados nos bancos com suas malas ao lado.

"Ele só foi pôr gasolina, volta num instante." Fui até a esquina e fiquei observando Dean enquanto ele esperava a garçonete mudar de roupa no seu quarto de hotel, com o motor ligado; na verdade, de onde eu estava, podia vê-la frente ao espelho, se arrumando, ajustando as meias de seda, e desejei poder acompanhá-los. Ela saiu correndo e saltou para dentro do Cadillac. Voltei para tranquilizar o dono da agência e os passageiros. Parado na porta vi, num relance, o Cadillac cruzando a Cleveland Place com Dean, exultante e de camiseta, agitando as mãos e conversando com a garota, curvado sobre o volante enquanto ela permanecia sentada, melancólica e orgulhosa ao lado dele. Foram a um estacionamento, em plena luz do dia, pararam o Cadillac junto a um muro nos fundos (era um estacionamento onde Dean já trabalhara antes), e ali, ele garantiu, transou com ela num piscar de olhos; não apenas isso, mas também conseguiu persuadi-la a nos seguir para o Leste assim que recebesse seu pagamento na sexta-feira; ela deveria pegar um ônibus e juntar-se a nós no apê de Ian MacArthur na avenida Lexington, em Nova York. Ela concordou; chamava-se Beverly. Em meia hora Dean voltou, largou a garota no hotel, entre beijos, promessas, despedidas e zuniu até a agência para apanhar sua tripulação.

"Já não era sem tempo", disse o chefe da agência. "Pensei que você tinha dado no pé com o Cadillac."

"Está tudo sob minha responsabilidade", falei, "não se preocupe." E eu disse isso porque Dean estava num estado tal de excitação que qualquer um poderia perceber o seu grau de loucura. Dean adquiriu um ar sóbrio e compenetrado, ajudando os garotos jesuítas com suas bagagens. Eles mal haviam sentado e eu nem bem havia me despedido de Denver, e Dean já havia arrancado ferozmente, com o poderoso motor funcionando com sua potência descomunal. Nem cinco quilômetros depois de Denver, o velocímetro quebrou, porque Dean estava indo a mais de 170 quilômetros por hora.

"Bem, sem velocímetro não tenho como saber a que velocidade estou indo. Bom, vou tocar o pé na tábua até Chicago e depois calcularemos pelo tempo." Não parecia que estávamos nem a 100 por hora, mas todos os outros carros ficavam para trás como moscas abatidas naquela autoestrada sem curvas que ia em direção a Greeley. "A razão pela qual estamos nos dirigindo para o Nordeste é porque, Sal, simplesmente temos que conhecer o rancho de Ed Wall em Sterling, você tem que conhecê-lo e ver o rancho dele e essa... Essa barca aqui é tão veloz que podemos fazer isso sem a menor perda de tempo e ainda chegarmos a Chicago muito antes do trem do homem." Aceitei a ideia numa boa. Começou a chover, mas Dean não aliviou o pé. Era um carrão maravilhoso, a última das limusines no velho estilo – preta, com a estrutura esguia e alongada, pneus de banda branca e provavelmente até com vidros à prova de bala. Os garotos estudantes jesuítas – de St. Bonaventura – iam no banco de trás, festivos e felizes por se encontrarem a caminho, e não tinham a menor ideia da velocidade em que estávamos indo. Tentaram puxar assunto, mas Dean não respondeu nada, tirou a camiseta e continuou dirigindo, nu da cintura para cima. "Oh, essa tal de Beverly é uma garota e tanto – vai se encontrar comigo em Nova York –, vamos casar assim que eu me divorciar de Camille – tudo está dando certo, Sal, nós estamos na estrada. Uau, podes crer!" Quanto mais rápido nos afastávamos de Denver, melhor eu me sentia. E realmente estávamos voando. Escurecia quando saímos da autoestrada em Junction e entramos numa estradinha de terra que nos conduziria ao rancho de Ed Wall, através das planícies lúgubres do leste do Colorado, em Coyote, onde o diabo perdeu as botas. Mas continuava chovendo, a lama estava escorregadia e por isso Dean reduziu para 120; pedi-lhe que reduzisse ainda mais, ao que ele respondeu: "Não se apavore, homem, você me conhece!".

"Desta vez não!", garanti, "você tá indo rápido demais." E enquanto voávamos sobre aquele barro escorregadio, bem na hora em que eu dizia isso, foi preciso fazer uma curva fechada para a esquerda e Dean agarrou o volante com firmeza, mas aquele carro enorme derrapou no lamaçal e dançou assustadoramente.

"Cuidado!", gritou Dean, que não estava nem aí, estava apenas tendo um breve desentendimento com seu Anjo da Guarda, enquanto o Cadillac deslizava, indo parar só depois que sua traseira caiu num valo e a frente ficou atravessada na estrada. Um silêncio pesado caiu sobre tudo. Podíamos ouvir o uivar furioso do vento. Estávamos no meio da pradaria selvagem. Havia uma fazenda a uns quinhentos metros dali. Não conseguia parar de praguejar, estava furioso com Dean. Sem dizer uma só palavra, ele dirigiu-se à fazenda sob a chuva, com um casaco, em busca de ajuda.

"É seu irmão?", perguntaram os garotos do banco de trás. "Ele é um demônio ao volante, não? – e pelo que vem contando, também deve ser com as mulheres."

"Ele é doido mesmo", respondi, "e é meu irmão, sim". Vi Dean retornando no trator do fazendeiro. Eles prenderam o carro com umas correntes e o fazendeiro nos tirou do valo.

O carro estava coberto de lama e o para-choque de trás ficou arruinado. O fazendeiro nos cobrou cinco dólares. Suas filhas espiavam, sob a chuva. A mais bonita, e a mais envergonhada também, escondia-se lá longe no campo e parecia ter boas razões para isso, já que era absolutamente a mais linda garota que Dean e eu jamais havíamos visto em toda nossa vida. Tinha uns dezesseis anos e a pele como a de uma rosa das planícies, olhos azulíssimos, um cabelo encantador, e a timidez e a agilidade de um antílope selvagem. A cada olhar nosso, ela estremecia. Estava lá, com a ventania que soprava direto de Saskatchewan balançando seus cabelos acima de sua graciosa cabeça como anéis vivos, como um sudário. Ela não parava de corar.

Terminados nossos negócios com o fazendeiro, lançamos um último olhar para o anjo da pradaria e caímos fora, com mais calma agora, até que a escuridão nos envolveu por completo e Dean disse que o rancho de Ed Wall era logo ali. "Oh, uma garota como aquela me apavora", falei, "seria capaz de abandonar tudo e deixar minha vida nas mãos dela e se ela não me quisesse, eu simplesmente me jogaria do abismo à beira do mundo." Os meninos jesuítas riram baixinho. Estavam sempre soltando gracejos banais ou resmungando aquele velho papo-furado dos colégios do Leste. Não tinham nada em seus miolos moles, só a velha decoreba de Santo Tomás de Aquino mal compreendido. Dean e eu simplesmente não dávamos a menor pelota para eles. Enquanto cruzávamos as planícies enlameadas, ele contava histórias de seus dias de caubói e apontava para o pedaço de estrada onde passara uma manhã inteira cavalgando e, assim que entramos na propriedade de Ed Wall, que era imensa, mostrou o local onde havia consertado as cercas e também onde o velho Wall, o pai de Ed, costumava vir de automóvel e cruzar o campo saltitando sobre os cocorutos nos gramados atrás de um bezerro desgarrado, gritando: "Pega! Pega! Raios!". "A cada seis meses ele precisava comprar um carro novo", contou Dean, "simplesmente não se preocupava com eles. Quando um novilho fugia, ele ia atrás dele de carro até a fonte mais próxima e aí saltava e fazia o resto da perseguição a pé. Contava cada centavo que lucrava e guardava tudo numa jarra, o velho rancheiro maluco! Vou te mostrar os carros espatifados perto do dormitório dos rapazes. Foi para cá que vim em liberdade condicional depois da minha última condenação. Era aqui que vivia quando escrevi aquelas cartas para Chad King que você leu." Saímos da estrada e entramos por uma trilha que serpenteava entre as pastagens de inverno. Um tristonho bando de vacas de focinho branco na noite escura atravessou à frente dos nossos faróis. "Lá estão elas! As vacas de Wall. Jamais conseguiremos passar entre elas. Teremos que sair do carro e assustá-las. Hii-hiia hii!!" Mas não foi preciso fazê-lo, bastou irmos avançando lentamente entre o rebanho, às vezes batendo gentilmente nelas, enquanto mugiam e giravam como um mar revolto em volta das portas do carro. Mais além, vimos a luz do rancho de Ed Wall. Em torno dessa luz solitária estendiam-se centenas de quilômetros de planícies.

O tipo de escuridão – as trevas absolutas! – que cai sobre uma pradaria como aquela é inconcebível para um habitante do Leste. Não havia estrelas, lua, nem uma única luz além do clarão distante da cozinha da senhora Wall. O que se espalhava para além das sombras do pátio era uma vista infinita do mundo, mas que só poderia ser divisada depois do amanhecer. Depois de bater na porta e chamar por Ed Wall no escuro – ele estava ordenhando as vacas no curral – dei uma pequena e cuidadosa caminhada na escuridão, uns seis metros e nada mais. Pensei ter ouvido coiotes. Wall disse que provavelmente era um dos cavalos selvagens de seu pai relinchando ao longe. Ed Wall tinha mais ou menos a nossa idade; era alto, esguio, lacônico, de dentes separados. Ele e Dean costumavam vadiar pelas esquinas da Curtis assobiando pras garotas. Desta vez ele nos conduziu delicadamente para sua sala sombria, escura e pouco usada, e procurou por ali até encontrar um candeeiro que acendeu, dizendo para Dean: "Que raio aconteceu com esse teu dedo?".

"Dei um soco em Marylou e o dedo acabou ficando tão infeccionado que tiveram que amputar a ponta dele."

"Por que cargas d'água você fez isso?" Percebi que ele tinha sido uma espécie de irmão mais velho para Dean. Balançou a cabeça; o jarro de leite continuava a seus pés. "Você sempre foi um filho da puta desmiolado mesmo."

Enquanto isso, na ampla cozinha da fazenda, sua jovem esposa nos preparou uma ceia magnífica. Pediu desculpas pelo sorvete de pêssego: "Não passa de uma mistura de nata e pêssegos congelados". Claro que foi o único sorvete verdadeiro que comi em toda a minha vida. Ela começou nos servindo com moderação e terminou atingindo a abundância; enquanto comíamos, novas delícias surgiam na mesa. Era uma loira benfeitinha de corpo, mas como todas as mulheres que vivem em espaços amplos e vastos, queixava-se da monotonia da região. Enumerou os programas de rádio que costumava escutar a essa hora da noite. Ed Wall permanecia sentado, calado, olhando para as próprias mãos. Dean comia vorazmente. Ele queria que eu alimentasse a história de que eu era muito rico e dono do Cadillac, e que ele era meu amigo e chofer. Mesmo assim, não conseguiu impressionar Ed Wall. Cada vez que o gado fazia algum ruído no estábulo, ele levantava a cabeça e aguçava os ouvidos, atento.

"Bem, espero que vocês cheguem a Nova York sem problemas." Longe de acreditar na lorota de que eu era dono do Cadillac, ele estava convencido de que Dean o havia roubado. Ficamos no rancho aproximadamente uma hora. Ed Wall tinha perdido a fé em Dean, como Sam Brady – olhava-o de rabo de olho, quando olhava. Aqueles dias tumultuados do passado, quando eles se arrastavam de braços dados pelas ruas de Laramie, Wyoming, após o fim das colheitas, estavam mortos e enterrados.

Dean pulava convulsivamente na cadeira. "Bom, bom,

e agora acho que é melhor irmos andando, porque temos que estar em Chicago amanhã à noite e já perdemos algumas horas." Os colegiais agradeceram delicadamente a Wall e lá fomos nós novamente para a estrada. Voltei-me para ver as luzes da cozinha que afundavam no mar da noite. Depois, me virei para a frente.

9

Num piscar de olhos estávamos de volta à estrada principal e naquela noite vi todo o estado de Nebraska desenrolando-se diante dos meus olhos. Cento e setenta quilômetros por hora, direto sem escalas, cidades adormecidas, tráfego nenhum, um trem da Union Pacific deixado para trás, ao luar. Eu não estava nem um pouco assustado aquela noite; me parecia algo perfeitamente normal voar a 170, conversando e observando todas as cidades do Nebraska – Ogallala, Gothenburg, Kearney, Grand Island, Columbus – se sucederem com uma rapidez onírica enquanto seguíamos viagem. Era um carro magnífico; portava-se na estrada como um navio no oceano. Longas curvas graduais eram seu forte. "Ah, homem, essa barca é um sonho", suspirava Dean. "Pense no que poderíamos fazer se tivéssemos um carro assim. Você sabia que existe uma estrada que cruza o México inteiro e vai até o Panamá? – talvez até o coração da América do Sul, onde os índios têm dois metros de altura e mascam coca o tempo inteiro nas encostas das montanhas? *Yeah*! Curtiríamos o mundo inteiro num carro como esse, você e eu, Sal, porque, na verdade, a estrada finalmente deve conduzir a todos os cantos do mundo. Não pode levar a outro lugar, certo? Oh, e daríamos umas boas voltas pela velha Chi, dentro dessa coisa! Pensa nisso, Sal, jamais pus meus pés em Chicago, jamais parei lá."

"Chegaremos lá como gângsteres nesse Cadillac."

"Exato! E as garotas! Poderemos ganhar as maiores garotas! Pra dizer a verdade, Sal, decidi fazer essa viagem numa velocidade extraespecial e então teremos uma noite inteira para dar umas voltas nessa caranga. Portanto, relaxa porque agora eu vou fundo, o tempo inteiro."

"Bom, a que velocidade você está indo agora?"

"Bem, calculo que uns 170, por aí – mas nem dá para perceber. Ainda temos o Iowa inteiro pela frente durante o dia, depois passarei voando pelo velho Illinois." Os garotos dormiam e nós fomos conversando a noite inteira sem parar.

Era impressionante a maneira como Dean podia ficar maluco e de repente seguir adiante calma e normalmente, como se nada tivesse acontecido – o que me parecia ligado a um carro veloz, a uma costa a ser atingida o mais rapidamente possível e a uma mulher o aguardando no final da estrada. "Agora fico sempre assim quando passo por Denver – não suporto mais aquela cidade. Asma e cataplasma, Dean é um fantasma. Zum!" Contei a ele que já tinha passado por essa estrada do Nebraska, em 1947. Ele também. "Sal, quando eu estava trabalhando na lavanderia *Nova Era,* em Los Angeles, em 44, depois de ter falsificado minha idade, fiz uma viagem até o autódromo de Indianápolis com a expressa determinação de assistir à clássica corrida do *Memorial Day* pedindo carona de dia e roubando carros à noite para ganhar tempo. Lá em Los Angeles, eu já tinha um Buick que custara uns míseros vinte dólares, meu primeiro carro, mas ele não estava em condições de passar por uma vistoria, já que estava sem luz e sem freio; por isso decidi que precisava de uma placa de fora do estado para dirigir sem ser preso, então vim até aqui para conseguir a tal da placa. E quando estava pedindo uma carona numa destas insignificantes cidades aí da beira da estrada, com as placas escondidas sob o casaco, um xerife abelhudo, que achou que eu era jovem demais para estar viajando de carona, me abordou no acostamento. Encontrou as placas e me enfiou numa prisão junto com um delinquente local que deveria estar num asilo e não num cárcere, já que não conseguia nem mesmo se alimentar (a mulher do xerife lhe dava comida na boca) e ficava o dia inteiro sentado, babando e gemendo. Depois das respectivas investigações – que incluíram encheções de saco do tipo sermão paternal seguido de uma brutal reviravolta para me atemorizar com ameaças terríveis, o estudo da minha letra etc., e depois de ter feito o mais magnífico discurso da minha vida para me ver livre, concluindo com a confissão de que tudo que eu dissera sobre roubos de carros anteriores era mentira e que eu apenas estava ali procurando por meu pai que trabalhava numa fazenda das redondezas, ele me deixou partir. Claro que perdi as corridas. No outono seguinte, fiz outra vez o mesmo percurso para assistir ao jogo entre Notre Dame e Califórnia, em South Bend, Indiana, desta vez sem problemas, Sal, mas só tinha a grana para a entrada, nem um centavo a mais, e não comi absolutamente nada na ida e na volta, a não ser o pouco que conseguia mendigar de todos os tipos de malucos que iam cruzando pela estrada afora e das putas também. Fui o único sujeito em todos os Estados Unidos da América que se sujeitou a tamanhas dificuldades só para assistir a um jogo de beisebol."

Perguntei a ele quais tinham sido as circunstâncias de sua passagem por LA em 1944: "Fui preso no Arizona, a prisão simplesmente era a pior em que jamais estive. Tinha que escapar e essa foi a mais extraordinária fuga da minha vida, falando de fugas de um modo geral, entende? Pelas florestas rastejando, sabe como é, e pelos pântanos – por toda aquela região montanhosa. Se fosse pego, o que me aguardava eram cassetetes de borracha, trabalhos forçados ou a assim chamada 'morte acidental'. Por isso tive que caminhar pelo meio da floresta, evitando estradas, trilhas ou caminhos. Tinha que me livrar das minhas roupas de presidiário, e realizei o mais cuidadoso furto de uma calça e uma camisa em um posto de gasolina na saída de Flagstaff, chegando em LA dois dias depois, vestido de mecânico e indo direto até a oficina mais próxima, arranjando um quarto, trocando de nome (Lee Buliay) e passando um ano excitadíssimo em LA, que incluiu toda uma turma de novos amigos e garotas incríveis, com a temporada terminando quando todos nós estávamos dirigindo pelo Hollywood Boulevard certa noite e eu disse para um dos meus camaradas segurar a direção enquanto eu beijava minha garota – era eu quem estava dirigindo, claro – e ele *não me ouviu* e nos esborrachamos contra um poste, mas estávamos apenas a trinta por hora e eu só quebrei o nariz. Você já viu meu nariz, não? Essa curvatura grega meio torta aqui em cima. Depois disso, fui para Denver e encontrei Marylou numa lanchonete, nessa primavera. Oh, cara, ela tinha apenas quinze anos, vestia jeans e estava só esperando que alguém viesse e a pegasse. Três dias e três noites de conversas no Ace Hotel, terceiro andar, quarto do canto sudeste, um quarto repleto de lembranças sagradas dos meus dias. Oh, ela era tão singela, tão *nova*, hmm, ahh! Mas ei, olha só ali, na escuridão da noite: uau, uau, um bando de velhos vagabundos em volta da fogueira, na beira dos trilhos, que loucura!" Quase diminuiu a velocidade. "Nunca consigo saber se meu pai está ali ou não, entende?" Havia alguns tipos pelas trilhas, trôpegos, à beira da fogueira. "Nunca sei o que perguntar. Ele pode estar em qualquer lugar." Seguimos em frente. Em algum lugar, atrás de nós ou à nossa frente, sob o imenso manto da noite, numa moita qualquer, seu pai sem dúvida alguma jazia bêbado, baba no queixo, xixi nas calças, cera nos ouvidos, meleca no nariz, e talvez até um pouco de sangue nos cabelos, e a lua brilhando sobre ele.

Agarrei o braço de Dean. "Ah, cara, estamos indo pra casa, pode crer!" Ele iria fixar residência em Nova York pela primeira vez na vida. Por isso, tinha arrepios, já não conseguia esperar mais.

"E pensa, Sal, assim que chegarmos à Pensilvânia começaremos a ouvir outra vez aquele doido bop do Leste, nos programas de rádio. Uau, vamos lá, vou pisar fundo nessa velha barca!", e aquele magnífico carro fazia o vento rugir, fazia as planícies se desenrolarem como um rolo de papel. Suas rodas fabulosas lançavam faíscas flamejantes de asfalto derretido – uma barca imperial! Abri os olhos para uma claridade incipiente: estávamos mergulhando em direção ao amanhecer. O rosto duro e obstinado de Dean estava, como sempre, iluminado pelas luzes do painel, denunciando sua típica e ossuda determinação.

"Ei, Pops, em que você está pensando?"

"Ah-ha, ah-ha, no mesmo de sempre, é claro – garotas, mulheres, meninas!"

Adormeci e acordei na atmosfera quente e seca de uma manhã de domingo no verão de Iowa, e Dean ainda estava dirigindo e não havia baixado a velocidade; entrava a mil nas curvas que serpenteavam entre as ondulantes várzeas cultivadas do Iowa, no mínimo a 120, nas retas ele mantinha os 170 habituais, a não ser que o tráfego de ambos os lados o forçasse a reduzir e arrastar-se a míseros noventa quilômetros por hora. Quando havia uma mínima chance, ele se lançava em frente e ultrapassava meia dúzia de carros de uma só vez, deixando-os para trás numa nuvem de poeira. Um sujeito muito doido, com um Buick novíssimo, viu tudo isso acontecendo e decidiu competir conosco. Quando Dean estava prestes a ultrapassar uma fila de carros, o cara passou voando sem avisar, buzinando loucamente e com as luzes traseiras piscando, num desafio. Como um pássaro sequioso, Dean arrancou atrás dele. "Peraí", riu ele, "agora vou implicar com esse filho da puta durante vários quilômetros. Olha só!" Deixou o Buick distanciar-se um pouco e depois acelerou e o abordou da forma mais indelicada possível. O louco do Buick indignou-se; acelerou até 160. Tivemos então a chance de ver quem estava dirigindo. Parecia ser uma espécie de *hipster* de Chicago viajando com uma mulher velha o suficiente para ser – e provavelmente era – sua mãe. Sabe Deus o quanto ela deveria estar reclamando, mas ele competia conosco. Seu cabelo era escuro e desgrenhado, um italiano louco da velha Chicago; vestia uma camisa esporte. Talvez estivesse pensando que fôssemos uma nova gangue de LA invadindo Chicago, talvez fôssemos até alguns dos homens de Mickey Cohen, afinal a limusine levava o maior jeito e as placas eram da Califórnia. Mas muito possivelmente era apenas mais uma loucura da estrada. Ele fez de tudo para tentar manter-se à nossa frente; realizava ultrapassagens arriscadíssimas em curvas fechadas e mal teve tempo de desviar-se e retornar ao seu lado da pista quando um imenso caminhão surgiu no sentido oposto e passou zunindo por ele. As coisas iam assim nos 150 quilômetros de estradas do Iowa, e a corrida estava tão interessante que nem tive tempo para sentir medo. Então, o maluco desistiu, parou num posto de gasolina provavelmente sob as ordens da velha, e enquanto passávamos rugindo ele nos abanou jovialmente. Lá íamos nós, Dean nu da cintura para cima, eu com os pés no painel, os colegiais roncando no banco de trás. Paramos para tomar o café da manhã num boteco na estrada atendido por uma senhora de cabelos brancos que nos serviu porções gigantescas de batatas enquanto os sinos repicavam na cidadezinha do lado. Depois, partimos outra vez.

"Dean, vê se não dirige tão rápido assim durante o dia."

"Não se preocupe, homem, eu sei o que estou fazendo." Fiquei trêmulo. Como o Anjo do Terror, Dean ultrapassava longas filas de carros. Quase abalroava os outros veículos enquanto forçava uma brecha, roçava nos para-choques deles, desviava, inclinava-se, esticava o pescoço para ver além da curva seguinte e então, a um toque seu, o Cadillac saltava – ele ultrapassava sempre por um fio e retornava para o nosso lado da estrada enquanto os carros que vinham em sentido oposto quase se amontoavam uns sobre os outros e eu sentia um calafrio. Já não podia aguentar mais tudo aquilo. No Iowa, é muito raro encontrar longas retas como as de Nebraska, e quando Dean finalmente encontrava, retomava seus habituais 170 quilômetros por hora e várias cenas que me relembravam 1947 relampejavam pela janela – uma longa reta na qual Eddie e eu ficamos encalhados duas horas. Toda aquela velha estrada do passado desenrolava-se vertiginosamente como se a taça da vida tivesse sido entornada e tudo houvesse enlouquecido. Meus olhos ardiam naquele pesadelo acordado.

"Porra, Dean, não suporto mais, vou pro banco de trás, já não posso nem olhar."

"Hii-hii-hii!", riu ele diabolicamente, ultrapassando um carro numa ponte estreita e lançando furiosos redemoinhos de poeira, rugindo em frente. Saltei para o banco de trás e me enrosquei para dormir. Um dos meninos passou para a frente, ele queria se divertir. A pavorosa certeza de que iríamos fatalmente bater com o carro naquela exata manhã me dominou por completo e eu me atirei no chão do Cadillac, fechei os olhos e tentei dormir. Quando era marinheiro, costumava pensar nos vagalhões que se chocavam contra o casco do navio, lembrando das incomensuráveis profundezas lá de baixo – agora, eu podia sentir a estrada apenas cinquenta centímetros abaixo de mim, desenrolando-se, voando e sibilando a velocidades incríveis através do sofrido continente com aquele maluco ao volante. Quando fechava os olhos, tudo que via era a estrada sendo devorada debaixo de mim. Quando os abria, podia ver sombras cintilantes das árvores deslizando pelo chão do carro. Não havia escapatória. Resignei-me. E Dean continuava dirigindo, não pretendia dormir até que chegássemos a Chicago. Ao entardecer, cruzamos mais uma vez pela velha Des Moines. Ali, é claro, fomos contidos pelo fluxo do tráfego, tivemos de diminuir a velocidade e eu retornei ao banco da frente. Um acidente estranho, patético, nos atrasou um pouco mais. Um negro gordo estava dirigindo um sedã à nossa frente, com a família inteira dentro; no para-choque traseiro ele levava um daqueles sacos de lona com água que costumam vender pros turistas no deserto. O carro travou bruscamente; Dean, que vinha conversando com os garotos no banco de trás, não percebeu, e entramos no sedã a dez por hora, rebentando a lona como um furúnculo, esguichando água pra todo lado. Não aconteceu nada, apenas um para-choque amassado. Dean e eu saímos do carro para falar com o homem. O resultado foi uma rápida troca de endereços e alguma conversa; Dean não tirou os olhos da mulher do cara, cujos maravilhosos seios morenos mal cabiam na blusa de algodão frouxa. "Beleza, beleza." Demos o endereço do nosso barão de Chicago e saltamos fora.

Do outro lado de Des Moines, um carro policial nos seguiu com a sirene ligada e ordenou que estacionássemos no acostamento. "E agora, o que há?"

O guarda desceu. "Vocês tiveram um acidente na entrada da cidade?"

"Acidente? Quebramos o reservatório de água dum sujeito, só isso."

"Ele disse que um carro roubado com um bando dentro bateu no dele e fugiu." Foi uma das únicas vezes em que Dean e eu ouvimos falar de um negro agindo como um idiota. Aquilo nos surpreendeu tanto que chegamos a rir. Tivemos de seguir o patrulheiro até a delegacia e passamos uma hora lá, atirados na grama, enquanto eles telefonavam para Chicago para falar com o dono do Cadillac e verificar nossa condição de motoristas contratados. Segundo o guarda, o Sr. Barão falou: "Sim, o carro é meu, mas não me responsabilizo por nada que eles tenham feito".

"Tiveram um pequeno acidente em Des Moines."

"Sim, você já me disse isso – o que quero dizer é que não me responsabilizo por nada que eles possam ter feito no passado."

Tudo ficou acertado e rugimos em frente. Cruzamos Newton, Iowa, onde eu havia dado aquela caminhada numa madrugada de 1947. De tarde, passamos outra vez pela sonolenta Davenport, e o Mississippi ressequido corria lentamente sobre seu leito de barro vermelho; e então Rock Island, mais alguns minutos de trânsito engarrafado, o sol ficando vermelho e visões instantâneas dos afluentes pequenos e encantadores serpenteando vagarosamente sob árvores mágicas, entre o verdor do Illinois, no meio da América. Outra vez a paisagem começava a lembrar o Leste ameno e singelo. O grande e seco Oeste fora conquistado e vencido. O estado do Illinois desfraldava-se ante meus olhos num único e vasto movimento que se prolongava por horas enquanto Dean pisava fundo, mantendo sempre a mesma velocidade. Em sua fadiga, ele se arriscava mais do que nunca nas ultrapassagens. Numa ponte estreita que atravessava um desses lindos riachos, ele se lançou precipitamente em uma situação quase irremediável. Dois carros vagarosos à nossa frente já sacolejavam sobre a ponte; do lado de lá da pista vinha se aproximando um imenso caminhão cujo motorista estava calculando aproximadamente quanto tempo os carros lentos levariam para vencer a ponte, e sua estimativa era de que, quando ele chegasse lá, a ponte já estaria livre. Não havia absolutamente espaço na ponte para o caminhão e qualquer outro carro vindo na direção oposta. Atrás do caminhão surgiam, vez ou outra, carros que espreitavam uma chance de ultrapassá-lo. Na frente dos carros vagarosos, outros carros vagarosos se arrastavam. A estrada estava lotada e todo mundo louco para ultrapassar. Dean caiu sobre tudo isso a 170 por hora e nem hesitou. Ultrapassou os carros mais lentos, deu uma guinada, quase bateu na balaustrada esquerda, mergulhou direto na sombra assustadora do impassível caminhão, gingou na hora exata para a direita, escapou da roda dianteira esquerda do caminhão, quase se engavetou no primeiro carro lento, cortou outra vez para a esquerda e teve de retornar rapidamente para a mesma fila, já que outro carro saiu de trás do caminhão para espreitar a estrada, tudo isso em questão de dois segundos, num ritmo alucinante, deixando para trás apenas uma nuvem de poeira em vez de um acidente terrível envolvendo cinco carros, cada um despencando para um lado da ponte e o enorme caminhão capotando no entardecer rubro e fatal do Illinois com seus campos de sonhos. Não conseguia tirar da cabeça também que há pouco tempo um famoso clarinetista de bop tinha morrido em um acidente de carro no Illinois, provavelmente num dia como aquele. Voltei para o banco de trás.

Os garotos também resolveram ficar lá atrás. Dean estava decidido a chegar em Chicago antes do anoitecer. No cruzamento com os trilhos do trem, apanhamos dois vagabundos que contribuíram com cinquenta centavos para a gasolina. Momentos antes estavam sentados em caixotes ao lado dos trilhos de trem bebendo o último gole de uma garrafa de vinho barato, e agora se encontravam sentados num Cadillac limusine todo enlameado, mas esplêndido e empertigado, dirigindo-se a Chicago com urgente impetuosidade. Na verdade, o velho que sentou na frente, ao lado de Dean, jamais despregou os olhos da estrada, e – posso assegurar – rezou suas orações esfarrapadas de vagabundo. "Bem", diziam, "jamais imaginávamos que poderíamos chegar a Chicago tão rápido". Ao atravessarmos as sonolentas cidades do Illinois, onde as pessoas estão cansadas de ver gangues de Chicago passarem todos os dias em suas limusines, exatamente como nós, certamente oferecíamos um espetáculo estranho: todos com a barba por fazer, o motorista sem camisa, dois vagabundos, e eu no banco de trás agarrado no cinto de segurança, com a cabeça apoiada no encosto lançando um olhar imperial para a atônita zona rural exatamente como se uma nova gangue da Califórnia chegasse para disputar os despojos de Chicago; um bando de desesperados escapando das prisões da lua de Utah. Quando paramos para colocar gasolina e tomar uma Coca-Cola no posto de uma cidade pequena, as pessoas saíram para nos olhar, sem uma só palavra, creio que estavam anotando mentalmente nossos pesos e medidas para o caso de futuras informações. Para tratar de negócios com a menina que atendia no posto, Dean simplesmente enfiou sua camiseta como um cachecol, e foi brusco e abrupto como sempre; em seguida retornou ao carro e nos mandamos outra vez. Em breve, o vermelhão do pôr do sol se tornou púrpura, o último dos rios encantados passou num lampejo, e então vimos a fumaça distante de Chicago no fim da estrada. Tínhamos vindo de Denver a Chicago, passando pelo rancho de Ed Wall – são 1.880 quilômetros, exatamente em dezessete horas, sem contar as duas horas na valeta, três no rancho e duas na polícia, em Newton, Iowa, uma média de 120 por hora, com um motorista apenas. O que é alguma doida espécie de recorde.

10

A imensa Chicago reluzia rubra diante de nossos olhos. De repente, lá estávamos nós na rua Madison, entre hordas de vagabundos, vários deles esparramados pelas calçadas com os pés na sarjeta, centenas de outros agrupados pelas portas dos *saloons* ou pelos becos. "Opa, opa, olhos abertos à procura do velho Dean Moriarty que, por acidente, poderá estar em Chicago agora!" Deixamos para trás os vagabundos da Madison e prosseguimos rumo ao centro de Chicago. Trólebus rangendo, jornaleiros, meninas desfilando, o cheiro de fritura e cerveja no ar, néons piscando: "Estamos na cidade grande, Sal! Iuupii!" A primeira providência era estacionar o Cadillac num lugar retirado e escuro e nos lavarmos e nos prepararmos para a noite. Do outro lado da rua, em frente à ACM, encontramos um beco estreito entre muros de tijolos avermelhados, e ali mesmo enfiamos o Cadillac com o focinho apontado na direção da rua, pronto para partir. Acompanhamos os colegiais até a ACM, onde eles alugaram um quarto e nos emprestaram as instalações por uma hora. Dean e eu nos barbeamos e tomamos um banho; deixei minha carteira cair no vestíbulo, Dean a encontrou e já ia enfiando-a sorrateiramente na camisa quando viu que era nossa, e ficou tremendamente desapontado. Então demos tchau para os garotos, que estavam exultantes por terem conseguido chegar inteiros, e saímos para comer numa lanchonete. Velha e escurecida Chicago, seus tipos esquisitos, metade do Leste, metade do Oeste, podem ser vistos cuspindo no chão a caminho do trabalho. Na lanchonete Dean passou o tempo inteiro alisando a barriga e observando tudo que se desenrolava em volta. Quis puxar conversa com uma negra estranha, de meia-idade, que entrou no bar contando uma história triste – tinha uns pãezinhos, mas não tinha dinheiro, será que lhe dariam um pouco de manteiga? Não deram, e ela, que entrara rebolando as cadeiras, saiu com o rabo entre as pernas. "Uau!", fez Dean. "Vamos segui-la, vamos levá-la pro Cadillac, lá no beco. Faremos uma festa!" Mas deixamos pra lá e fomos direto para a North Clark, depois de uma volta no Loop, para curtir as boates e ouvir bop. E que noite foi aquela! "Oh, homem", disse-me Dean enquanto estávamos na frente do bar, "vê quanta vida fluindo pela rua, os chineses que cruzam por Chicago. Que cidade estranha – uau, e aquela mulher debruçada na janela lá em cima, com os peitões saltando fora da camisola, olhando pra rua com olhões bem abertos. Ufa, Sal, temos que ir e não parar de ir até chegarmos lá."

"Chegarmos onde, homem?"

"Não sei, mas temos que ir." E então surgiu um grupo de jovens músicos de bop, desembarcando dos carros com seus instrumentos. Amontoaram-se em frente à boate e entraram; fomos atrás deles. Instalaram-se no palco e começaram a tocar. E lá estávamos nós! O líder era um tipo esbelto, desanimado, de cabelos crespos e boca franzida, ombros estreitos, metido numa camisa esporte larga, de cabeça feita na noite suave, e um ar de autopiedade estampado em seu olhar; ele apanhou seu sax, franziu as sobrancelhas e começou a soprar, *cool* e complexo, marcando o ritmo com o pé, com estilo, esquivando-se para se afastar dos outros, dizendo um "vai" quase inaudível quando algum dos rapazes se lançava num solo. A seguir, lá estava Prez, um loiro rouco, robusto, elegante como um *boxeur* sardento, cuidadosamente envolto num terno de rayon xadrez, de talhe longo, de uma elegância desarrumada com o colarinho para trás e a gravata desfeita para dar o tom exato de desalinho e indiferença, suando e agarrado ao sax, entrelaçado nele, tocando como se fosse o próprio Lester Young. "Veja só, cara, Prez tem as ansiedades técnicas de um músico comercial, a fim de grana, é o único que está bem-vestido, e... repara como ele fica bravo quando desafina, mas o líder da banda, aquele gato maneiro, lhe dá uns toques pra não se preocupar e apenas tocar e tocar – o som em si e a exuberância compenetrada da música, isso é tudo que *lhe* que importa! É um artista, ele está orientando o jovem Prez, o *boxeur*. Mas agora olha só os outros!" O sax-alto, o terceiro, estava nas mãos de um luminoso jovem negro, estilo Charlie Parker, um garoto de dezoito anos, do colegial, com uma bocona escancarada, mais alto do que os outros, e grave. Ergueu seu sax e gemeu calma e pensativamente, extraindo frases como pássaros, como se fosse o próprio Bird Parker, e deixando-as suspensas no ar com a lógica arquitetônica de Miles Davis. Eram os herdeiros dos grandes inovadores do bop.

Outrora fora Louis Armstrong, mandando ver nos lamaçais de Nova Orleans; antes dele, os músicos loucos que entravam nas paradas, aos feriados, e desfaziam as marchas marciais transformando-as em *ragtime*. Surgiu então o *swing* e Roy Eldridge, vigoroso e viril, quase rebentando seu trumpete ao arrancar dele sonoras ondas de poder, lógica e sutileza – inclinado, com os olhos radiantes e um sorriso encantador –, irradiando-as, para fazer gingar todo o mundo do jazz. Chega então a vez de Charlie Parker entrar em cena, ele era apenas um garoto no casebre de madeira de sua mãe em Kansas City soprando seu sax-alto todo remendado, entre as tábuas, praticando nos dias de chuva, fugindo vez ou outra para assistir à banda do velho Basie e de Benny Moten, que tinha Hot Lips Page e todo o resto – e então Charlie Parker saiu de casa e foi para o Harlem encontrar o louco Thelonius Monk e Gillespie, mais louco ainda –; Charlie Parker, que na mocidade, quando estava pirado, movia-se em círculos enquanto tocava. Um pouco mais jovem do que Lester Young, também nascido em Kansas City, aquele bobalhão santo e sombrio no qual está envolta toda a história do jazz porque, ao erguer seu sax, retilíneo e horizontal, sempre colado à boca, ele tocava melhor do que qualquer outro; e à medida que seu cabelo ficava mais comprido e ele ia ficando mais preguiçoso e desleixado, o sax caiu à meia altura; até que ficou definitivamente apontado para baixo e hoje, calçando seus sapatos de solado grosso para não se desgastar nas calçadas da vida,

Young sustenta debilmente seu sax, mantendo-o sempre de encontro ao peito, soprando notas fáceis – *cool*, ainda assim. Cá estavam os filhos da noite bop americana.

Flores mais exóticas ainda – pois, enquanto o negro do sax-alto divagava seu som com dignidade acima de todas as cabeças, o garoto loiro, alto e delgado, da rua Curtis, em Denver, de jeans e cinto tacheado, mamava no bocal de seu sax, esperando que os outros encerrassem seus solos; e quando eles acabaram, ele começou e você tinha que olhar para todos os lados procurando saber de onde saía aquele som, porque ele nascia em sorridentes lábios angelicais pousados no bocal, e era um solo sereno, melodioso – um conto de fadas narrado por um sax-alto. Solitário como a América, um som visceral sob o manto da noite.

E quanto aos outros e toda sua sonoridade? Bem, havia um contrabaixista ruivo e hirsuto, olhos loucos, requebrando as ancas contra o corpo do baixo a cada golpe que desferia nas cordas; no clímax de seu solo, ele ficava boquiaberto, como que em transe. "Cara, taí um gato capaz de *dobrar* sua garota." O baterista melancólico, como aquele nosso *hipster* branco da Folsom Street em São Francisco, estava completamente apalermado, olhos esbugalhados fitando o vazio, mascando chiclete, girando o pescoço num ímpeto reichiano, numa espécie de êxtase complacente. No piano, um italiano encorpado, parecia um jovem caminhoneiro com mãos carnudas, uma alegria robusta e solícita. Eles tocaram durante uma hora. Ninguém estava prestando atenção. Velhos vagabundos da North Clark matavam tempo no bar, prostitutas zangadas gritavam. Passavam chineses misteriosos. O barulho dos cabarés interferia no som, mas eles iam em frente. Lá fora, na calçada, surgiu uma aparição – era um garoto nos seus dezesseis anos, com cavanhaque e um estojo de trombone. Magro como um espeto, cara de maluco, queria juntar-se ao grupo e tocar. Os rapazes já o conheciam e não estavam dispostos a perder tempo com ele. O garoto deslizou pelo bar, disfarçadamente puxou o trombone do estojo e o levou aos lábios. Não lhe deram a menor chance. Nem sequer olharam para ele. O grupo encerrou o show, guardou seus instrumentos e caiu fora, para tocar em outra freguesia. Queria ferver, o magro garoto de Chicago. Ele enfiou seus óculos escuros, levou o trombone aos lábios, sozinho no bar, e soltou um "Boooogh!" e logo depois saiu correndo atrás dos músicos. Mas eles não o deixariam tocar com eles – como os caras do time de futebol do campinho atrás do posto de gasolina. "Todos esses sujeitos moram com suas avós, como Tom Snark e o nosso sax-alto que era a cara de Carlo Marx", disse Dean. Aceleramos o passo atrás da banda. Eles entraram no clube de Anita O'Day, sacaram os instrumentos e tocaram até as nove da manhã. Dean e eu ficamos lá, entre cervejas.

Nos intervalos, corríamos até o Cadillac e tentávamos descolar umas garotas, rodando para cima e para baixo pelas ruas de Chicago. Nosso carro enorme, cheio de cicatrizes, profético, as aterrorizava. Em seu frenesi descontrolado, Dean dava marcha a ré de encontro aos hidrantes e ria como um maníaco. Pelas nove da manhã, o carro era uma ruína completa; o freio já não funcionava, os para-choques estavam destroçados, o câmbio rangia. Dean não conseguia mais parar nos sinais fechados, o carro continuava tremendo convulsivamente rua afora. Parecia uma velha bota enlameada e não uma limusine flamejante. Pagara o preço da noite! "Oba!" Os rapazes seguiam tocando no Neets.

De repente, Dean encarou fixamente um canto escuro atrás do palco e balbuciou: "Sal, Deus acaba de chegar".

Olhei. *George Shearing*. E, como sempre, estava com a cabeça de cego apoiada em sua mão pálida, com os ouvidos bem abertos, como orelhas de elefante, escutando os sons americanos e rearranjando-os à sua maneira inglesa e noturna. Exigiram que ele fosse lá e tocasse. Ele tocou. Tocou inumeráveis acordes, com notas surpreendentes cada vez mais altas, até que o suor respingasse todo o piano e todos o escutassem com reverência e temor. Depois de uma hora o conduziram para fora do palco. Ele retornou para seu canto escuro, o velho Deus Shearing; os rapazes comentaram: "Depois dele, não tem para mais ninguém".

Mas o esbelto líder da banda franziu as sobrancelhas e sentenciou: "Vamos tocar, mesmo assim".

Havia ainda algo a escutar. Sempre há mais, um pouco além, nunca acaba! Eles se esforçaram para encontrar novas frases musicais depois das explorações do infinito universo sonoro de Shearing. Tentaram arduamente. Retorceram-se, se enroscaram, sopraram. De vez em quando um gemido preciso e harmonioso sugeria uma nova melodia que algum dia poderia se transformar na única música do planeta Terra, enchendo de alegria os corações dos homens. Eles a encontravam, perdiam, lutavam por ela, encontravam-na de novo, riam, gemiam – e Dean suando em bicas na mesa os incentivava "vai, vai, vai". Às nove da manhã, todo mundo – músicos, garotas de *slack*, garçons e até o trombonista magrinho e infeliz – cambaleava do bar para o imenso rugido diurno de Chicago, para dormir até que a noite selvagem do bop renascesse outra vez.

Dean e eu estremecemos, maltrapilhos. Já estava na hora de devolver o Cadillac para seu dono, que morava em Lake Shore Drive, num prédio de apartamentos finíssimo, com uma enorme garagem no subsolo cuidada por negros encardidos de óleo. Dirigimos até lá e enfiamos um troço arruinado e enlameado no seu respectivo boxe. O mecânico nem reconheceu o Cadillac. Apresentamos os papéis. Olhou para eles e coçou a cabeça. Tínhamos de cair fora imediatamente. Caímos. Pegamos um ônibus de volta até o centro de Chicago e foi isso aí. E jamais ouvimos uma palavra do nosso barão da Chicago sobre o estado de seu carro, apesar de ele possuir nossos endereços para queixas e reclamações.

11

Já era hora de seguir adiante. Pegamos um ônibus para Detroit. Nosso dinheiro estava acabando. Nos arrastamos pela estação com nossa bagagem miserável. A essa altura o curativo de Dean estava quase tão preto como carvão e dependurado. Estávamos ambos com a aparência tão desgastada e maltrapilha quanto se pode estar depois de tudo que havíamos feito. Exausto, Dean caiu no sono no ônibus que rodava Michigan afora. Puxei conversa com uma garota deslumbrante, do interior, com uma blusa de algodão com um decote profundo que exibia o lindo bronzeado da parte superior de seus seios. Mas ela era bobinha. Ficava falando das noites no interior fazendo pipoca na varanda. Isso até poderia ter alegrado meu coração, mas já que o coração dela não estava alegre quando ela o contou, percebi que não havia nada ali além de uma ação banal. "E o que mais você faz para se divertir?" Eu estava tentando falar de namoro e sexo. Seus grandes olhos negros me fitaram, vazios, com uma espécie de contrariedade que remontava a gerações e gerações de seu próprio sangue por não ter feito o que clamava para ser feito – o que quer que fosse, e todo mundo sabe o que era. "O que você espera da vida?" Senti vontade de agarrá-la, de arrancar-lhe a resposta à força. Ela não tinha a menor ideia do que queria. Resmungou algo a respeito de certas tarefas, cinema, visitas à avó no verão, mas desejando poder ir a Nova York visitar o Roxy, que tipo de roupa ela usaria – algo parecido com o que usara na última Páscoa, uma touca branca, rosas, sapatilhas rosadas e um casaco de gabardine cor de alfazema. "O que é que você faz no domingo à tarde?", perguntei. Ela sentava na varanda. Os garotos passavam de bicicleta, paravam para conversar. Ela lia revistas em quadrinhos, deitava-se na rede. "O que é que você faz nas noites quentes de verão?" Ela sentava na varanda, olhava os carros na estrada. Ela e a mãe faziam pipoca. "O que é que seu pai faz nas noites de verão?" Ele trabalhava, fazia serão na fábrica de caldeiras, passara a vida inteira sustentando a mulher e aturando seus desmandos, sem crédito ou reverências. "O que é que teu irmão faz nas noites de verão?" Ele dava umas voltas de bicicleta, ficava parado na porta da lanchonete. "O que ele está louco para fazer? O que estamos todos loucos para fazer? O que queremos?" Ela não sabia. Bocejou. Estava com sono. Era demais. Ela jamais compreenderia. Ninguém poderia lhe explicar. Estava tudo acabado. Tinha dezoito anos, era quase encantadora, e estava perdida.

Em Detroit, esfarrapados e sujos, como se morássemos debaixo da ponte, Dean e eu deslizamos para fora do ônibus. Decidimos passar a noite nos pulgueiros que mantêm sessões contínuas na boca do lixo. Estava frio demais para encarar um banco de praça. Hassel circulara pela boca do lixo de Detroit, tinha curtido todas as barracas de tiro ao alvo, cinemas que jamais fechavam, os bares barulhentos observando tudo com aqueles seus profundos olhos negros. O fantasma dele nos amedrontava. Nunca mais o encontraríamos na Times Square. Pensamos que, por acidente, o velho Dean Moriarty talvez também estivesse por ali – mas não estava. Por 35 centavos de dólar por cabeça, entramos num velho cincma decadente e nos esticamos no mezanino até de manhã, quando fomos escorraçados escada abaixo. As pessoas que estavam no cinema eram o fim: negros surrados que tinham vindo do Alabama para trabalhar nas fábricas de automóveis, mas as ofertas de emprego eram apenas boatos; velhos vagabundos brancos, *hipsters* cabeludos que haviam chegado ao fim da linha e só bebiam vinho; prostitutas baratas, casais ordinários, donas de casa que não tinham nada para fazer, nem lugar aonde ir, ninguém em quem acreditar. Mesmo passando toda Detroit pela peneira, seria difícil reunir amostra mais exata da escória da cidade. O filme principal era estrelado pelo caubói-cantor Eddie Dean e seu galante cavalo branco Bloop; o complemento do programa era um filme passado em Istambul com George Raft, Sidney Greenstreet e Peter Lorre. Durante a noite, vimos seis vezes cada um. Vimos os atores caminhando, dormindo, sentimos seus sonhos. Quando a manhã finalmente despontou estávamos completamente impregnados pelo estranho Mito Cinzento do Ocidente e pelo misterioso Mito Negro do Oriente. Desde então, todos os meus atos têm sido automaticamente ditados ao meu subconsciente por essa horrível experiência osmótica. Ouvi Greenstreet, o grandalhão, lançar umas cem vezes seu riso de escárnio; ouvi a chegada sinistra de Peter Lorre; estive junto com George Raft em seus temores paranoicos; cavalguei e cantei com Eddie Dean e atirei inúmeras vezes nos ladrões de gado. As pessoas bebiam no gargalo das garrafas e olhavam ao redor no cinema escuro procurando o que fazer, alguém com quem conversar. Todos carregavam uma culpa silenciosa – ninguém falava nada. No alvorecer cinzento que arquejava fantasmagoricamente por trás das janelas do cinema, já abordando suas marquises, eu estava dormindo com a cabeça apoiada no braço de madeira do assento quando seis faxineiros convergiram até mim com a produção total do lixo da noite e formaram uma imensa pilha poeirenta da altura do meu nariz, enquanto eu roncava de cabeça pendida – até que quase me varreram também. Tudo isso me foi contado por Dean, que observou a cena dez cadeiras atrás. Todas as baganas de cigarro, as garrafas, caixas de fósforos, o lixo inteiro era varrido até aquele monte. Se tivessem me misturado àquilo, Dean jamais voltaria a me ver outra vez. Ele teria de percorrer todos os Estados Unidos vasculhando cada depósito de lixo, de costa a costa, antes de me encontrar embrionariamente enroscado entre o lixo da minha vida, da vida dele e de todo mundo – os que tinham e os que não tinham nada a ver com isso. O que diria eu para ele do fundo deste meu útero de sujeira? "Ora, não enche meu saco, cara, estou feliz aqui. Você me perdeu naquela noite em Detroit, em agosto de 1949. Que direito tem de chegar e perturbar meus devaneios aqui nessa lata de lixo gosmenta?" Em 1942, fui protagonista de um dos mais imundos dramas de todos os tempos. Nessa época, era marinheiro e fui ao café Imperial na Scollay Square em Boston para me embebedar; engoli sessenta copos de cerveja e me retirei para o banheiro, onde me enrosquei na privada e adormeci. No decorrer da noite, pelo menos uma centena de marinheiros e civis das mais variadas espécies arremessaram sobre mim a gentil carga de suas entranhas até me deixarem irreconhecivelmente coberto. Mas no fundo, que diferença faz? O anonimato no mundo dos homens é melhor do que a fama no céu, porque... o que é o céu, no fim das contas? E a terra, o que é? Tudo ilusório.

Ao raiar o dia, Dean e eu saímos grogues daquele antro de horrores e partimos em busca de um carro na agência de viagens. Depois de passarmos boa parte da manhã nos bares negros, caçando garotas e curtindo jazz nas vitrolas automáticas, penamos uns oito quilômetros dentro de um ônibus, com nossa bagagem absurda, até chegarmos à casa do homem que nos cobraria quatro dólares por cabeça por uma carona até Nova York. Era um sujeito de meia-idade, loiro e de óculos, com esposa, filho e uma boa casa. Esperamos no pátio enquanto ele se aprontava. Sua amável esposa, com vestido caseiro de algodão, nos ofereceu um café, mas estávamos ocupados demais conversando. A essa altura Dean estava tão exausto e fora de si que tudo que via era pura delícia. Estava prestes a atingir mais um êxtase devoto. Suava sem parar. No instante em que embarcamos no Chrysler novinho e partimos para Nova York, o pobre homem compreendeu que havia apanhado dois maníacos, mas se esforçou para tirar proveito da situação e até se acostumou com o nosso jeito ao passar pelo Briggs Stadium e falarmos sobre as possibilidades do Detroit Tigers no campeonato do ano seguinte.

Cruzamos Toledo sob a noite enevoada e seguimos através do velho Ohio. Percebi que estava começando a cruzar e a recruzar as cidades da América como se fosse um caixeiro-viajante – viagens atribuladas, mercadorias de má qualidade, feijão podre no fundo da minha sacola de truques, comprador nenhum. Perto da Pensilvânia o homem cansou e

Dean pegou o volante, dirigindo direto até Nova York; começamos a ouvir o programa do Symphony Sid no rádio, com as últimas novidades do bop – estávamos penetrando na imensa e derradeira cidade da América. Chegamos lá de manhãzinha. Já havia uma multidão inquieta cruzando a Times Square, uma vez que Nova York nunca descansa. Ao passarmos por lá, procuramos por Hassel automaticamente.

Em uma hora Dean e eu estávamos no novo apartamento de minha tia em Long Island; ela estava tremendamente atarefada, discutindo os preços de um serviço com uns pintores que eram amigos da família, enquanto subíamos as escadas vindos de São Francisco. "Sal", disse minha tia, "Dean pode ficar uns dias aqui, mas depois terá que ir embora, está me entendendo?". A viagem estava encerrada. Naquela mesma noite Dean e eu demos uma caminhada entre bombas de gasolina, pontes de linha férrea e lâmpadas nebulosas de Long Island. Lembro-me dele parado sob um poste de luz.

"Logo depois que passamos aquele outro poste ali atrás, Sal, eu ia te contar um lance mas agora decidi, parenteticamente, enveredar por outro assunto; mas logo que chegarmos ao próximo poste eu retomo o assunto original, certo?" Claro que estava certo. Estávamos tão acostumados a viajar que precisamos percorrer toda Long Island, mas não havia mais terra, apenas o oceano Atlântico, e não poderíamos ir adiante. Apertamos as mãos e decidimos ser amigos para sempre.

Menos de cinco noites depois fomos a uma festa em Nova York e reencontrei uma garota chamada Inez e disse a ela que tinha um amigo que ela precisava conhecer. Eu estava bêbado e disse que ele era um caubói. "Oh, sempre quis conhecer um caubói", disse ela.

"Dean!", gritei, pela festa – uma celebração que incluía Angel Luz García, o poeta; Walter Evans; Victor Villanueva, o poeta venezuelano; Jinny Jones, uma antiga paixão minha; Carlo Marx; Gene Dexter e muitos, muitos outros – "Chega aqui, cara." Dean se aproximou, timidamente. Uma hora depois, na bebedeira e balbúrdia da festa ("uma homenagem ao final do verão, sem dúvida"), ele estava ajoelhado no chão com o queixo na barriga dela, suando, falando e prometendo. Ela era uma morenaça, bem sexy – como García dizia, "saída de um quadro de Degas", e lembrava uma coquete parisiense. Numa questão de dias, com umas ligações interurbanas, eles regateavam com Camille os papéis necessários para o divórcio – assim poderiam se casar. Não apenas isso, mas alguns meses depois Camille deu à luz o segundo filho de Dean, resultado de algumas noites juntos no início do ano. Meses mais tarde, Inez também ganhava um bebê. Com um filho ilegítimo em algum lugar do Oeste, Dean agora era pai de quatro crianças e não tinha nenhum centavo; estava todo confuso, extasiado e veloz como sempre. De modo que não fomos para a Itália.

Parte Quatro

1

Fiz algum dinheiro com a venda do meu livro. Paguei o aluguel da minha tia até o final do ano. Toda vez que a primavera chega a Nova York, não consigo resistir às insinuações da terra sopradas pelo vento, desde Nova Jersey, do outro lado do rio, e tenho de partir. Então parti. Pela primeira vez nas nossas vidas, despedi-me de Dean em Nova York e deixei-o lá. Ele trabalhava num estacionamento na Madison com a 40. Como sempre, corria de um lado para outro com sapatos rotos, camiseta e calças frouxas, organizando sozinho os sufocantes *rushes* da hora do almoço.

Ao entardecer, quando normalmente ia visitá-lo, não havia nada para fazer. Ele ficava na barraca, contando os tíquetes e alisando a barriga. O rádio estava sempre ligado. "Cara, você tem que curtir aquele louco do Marty Glickman narrando jogos de basquete – bola pipocando no garrafão-sai o arremesso-bate na tabela-rodopia no aro-CESTA! – ele é simplesmente o maior narrador de todos os tempos!" Estava reduzido a prazeres simples como esse. Morava com Inez num quarto e sala sem água quente no lado leste, na altura da rua 80. Quando chegava em casa à noite, tirava toda a roupa, vestia um robe de seda chinês que ia até os quadris e sentava na cadeira de balanço para fumar o narguilé cheio de maconha. Eram esses seus prazeres caseiros, junto com um baralho de cartas pornográficas. "Ultimamente tenho me concentrado nesse dois de ouros. Já percebeu onde está a outra mão dela? Aposto que não. Dá uma olhada e tenta descobrir." Queria me alcançar um dois de ouros onde havia um sujeito alto e melancólico na cama com uma prostituta barata tristemente lasciva tentando uma nova posição. "Vai firme, homem, já me servi dela muitas vezes." Inez estava na cozinha e olhou para a sala com um sorriso constrangido. Mas tudo estava bem para ela. "Sacou ela? Sacou, bicho? Essa é Inez. Vê, é só o que ela faz, põe a cabeça na porta e sorri daquele jeito. Oh, já falei com ela e estamos combinados, da melhor maneira: esse verão, vamos viver em uma fazenda na Pensilvânia – uma caminhonete pra mim pra que eu possa dar umas voltas e curtir Nova York de vez em quando, um casarão legal e um monte de filhos nos próximos anos. Ahum! Harrumf! Egad!" Saltou da cadeira e pôs um disco de Willie Jackson, *Gator Tail*. Ficou parado na frente da vitrola, batendo palmas, dançando, arqueando os joelhos no ritmo da música. "Uau! Que loucura! A primeira vez que ouvi esse cara, pensei que ele ia morrer na noite seguinte, mas continua vivo, o filho da puta!"

Era exatamente como ele havia vivido com Camille em Frisco, lá do outro lado do continente. O mesmo baú desgastado espreitava debaixo da cama, pronto para cair na estrada. Inez telefonava constantemente para Camille e elas mantinham longas conversas. Falavam até do cacete dele, pelo menos era o que Dean garantia. Trocavam cartas nas quais comentavam suas excentricidades. Claro que ele era obrigado a mandar parte de seu salário mensal para sustentar Camille, ou então acabaria passando seis meses na prisão. Para recuperar o dinheiro perdido, dava golpes no estacionamento; na hora de dar o troco, ele era um artista de primeira. Certa vez o vi desejando Feliz Natal a um sujeito bem-vestido e ele o fazia com tanto fervor que cinco dólares a menos num troco que deveria ser de vinte passaram despercebidos. Saímos e gastamos o lucro no Birdland, a boate do bop. Lester Young estava no palco, a eternidade pousada em suas enormes pestanas.

Certa noite, ficamos conversando na esquina da 47 com a Madison, às três da manhã. "Bem, Sal, que merda, realmente preferia que você não estivesse partindo. Na verdade, será a primeira vez que ficarei em Nova York sem meu velho companheiro..." E ele completou: "Em Nova York, estou apenas de passagem, meu lar é em Frisco. Todo esse tempo que estou aqui, não transei com nenhuma outra garota a não ser Inez – só mesmo em Nova York isso poderia me acontecer. Que merda! Mas a simples ideia de cruzar outra vez esse horrível continente... Sal, há muito tempo não temos uma conversa séria." Em Nova York estávamos sempre agitando horrores, com multidões de amigos em festas ébrias. De alguma maneira, aquilo já parecia não combinar com Dean. À noite, encolhido sob a chuva miúda e fria na deserta avenida Madison, ele se parecia mais consigo mesmo. "Inez me ama; disse que posso fazer o que quiser que não haverá o menor problema. Veja só, cara, a gente envelhece e os problemas se acumulam. Um dia você e eu acabaremos percorrendo os becos juntos, ao pôr do sol, revirando latas de lixo."

"Você quer dizer que acabaremos como velhos vagabundos?"

"Por que não, cara? Claro que sim, se assim quisermos e tudo mais. Não há problema algum em acabar desse jeito. Basta você passar toda uma vida de não interferência nos desejos dos outros, incluindo políticos e ricos, que então ninguém te incomoda e você segue em frente fazendo as coisas do teu jeito!" Concordei. Ele estava atingindo suas decisões taoístas de uma maneira simples e direta. "Qual é a sua estrada, homem? – a estrada do místico, a estrada do louco, a estrada do arco-íris, a estrada dos peixes, qualquer estrada... Há sempre uma estrada em qualquer lugar, para qualquer pessoa, em qualquer circunstância. Como, onde, por quê?" Concordamos gravemente, sob a chuva. "Merda, e temos que nos cuidar, Sal. Se você perde o pique, então não é mais um homem – o negócio é fazer o que o médico diz. Falando sério, Sal, não me importa onde quer que eu more, meu baú está sempre preparado debaixo da cama, estou sempre pronto para partir ou ser posto na rua. Decidi abrir mão de tudo. *Você* me viu quebrar a cara tentando de tudo, me sacrificando, e *você* sabe que isso não importa; nós sacamos a vida, Sal – sabemos como domá-la, sabemos que o negócio é continuar no caminho, pegando leve, curtindo o que pintar da velha maneira tradicional. Afinal, de que outra maneira poderíamos curtir? *Nós* sabemos disso." Suspirávamos sob a chuva. Chovia a cântaros em todo o vale do Hudson naquela noite. Os grandes cais do mundo deste rio largo como o mar estavam encharcados, os velhos desembarcadouros dos navios a vapor de Poughkeepsie estavam encharcados, a velha Split Rock Pond e suas nascentes estavam encharcadas, o Vanderwhacker Mount estava encharcado também.

"E assim," disse Dean, "vou seguindo a vida para onde ela me levar. Sabe, recentemente escrevi para o meu velho – ele está na prisão lá em Seattle. Outro dia desses recebi a primeira carta dele em muitos anos".

"É mesmo?"

"Sim, sim. Ele disse que assim que puder ir a Frisco, quer conhecer o *bebbê* – e escreveu com dois bês. Encontrei uma espelunca que cobra apenas treze dólares por mês na rua 40 Leste; se eu conseguir mandar um dinheiro para ele, ele virá morar em Nova York – se chegar até aqui. Nunca te falei muito da minha irmã, mas você sabe que eu tenho uma linda irmãzinha. Também gostaria que ela viesse morar comigo."

"Onde é que ela está?"

"Pois é, esse é o problema, eu não sei – ele vai tentar achá-la, o velho, mas *você* sabe o que ele fará realmente..."

"Então ele foi pra Seattle, é?"

"É, e direto para a prisão."

"Por onde ele andava?"

"Texas, Texas – portanto, você tá vendo, homem, minha alma, o estado das coisas, minha posição nisso tudo – você percebe, eu estou mais calmo."

"Sim, é verdade." Dean tinha se acalmado em Nova York. Ele queria continuar conversando. Estávamos morrendo de frio na noite gelada. Marcamos um encontro na casa da minha tia antes da minha viagem.

Ele veio no domingo seguinte, à tarde. Tinha uma TV em casa. Nós a ligamos para ver um jogo de beisebol, e ligamos o rádio para ouvir outro, e ficávamos trocando para um terceiro, para nos antenarmos em tudo ao mesmo tempo. "Lembra, Sal, Hodges está em segundo no Brooklin, de modo que enquanto esse arremessador reserva está entrando no Phillies, vamos mudar para Giants versus Boston e é bom lembrar ao mesmo tempo que DiMaggio ainda tem três bolas e como esse lançador está remexendo no saco de resina, o negócio agora é descobrir imediatamente o que aconteceu com Bobby Thomson desde que o deixamos há trinta segundos com um homem na terceira. Sim!"

Mais tarde, saímos e fomos jogar beisebol com uns garotos num campo sujo de fuligem ao lado da linha férrea de Long Island. Também jogamos basquete, e tão freneticamente que os meninos diziam: "Calma, não precisam se matar". Eles saltitavam agilmente à nossa volta e nos venciam com a maior facilidade. Dean e eu suávamos. A certa altura ele caiu de cara no chão de cimento da quadra. Ofegávamos, bufávamos na tentativa de tirar a bola dos meninos; eles davam um giro e saíam jogando. Outros imprimiam uma arrancada veloz e tranquilamente jogavam a bola sobre nossas cabeças. Pulávamos em direção à cesta como loucos, os garotos se limitavam a levantar os braços, tirar a bola de nossas mãos suadas e driblar-nos sem a menor dificuldade. Éramos como músicos de programas de calouros tentando jogar basquete contra Stan Getz e Cool Charlie. Pensaram que éramos loucos. Dean e eu voltamos para casa jogando a bola um para o outro, cada qual de um lado da rua, na calçada. Tentamos jogadas extraespeciais, saltando sobre arbustos e correndo rente aos postes. Quando um carro passou, corri ao lado dele e joguei a bola para Dean, tirando um fininho do para-choque que desaparecia velozmente. Ele se jogou e apanhou-a, rolou na grama e a atirou de volta para mim por cima do caminhão do padeiro que estava estacionado ao lado da calçada. Consegui pegá-la com minha mão carnuda e a joguei de volta para Dean, e ele teve de se virar rapidamente jogando-se para trás, caindo de costas no meio de uma cerca viva. De volta à minha casa, Dean pegou sua carteira, pigarreou e entregou para minha tia os quinze dólares que lhe devia desde aquela vez em que fomos multados por excesso de velocidade em Washington. Ela ficou completamente surpresa e agradecida. Fizemos um jantar maravilhoso. "Bem, Dean", disse minha tia. "Espero que você tome conta do novo bebê que vem a caminho e permaneça casado desta vez."

"Sim, sim, é isso aí."

"Você não pode ficar viajando pelo país fazendo filhos desse jeito. Esses coitadinhos vão crescer desamparados. Você tem que dar a eles uma oportunidade na vida." Ele olhava para os sapatos, balançando a cabeça. Nos despedimos num entardecer úmido e dourado, num viaduto acima de uma super-highway.

"Tomara que você esteja em Nova York quando eu voltar", falei. "Só espero que algum dia possamos morar na mesma rua com nossas famílias e juntos nos tornarmos dois velhos e experimentados veteranos."

"Pode crer, cara, você sabe que eu chego a rezar pra que isso aconteça, mesmo estando plenamente consciente de todos os problemas que já temos e dos que ainda estão por vir, como sua tia sabe e fez questão de me lembrar. Eu não queria esse novo bebê, Inez insistiu, nós brigamos. Tá sabendo que Marylou casou com um vendedor de carros usados em Frisco e que também está grávida?"

"É. Estamos todos nessa agora." Ondulações no lago do vácuo era o que eu deveria ter dito. O fundo do mundo é de ouro, mas o mundo está de cabeça para baixo. Ele me mostrou uma foto de Camille em Frisco com o novo bebê, uma menininha. A sombra de um homem obscurecia a menina na calçada ensolarada, duas enormes pernas tristes. "O que que é isso?"

"Oh, é apenas o Ed Dunkel. Ele voltou para Galatea, estão em Denver agora. Passaram o dia tirando fotos."

Ed Dunkel, com sua compaixão despercebida como a compaixão dos santos. Dean me mostrou outras fotos. De repente percebi que eram essas as fotografias que nossos filhos olhariam algum dia, com espanto, pensando que seus pais tinham vivido vidas ordeiras, tranquilamente, tudo conforme o figurino, e que eles acordariam de manhã para percorrer orgulhosamente as calçadas da vida, sem jamais sonhar com a loucura esfarrapada e a balbúrdia de nossas vidas reais, de nossa noite real, o inferno disso tudo e a estrada do pesadelo sem sentido. Tudo isso num vazio sem começo nem fim. Oh, a santa ignorância dessas pobres crianças. "Tchau, tchau", Dean afastou-se sob o longo entardecer rubro.

Locomotivas fumegavam, lançando turbilhões de fumaça sobre ele. Sua sombra o seguia, distorcendo seu andar habitual, seu jeito de ser e seus pensamentos também. Virou-se e me abanou tímida e recatadamente. Então, fez o sinal dos ferroviários indicando que a linha estava livre, saltitou espalhafatosamente e gritou algo que não ouvi. Corria em círculos, cada vez mais próximo do parapeito de concreto da ponte da linha férrea. Fez um último sinal. Abanei também. De repente, curvou-se em direção a sua própria vida e desapareceu de vista rapidamente. Encarei friamente o vazio de meus próprios dias. Também tinha um caminho horrivelmente longo a percorrer.

2

Na meia-noite seguinte, cantando esta pequena canção,
Lar em Missoula,
Lar em Truckee,
Lar em Opelousas,
Não há lar para mim.
Lar na velha Medora,
Lar em Wounded Knee,
Lar em Ogallala,
Não terei lar até o fim.,
peguei o ônibus para Washington; matei um pouco de tempo perambulando por lá, desviei-me do caminho para ver a

Blue Ridge, ouvir o pássaro de Shenandoah e visitar a tumba de Stonewall Jackson; ao poente, lá estava eu escarrando no rio Kanawha e caminhando pela noite caipira de Charleston, na West Virginia; à meia-noite Ashland, Kentucky; e uma garota solitária sob a marquise de um cinema fechado. O sombrio e enigmático estado de Ohio; Cincinnati ao alvorecer. Então os campos de Indiana outra vez; e St. Louis, como sempre encoberta pelas grandes nuvens do vale do entardecer. Os pedregulhos enlameados e as toras de Montana, barcos a vapor estragados, placas carcomidas, grama e cordas ao longo do rio. Um poema sem fim. Missouri noite adentro, os campos do Kansas, o gado noturno do Kansas disperso por secretas amplitudes, cidades de caixote com um oceano em cada esquina; alvorecer em Abilene. As pastagens do leste do Kansas transformando-se na aridez de seu oeste e subindo as colinas da noite ocidental.

    Henry Glass estava comigo no ônibus. Tinha embarcado em Terre Haute, Indiana, e agora dizia para mim: "Já te falei que odeio essa roupa que tô vestindo, ela é nojenta – mas isso não é tudo!". Mostrou uns papéis. Acabara de ser libertado da penitenciária federal de Terre Haute; a condenação fora por roubo e venda de carros em Cincinnati. Um jovem de vinte anos, cabelos encaracolados. "Assim que chegar a Denver, vou pôr esses trapos no prego e arranjar um jeans. Sabe o que fizeram comigo na prisão? Me botaram na solitária com uma Bíblia; eu me sentava em cima dela sobre o chão de pedra; quando viram o proveito que eu estava tirando dela, levaram-na embora e trouxeram outra, de bolso, minúscula. Não podia me sentar nela, então a li de cabo a rabo. Velho e Novo Testamento. He, he." Me dava cotoveladas, mascando umas balas – estava sempre comendo balas porque seu estômago fora arruinado na prisão e agora não suportava nenhum outro alimento. "Há umas passagens muito loucas nessa tal de Bíblia, tá sabendo?" Em seguida, ele me explicou o que significa "sugerir". "Qualquer sujeito que está prestes a ser libertado e começa a falar sobre a data em que vai sair da prisão, para os que ainda têm que ficar mais, está 'sugerindo'.

Nós o pegamos pelo pescoço e gritamos: 'Para de *sugerir* pra mim'. Péssimo hábito, sugerir – tá entendendo?"

"Não vou sugerir nada, Henry."

"Ninguém sugere pra mim, minhas narinas se dilatam, perco a cabeça, fico tão louco que sou capaz de matar. Sabe por que passei a vida inteira na prisão? Porque perdi a cabeça quando tinha treze anos. Estava no cinema com um garoto e ele soltou uma piadinha sobre minha mãe – você sabe, aquela palavra suja – e eu puxei meu canivete para lhe cortar o pescoço e o teria matado se não tivessem me arrancado à força. O juiz perguntou: 'Você sabia o que estava fazendo quando atacou seu amigo?' 'Sim senhor, meritíssimo, eu sabia, queria matar aquele filho da puta e ainda quero.' E assim, em vez de ganhar liberdade condicional, me mandaram direto para o reformatório. Fiquei com hemorroidas por passar tanto tempo sentado na solitária. Não vá parar numa penitenciária federal, são as piores. Porra, seria capaz de passar a noite inteira falando, faz tanto tempo que não converso com ninguém. Você não imagina o quanto me senti *bem* saindo de lá. E quando entrei nesse ônibus você estava aí sentado cruzando Terre Haute, em que estava pensando?"

"Estava apenas tocando o barco em frente."

"Eu, eu estava cantando, vim pra junto de você porque fiquei com medo de sentar perto de alguma garota. Tenho medo de enfiar as mãos debaixo do vestido delas. Tenho que dar um tempo..."

"Outra passagem pela prisão e você fica apodrecendo lá pelo resto da vida. É melhor pegar leve a partir de agora."

"É o que pretendo fazer, o único problema é que minhas narinas se dilatam e eu já não sei mais o que estou fazendo."

Estava a caminho do Colorado, onde iria morar com o irmão e a cunhada, tinham arranjado um emprego para ele. A passagem fora paga pelos federais; ele estava em liberdade condicional. Ali estava um jovem rebelde como Dean havia sido; seu sangue fervia demais pra que ele pudesse se controlar, suas narinas se dilatavam, mas ele não possuía aquela estranha santidade natural para salvá-lo de seu destino férreo.

"Me dê uma força, e vê se não deixa minhas narinas se dilatarem em Denver, certo, Sal? Talvez assim eu consiga chegar são e salvo à casa do meu irmão."

Quando desembarcamos em Denver, peguei-o pelo braço e percorremos a Larimer para empenhar a roupa do presídio. Antes que abríssemos a boca, o velho judeu já havia percebido do que se tratava. "Não quero essa porcaria; recebo roupas assim todos os dias dos garotos de Canyon City."

Toda a Larimer estava infestada por ex-presidiários tentando vender as roupas recebidas na porta da prisão. Henry terminou com aqueles trapos enfiados numa sacola de papel debaixo do braço, cruzando pelas ruas com um jeans novo em folha e uma camisa esporte. Fomos para o velho bar de Dean, o Glenarm – no caminho ele jogou a roupa numa lata de lixo – e telefonamos para Tim Gray. Já era noite.

"Você?", disse Tim Gray, com uma risadinha. "Tô indo já praí."

Em dez minutos, ele entrou no bar saltitante, junto com Stan Shephard. Ambos haviam viajado pela França e agora estavam tremendamente desapontados com suas vidas em Denver. Logo se apaixonaram por Henry e pagaram cervejas para ele. Ele começou a gastar a torto e a direito todo o dinheiro que trouxera da penitenciária. Lá estava eu, de volta à amena e escura noite de Denver, com seus becos sagrados e casas malucas. Começamos a rodar os bares da cidade, botecos da West Colfax e bares negros da Five Points – a rotina.

Há anos Stan Shephard estava esperando pela chance de me conhecer e agora, pela primeira vez, ali estávamos em suspense diante da possibilidade de uma aventura. "Sal, desde que voltei da França não tenho a menor ideia do que fazer da vida. É verdade que você está indo para o México? Porra, posso ir com você? Posso conseguir cem dólares agora e assim que chegar lá me inscreverei para uma bolsa de reservista na universidade da Cidade do México."

Tudo bem, ficou combinado – Stan iria comigo. Era um garoto de Denver, esguio, tímido, cabelos rebeldes, um largo sorriso de vigarista e gestos lentos e suaves, como Gary Cooper. "Porra!", dizia, enfiando os polegares no cinto e trotando pelas calçadas, balançando de um lado para outro, sempre na lenta. Estava de saco cheio do avô. O velho tinha sido contra sua viagem à França e agora era contrário a sua ida ao México. Por causa da briga com o avô, Stan estava perambulando pelas ruas de Denver como um vagabundo. Aquela noite, depois de bebermos tudo o que tínhamos direito e impedir que as narinas de Henry se dilatassem no Hot Shoppe, na Colfax, Stan se arrastou até o quarto de Henry no hotel do Glenarm decidido a passar a noite lá. "Não posso nem sequer chegar tarde em casa, meu avô começa a brigar comigo e depois se volta contra minha mãe. Juro, Sal, tenho que cair fora de Denver, senão vou acabar pirando."

Bem, fiquei na casa de Tim Gray; e mais tarde Babe Rawlins arranjou um quartinho bacana num subsolo para mim e terminávamos todos lá em festanças noturnas que se repetiram durante a semana inteira. Henry sumiu, foi para a casa do irmão e jamais voltamos a vê-lo, jamais soubemos se alguém tinha "sugerido" para ele desde então, ou se ele voltara a ser encarcerado em grades de ferro ou se continua agitando loucamente pela noite, livre.

Tim Gray, Stan, Babe e eu passamos uma semana inteira de tardes magníficas nos maravilhosos bares de Denver, onde as garçonetes vestem *slacks* e circulam com olhares tímidos e adoráveis, não aquele tipo de garçonete carrancuda, mas sim aquelas garçonetes que se apaixonam pelos clientes e mantêm casos breves e explosivos e se ofendem, suam e sofrem de bar em bar; e durante as noites dessa mesma semana, íamos ouvir jazz no Five Points e nos embebedarmos em doidos bares negros tagarelando até as cinco da matina no meu quarto subterrâneo. O sol do meio-dia geralmente nos encontrava estendidos na grama do quintal de Babe, entre crianças de Denver que brincavam de mocinho e bandido e se atiravam sobre nós saltando das cerejeiras em flor. Eu estava curtindo uma temporada fantástica e o mundo inteiro abria-se à minha frente porque eu não tinha sonhos. Stan e eu conspirávamos para fazer com que Tim Gray viesse conosco, mas Tim estava encalhado na sua vidinha em Denver.

Eu me preparava para ir para o México quando, assim sem mais, Denver Doll me telefonou certa noite dizendo: "Bem, Sal, adivinha só quem está vindo para Denver?". Eu não tinha a menor ideia. "Ele já está a caminho, a notícia chegou através da minha rede de informantes. Dean comprou um carro e está chegando para se encontrar com você." Subitamente tive uma visão de Dean, um anjo ardente, trêmulo e aterrador, latejando pela estrada em minha direção, aproximando-se como uma nuvem, em velocidade estonteante, me perseguindo pelas planícies como o Viajante Encapuzado, jogando-se sobre mim. Vi sua face gigantesca acima da pradaria, com a determinação ossuda e insana e olhos flamejantes; vi suas asas; vi sua velha carruagem-calhambeque cujas rodas desprendiam milhares de furiosas faíscas; vi a trilha incandescente que ela deixava atrás de si; na verdade, ela até fazia sua própria estrada, entre o milharal, através das cidades, destruindo pontes, secando rios. Aproximava-se do Oeste como a própria ira. Sabia que Dean havia pirado outra vez. Não havia nenhuma possibilidade de mandar dinheiro para suas mulheres se ele sacara as economias do banco para comprar esse carro. Estava tudo acabado. Atrás dele, fumegavam ruínas calcinadas. Precipitava-se para o Oeste outra vez através do horrível e aflito continente, e logo chegaria. Nos preparamos apressadamente para recebê-lo. As notícias diziam que ele iria me levar para o México.

"Será que ele vai me deixar ir junto?", perguntou Stan, perplexo.

"Vou falar com ele", disse eu sinistramente. Não sabíamos o que esperar. "Onde ele vai dormir? O que vai comer?

Há alguma garota para ele?" Era como a iminente chegada de Gargantua; alguns preparativos deveriam ser feitos, tais como alargar as sarjetas de Denver e refazer determinadas leis para comportar sua carga sofrida e seus êxtases ardentes.

3

Dean chegou como num filme antigo. Eu estava na casa de Babe, num entardecer dourado. Antes, uma palavra sobre a casa. A mãe de Babe estava fora, na Europa. A tia-dama de companhia chamava-se Charity; tinha 75 anos, lépida e faceira como uma galinha. Na família Rawlins, que se espalhava por todo o Oeste, ela estava sempre de casa em casa e geralmente acabava se tornando útil. Tivera meia dúzia de filhos. Todos se foram; todos a abandonaram. Era velha, mas estava interessada em tudo que dizíamos e fazíamos. Sacudia a cabeça, entristecida, quando dávamos grandes goles de uísque na sala de estar. "Bem que você poderia ir para o quintal para fazer isso, meu caro jovem." No andar de cima, nesse verão, aquela casa tinha se transformado numa espécie de pensão, ali morando um cara chamado Tom; ele estava perdidamente apaixonado por Babe. Era de Vermont, vinha de família rica, diziam, e tinha uma carreira esperando por ele e tudo mais, mas preferia ficar onde Babe estava. À noite, ele sentava na sala com o rosto vermelho escondido atrás do jornal, e cada vez que dizíamos alguma coisa, escutava mas não dava sinal de vida. Ficava ainda mais vermelho cada vez que Babe dizia alguma coisa. Quando o forçávamos a abaixar o jornal, olhava para nós com tédio e sofrimento incalculáveis. "Uhn? Oh, sim, acho que sim", em geral era só o que dizia.

Charity sentava-se em seu canto, tricotando e nos observando com seus olhos de pássaro. Sua tarefa era agir como uma verdadeira governanta, ela estava ali para impedir que disséssemos palavrões. Babe sentava no divã, sorridente. Tim

Gray, Stan Shephard e eu ficávamos atirados nas poltronas. Pobre Tom passava por sua sessão de tortura. De repente, levantava, bocejava e dizia: "Mais um dia, mais um dólar, durmam bem", e desaparecia escada acima. Babe não lhe dava a menor bola, não se interessava por ele como amante. Estava apaixonada por Tim Gray; como uma enguia, ele escapulia das investidas dela. Estávamos sentados exatamente assim numa tarde ensolarada, à espera do jantar, quando Dean estacionou seu carro caindo aos pedaços em frente da casa e saltou vestido num terno de *tweed*, colete e corrente para o relógio.

"Hup, Hup", ouvi vindo da rua. Ele estava com Roy Johnson, que acabara de voltar de Frisco com sua mulher, Dorothy, e estava morando em Denver outra vez. Ed Dunkel e Galatea Dunkel também, e Tom Snark. Todo mundo estava em Denver de novo. Fui até o alpendre. "Bem, meu garoto", disse Dean esticando sua mão enorme. "Vejo que deste lado da corda está tudo bem, hein? Alô, alô, alô," disse a todos. "Oh, sim, Tim Gray, Stan Shephard, como vão?" Nós o apresentamos a Charity. "Oh, olá, como vai? Aqui está meu amigo Roy Johnson, que teve a gentileza de me acompanhar, harrumph! egad! kaff! kaff! Major Hoople, senhor", ele disse estendendo a mão para Tom, que observava a cena, espantado. "Sim, sim. Bem, Sal, meu velho, qual é a história? Quando nos mandamos para o México? Amanhã à tarde? Muito bom, muito bom. Ahem. E agora, Sal, tenho exatamente dezesseis minutos para chegar à casa de Ed Dunkel, onde quero recuperar meu velho relógio de ferroviário, que pretendo empenhar na Larimer antes do final do expediente, indo enquanto isso tão rápida e perfeitamente quanto o tempo permitir ver se por acidente meu pai não está no Jiggs' Buffet ou em qualquer outro bar e então, logo a seguir, tenho um encontro com o barbeiro que Doll sempre me aconselhou a frequentar. Como pode ver, não mudei ao longo de todos esses anos, continuo com a mesma política – coff! coff! às seis *em ponto*! – em ponto, certo? – quero que você esteja exatamente aqui porque vou passar correndo para te apanhar para uma rápida passagem pela casa de Roy Johnson, para ouvir Gillespie e outros discos variados de bop, uma hora de descontração antes de qualquer outro agito noturno, que você, Tim, Stan e Babe possam ter planejado para hoje independentemente da minha chegada que foi há exatamente 45 minutos no meu velho Ford 37 que vocês podem ver estacionado ali fora; aproveitei também para dar uma parada em Kansas City para ver meu primo, não o Sam Brady, o mais moço..." E enquanto falava tudo isso, estava ocupado trocando o paletó por uma camiseta, no vestíbulo, fora da vista dos outros, e transferindo seu relógio para outra calça, que tirou do fundo de seu velho e desgastado baú.

"E Inez?", perguntei. "O que aconteceu em Nova York?"

"Oficialmente, Sal, essa viagem é para conseguir o divórcio no México, mais barato e rápido do que qualquer outro. Afinal, consegui a concordância de Camille e está tudo bem, tudo está ótimo, tudo está certo, e agora sabemos que não há o menor motivo pelo qual se preocupar, certo, Sal?"

Bem, tudo certo, estou sempre pronto para seguir Dean e acabamos todos concordando com os novos planos esquematizados e nos preparamos para a grande noite que se aproximava, e foi uma noite inesquecível! Havia uma festa na casa do irmão de Ed Dunkel. Dois de seus outros irmãos eram motoristas de ônibus. Sentavam-se estupefatos com tudo o que estava acontecendo. Havia uma ceia fantástica sobre a mesa, e bolos e drinques. Ed Dunkel parecia feliz e próspero. "Bem, você se acertou com Galatea agora?"

"Sim senhor", respondeu Ed. "Claro que sim. E estou prestes a ingressar na universidade de Denver, eu e Roy; sabia?"

"Pra estudar o quê?"

"Oh, sociologia e todo esse campo, entende? Diga aí, a cada dia que passa Dean fica mais louco, não acha?"

"Sem dúvida."

Galatea Dunkel estava lá. Estava tentando conversar com alguém, mas Dean era o dono da festa. Parava em frente de Shephard, Tim, Babe e eu, representando; estávamos sentados nas cadeiras da cozinha, de costas para a parede. Ed Dunkel rondava nervosamente atrás dele. Seu pobre irmão fora jogado para segundo plano. "Hup! Hup!", dizia Dean, puxando a própria camisa, alisando a barriga, pulando sem parar. "Sim, bem – estamos todos juntos agora e os anos se passaram separadamente para cada um de nós e, no entanto, vocês podem perceber que ninguém mudou profundamente. E isso é verdadeiramente impressionante, a dura – a durabilidade – e, na verdade, tenho aqui um baralho com o qual posso prever com bastante exatidão todos os acontecimentos futuros." Era o baralho pornográfico. Dorothy e Roy Johnson estavam sentados no seu canto, rígidos. Era uma festa desanimada. Então, de repente, Dean ficou quieto e veio sentar-se numa cadeira da cozinha entre eu e Stan e ficou olhando fixamente para a frente, num assombro canino, sem prestar atenção a ninguém. Estava simplesmente tirando o time de campo por um instante para recuperar as energias. Se o tocassem, ele balançaria como um rochedo suspenso à beira de um precipício. Podcria rolar montanha abaixo arrebentando tudo, ou então apenas balançar como uma simples rocha. Então o rochedo explodiu transformado em flor e seu rosto se iluminou com um sorriso encantador e ele olhou ao redor como um homem que está acordando e disse: "Ah, olha só quanta gente simpática ao meu redor. Não é ótimo, Sal? Bem, como eu estava contando a Min outro dia desses, bem, urp, ah, sim!" Levantou-se e atravessou a sala de mão estendida para um dos motoristas de ônibus que estava na festa: "Como vai? Meu nome é Dean Moriarty. Sim, me lembro bem de você. Está tudo legal? Bom, bom. Olhe só que bolo maravilhoso. Oh, posso comer um pouquinho? Só eu? Um miserável como eu?". A irmã de Ed disse que sim. "Oh, que maravilha! As pessoas são tão simpáticas. Bolos e petiscos deliciosos sobre a mesa, tudo por amor a essas pequenas alegrias e prazeres. Humm, ah, sim, excelente, esplêndido, harrumph, egad!" E ele ficou no meio da sala, balançando, comendo seu bolo e olhando para todos com espanto. Virou-se e olhou para trás. Tudo que via o surpreendia. As pessoas conversavam em grupos espalhados pela sala, e ele disse: "Sim. Tudo bem. Está tudo certo!". Um quadro na parede capturou sua atenção. Aproximou-se para ver melhor, recuou, parou, pulou, queria observá-lo de todos os ângulos e alturas possíveis. Arrancou a camiseta, de tão excitado. "Porra!" Não fazia ideia da impressão que estava causando na sala, e não dava a mínima. As pessoas começaram a encarar Dean com sentimentos maternais e paternais estampados em seus rostos. Era finalmente um Anjo, como eu sempre soube que ele se tornaria; mas como qualquer Anjo era também acometido de raivas e rancores, e naquela noite, depois de termos todos deixado a festa e nos dirigirmos ao bar do Windsor, formando uma única e vasta e turbulenta gangue, Dean acabou ficando frenética, seráfica e demoniacamente bêbado.

Lembre-se que o Windsor, outrora o incrível hotel da corrida do ouro de Denver, e sob muitos aspectos um local de extremo interesse – ainda dava para ver os buracos de bala na parede do grande *saloon* do andar de baixo –, outrora também tinha sido o lar de Dean. Ele tinha vivido aqui com o pai, num dos quartos lá de cima. Não era um turista. Bebia agora nesse mesmo *saloon* como se fosse o fantasma do próprio pai; esvaziava copos de vinho, cerveja e uísque como se fossem água. Seu rosto estava vermelho e suarento; ele bramiu e urrou, cambaleou, cruzou a pista de dança ziguezagueando, chocando-se contra os frequentadores dos cabarés do Oeste que dançavam com as garotas; tentou tocar piano, abraçou ex-presidiários, conversando aos berros com eles, na zoeira do bar. Enquanto isso, todos os participantes da nossa festa estavam sentados em duas mesas imensas grudadas uma na outra. Lá estavam Denver D. Doll, Dorothy e Roy Johnson, uma garota de Buffalo, Wyoming, que era amiga de Dorothy Stan, Tim Gray, Babe, eu, Ed Dunkel, Tom Snark e vários outros, treze ao todo. Doll estava se divertindo pra valer; apanhou uma máquina que servia amendoins, colocou-a na mesa à sua frente e não parava de enfiar moedas nela, devorando os amendoins. Sugeriu que todos escrevêssemos alguma coisa num cartão postal para Carlo Marx em Nova York. Só escrevemos loucuras. O som dos violinos ressoava pela noite da Larimer. "Não é o maior barato?", berrava Doll. No banheiro dos homens Dean e eu esmurramos a porta, tentamos quebrá-la, mas ela tinha três centímetros de espessura. Quebrei meu dedo médio e não percebi até o dia seguinte. Estávamos estupidamente bêbados. Em determinado momento nossa mesa ficou coberta com uns cinquenta copos de cerveja. Tudo que tínhamos a fazer era circular em torno dela e dar um gole em cada um. Ex-presidiários de Canyon City cambaleavam e tagarelavam conosco. No vestíbulo, do lado de fora do *saloon*, velhos ex-garimpeiros se sentavam apoiados em suas bengalas, com olhar sonhador, sob enorme e antigo relógio-cuco. Nos grandes dias do passado, eles haviam experimentado esse mesmo frenesi. Tudo rodopiava. As festas se espalhavam por todos os lugares. Estava rolando uma até mesmo num castelo para o qual fomos todos nós – menos Dean, que se mandara para outro lugar. E nesse castelo sentamos numa távola enorme no hall e conversamos aos gritos. Havia uma piscina e grutas no jardim. Finalmente encontrara o castelo onde a grande serpente do mundo estava prestes a se levantar.

Então, tarde da noite, lá estávamos Dean, eu, Stan Shephard, Tim Gray, Ed Dunkel e Tom Snark num único carro, com uma infinidade de possibilidades à nossa frente. Fomos para o bairro mexicano, fomos ao Five Points, demos nossas voltas. Stan Shephard estava muito louco, não cabia em si de satisfação. Ficava gritando "Puta que o pariu! Fiadaputa!", num tom de voz alto e esganiçado, batendo os joelhos. Dean estava maluco com ele. Repetia tudo que Stan dizia, bufava, enxugava o suor que lhe escorria pelo rosto. "Vamos curtir de montão viajando para o México com esse Stan, Sal! Pode crer!" Era nossa última noite nã sagrada Denver, e nós a tornamos vibrante e inesquecível. Tudo terminou regado a vinho, sob a luz de candelabros, no porão, e Charity circulando no andar de cima, de camisola e com uma lanterna na mão. Havia um crioulo conosco agora. Chamava-se Gomez. Gravitava por Five Points e não estava preocupado com porra nenhuma. Quando o vimos, Tommy Snark o chamou: "Ei, você se chama Johnny?".

Gomez recuou, passou por nós outra vez e disse: "Você repetiria a pergunta?".

"Perguntei se você não é o cara que chamam de Johnny."

Gomez flutuou alguns instantes e tentou outra vez: "Serei assim tão parecido? Acontece que estou fazendo o máximo para ficar parecido com Johnny, mas não consigo encontrar a fórmula."

"Uau, *homem*! Junte-se a nós", disse Dean, e Gomez saltou para dentro do carro e caímos fora. Sussurrávamos histericamente no meu porão para não haver complicações com os vizinhos. Às nove da manhã todos já tinham ido embora, exceto Dean e Shephard, que ainda tagarelavam como maníacos. As pessoas acordavam para tomar café da manhã e ouviam estranhas vozes subterrâneas repetindo: "É isso aí! Pode crer!". Babe preparou um enorme desjejum. Já era hora de zarparmos para o México.

Dean levou o carro ao posto mais próximo e fez uma revisão completa. Era um velho Ford sedã 1937, com a porta do lado direito sem dobradiça e amarrada à lataria. O banco direito da frente também estava quebrado e quem sentava ali ficava inclinado para trás com a cara para cima, fitando o forro esfarrapado. "Iremos até o México como Min e Bill", disse Dean, "aos trancos e barrancos, o carro tossindo e pulando; vamos levar dias e dias". Olhei o mapa: um total de mais de mil e seiscentos quilômetros, a maior parte no Texas até a fronteira com Laredo, e então mais mil e duzentos quilômetros através do México inteiro até a enorme cidade próxima à rachadura do istmo e às escarpas de Oaxacan. Não conseguia sequer imaginar essa viagem. Era a mais fabulosa de todas! Já não era mais a velha rota Leste-Oeste, mas o *Sul* mágico! Tivemos uma visão do hemisfério ocidental inteiro descendo direto até a Terra do Fogo como uma cadeia montanhosa e nós mesmos flutuando por essa longa curva do mundo rumo a outros trópicos, outros mundos. "Homem, finalmente encontraremos AQUILO!", disse Dean com fé inabalável. Deu uns tapinhas no meu braço: "Espera e verás, Huuu! Hiiii!".

Fui com Shephard encerrar o último de seus assuntos em Denver e conheci seu pobre avô, que ficou parado, na soleira da porta, lamuriando: "Stan, Stan, Stan".

"Que é, vô?

"Não vá."

"Já está decidido, agora *tenho* que ir; por que você precisa fazer essa cena?" O velho tinha cabelos grisalhos, grandes olhos amendoados e um pescoço tenso, de louco.

"Stan", dizia simplesmente, "não vá. Não faça seu velho avô chorar. Não me deixe sozinho outra vez". Aquilo me partiu o coração.

"Dean", disse o velho, dirigindo-se a mim, "não roube meu Stan de mim. Eu costumava levá-lo ao parque quando ele era menino e mostrava os cisnes para ele. Mais tarde sua irmãzinha se afogou no mesmo lago. Não quero que você leve meu menino."

"Não", disse Stan, "estamos indo agora. Adeus." Ele se manteve firme.

O avô o agarrou pelo braço. "Stan, Stan, Stan, não vá, não vá, não vá."

Fugimos de cabeça baixa, e o velho permaneceu parado na soleira da porta de sua casa suburbana em Denver, com enfeites na porta e a sala atravancada de tanta mobília. Branco feito um lençol, continuava chamando por Stan. Algo paralisara seus movimentos e ele não esboçava um só gesto para deixar o umbral, murmurando "Stan", seguido de um "Não vá", nos olhando com aflição enquanto dobrávamos a esquina.

"Meu Deus, Shep, não sei o que dizer."

"Não liga!", gemeu Stan. "Ele sempre foi assim."

Encontramos a mãe de Stan no banco, onde ela estava sacando dinheiro para o filho. Era uma mulher encantadora, de cabelos brancos, mas de aparência ainda bastante jovem. Ela e o filho ficaram ali parados no chão de mármore do banco, cochichando. Stan vestia jeans, inclusive a jaqueta, e sem dúvida parecia um cara que estava mesmo indo para o México. Essa era sua doce existência em Denver e ele estava partindo com Dean, o fogoso aprendiz. Dean dobrou a esquina gingando a passos largos e nos pegou na hora combinada. A senhora Shephard insistiu em nos pagar um café.

"Cuidem bem do meu Stan", disse ela, "sabe-se lá o que pode acontecer naquele país."

"Cuidaremos todos, uns dos outros", falei. Stan e a mãe saíram caminhando à frente enquanto eu e o maluco do Dean seguíamos atrás; ele estava me falando das frases escritas nas paredes dos banheiros do Leste e do Oeste.

"São completamente diferentes; no Leste escrevem piadas e anedotas estúpidas, referências óbvias, palavras e desenhos escatológicos; no Oeste as pessoas só escrevem seus nomes, Red O'Hara, de Blufftown, Montana, esteve aqui, a data, tudo muito solene como, digamos, Ed Dunkel – e a razão dessa diferença é a enorme solidão que se modifica só um pouquinho assim que se cruza o Mississippi." Bom, à nossa frente estava um sujeito solitário. A mãe de Shephard era uma mulher adorável, mas odiava ver o filho partir; no entanto, sabia que ele tinha mesmo de ir. Percebi que ele estava fugindo do avô. Ali estávamos os três – Dean procurando pelo pai, o meu, morto, Stan fugindo do avô, e partindo juntos noite adentro. Beijou a mãe entre a multidão apressada da 17; ela entrou num táxi e abanou para nós. Adeus, adeus.

Fomos de carro até a casa de Babe e demos tchau para ela. Tim iria de carro conosco até sua casa na periferia da cidade. Babe estava linda nesse dia: cabelo longo, loiro e sueco, suas sardas resplandecendo ao sol. Parecia-se exatamente com a garota que fora na infância. Seus olhos estavam nublados. Talvez viesse nos encontrar mais tarde, com Tim, mas ela não apareceu. Adeus, adeus.

Zarpamos. Deixamos Tim no seu quintal, na pradaria, na saída da cidade; voltei os olhos para observá-lo desaparecer na planície. Aquele cara estranho que era Tim Gray permaneceu lá parado por dois longos minutos observando-nos desaparecer e pensando sabe Deus que pensamentos pesarosos. Ele ia ficando cada vez menor, ainda imóvel, com uma mão no varal, como um capitão, e me mantive virado para ver Tim Gray até não haver mais nada além de um crescente vazio no espaço, e o espaço era a paisagem no rumo leste, na direção do Kansas, que conduzia por todo o caminho de volta até minha casa no Atlântico.

Agora apontávamos nosso focinho ruidoso em direção ao Sul, dirigindo-nos a Castle Rock, Colorado, quando o sol já caía enorme e vermelho e as rochas das montanhas voltadas para o Oeste lembravam as paredes de uma cervejaria do Brooklin num crepúsculo de novembro. Lá em cima, nas sombras purpúreas da rocha, havia alguém caminhando e caminhando. Alguém que não podíamos ver; talvez fosse aquele velho de cabelos brancos que eu pressentira nos picos, anos atrás. Zacatecan Jack. Ele se aproximava cada vez mais de mim, só que sempre um pouquinho atrás. E Denver ia retrocedendo às nossas costas, como a cidade de sal, sua névoa dissolvendo-se no ar, sumindo de vista.

4

Estávamos em maio. E como podem as familiares tardes do Colorado, com suas fazendas e diques de irrigação e pequenos vales sombrios – lugares onde a molecada vai nadar –, produzir um inseto como o inseto que picou Stan Shephard? Ele ia com o braço apoiado na porta quebrada e seguíamos em frente conversando animadamente quando, de repente, um inseto pousou no seu braço, fincando um longo ferrão, fazendo-o soltar um grito. Surgira do fundo de um entardecer americano. Stan puxou o braço para dentro e arrancou o ferrão e em poucos minutos seu braço começou a inchar e a doer. Dean e eu não conseguíamos compreender como aquilo acontecera. A única coisa era esperar e ver se o inchaço diminuía. Ali estávamos nós, a caminho das desconhecidas terras do Sul, a apenas cinco quilômetros da nossa cidade natal, a velha e pobre cidade da nossa infância, quando um estranho, exótico e febril inseto levantara-se de pântanos misteriosos e corrupções desconhecidas para inocular o temor em nossos corações. "Que que é isso?"

"Nunca ouvi falar de algum inseto por essas bandas capaz de produzir um inchaço como esse."

"Merda!" Aquilo fez com que a viagem parecesse sinistra e amaldiçoada. Mas seguimos em frente. O braço de Stan piorou. Paramos no primeiro hospital, onde lhe aplicaram uma injeção de penicilina. Passamos por Castle Rock e entramos em Colorado Springs à noite. A enorme sombra do pico Pike agigantava-se à nossa direita. Deslizamos pela estrada de Pueblo. "Pedi carona milhares e milhares de vezes nessa estrada", disse Dean. "Certa noite, me escondi exatamente ali, atrás daquela cerca de arame farpado, quando fiquei subitamente aterrorizado sem nenhuma razão aparente."

Decidimos que todos contariam suas histórias, mas um por um, e Stan seria o primeiro. "Temos um longo caminho pela frente", preambulou Dean, "portanto, você deve se esforçar e agir com toda a indulgência possível, tratando de relembrar cada mínimo detalhe que puder – e ainda assim não conseguirá contar tudo. Mas calma, calma", Dean advertia Stan, que já havia começado a contar sua história. "Você deve relaxar também." Stan mergulhou na história da sua vida enquanto varávamos a escuridão. Começou contando suas experiências na França, mas, para contornar dificuldades cada vez maiores, voltou atrás e recomeçou desde o princípio, recordando sua infância em Denver. Ele e Dean conversaram sobre as vezes em que se tinham visto zunir de bicicleta pelas calçadas. "Tem um lance que você se esqueceu, tenho certeza – a garagem Arapahoe, lembra? Joguei a bola até você, na esquina, você a rebateu de volta para mim com o punho e ela foi cair num bueiro, lembra? No tempo em que estávamos no primário, recorda?" Stan estava nervoso e febril. Queria contar tudo para Dean. Agora Dean era o árbitro, o ancião, o juiz, o ouvinte, que escutava, aprovava, assentia. "Sim, sim, prossiga por favor." Cruzamos Walsenburg; subitamente passamos também por Trinidad, onde, em algum lugar, à beira da estrada, em frente a uma fogueira, cercado talvez por um bando de antropólogos, Chad King – como outrora – estaria também contando a história da sua vida, sem sequer imaginar que naquele exato instante estávamos passando pela estrada, a caminho do México, contando nossas próprias histórias. Oh, triste noite americana! Então já estávamos no Novo México, cruzando entre as rochas arredondadas de Raton, parando numa cantina, desesperadamente famintos por um hambúrguer. Enrolamos alguns em guardanapos, guardando-os para comê-los no outro lado da fronteira. "O estado do Texas inteiro se espalha verticalmente à nossa frente, Sal", disse Dean. "Da outra vez, nós o cruzamos horizontalmente. O caminho é tão longo quanto. Dentro de poucos minutos estaremos no Texas e amanhã a essa mesma hora ainda não teremos saído dele, mesmo dirigindo sem parar. Pensa nisso, homem!"

Seguimos em frente. Através da imensa planície noturna estava a primeira cidade do Texas, Dalhart, pela qual eu já passara em 1947. Estendia-se cintilante acima do chão negro da terra. Ao luar, a terra inteira não passava de ermos e charnecas. A lua estava agora no horizonte. Ela subiu, cresceu, enferrujou-se, empalideceu e sumiu; a estrela da manhã surgiu e o orvalho começou a gotejar no para-brisa – e lá íamos nós, rodando. Depois de Dalhart – cidade que parece uma caixa de biscoito vazia – deslizamos até Amarillo, chegando de manhã, circulando entre relvas agitadas ao sabor do vento que não faz muito tempo ondulavam entre tendas de pele de búfalo. Agora havia postos de gasolina e *jukeboxes* novas em folha, modelo 1950, com enormes ornamentações na fachada e aberturas ávidas por moedas de dez centavos e músicas pavorosas. Durante todo o percurso desde Amarillo até Childress, Dean e eu soterramos Stan com os enredos intermináveis de todos os livros que havíamos lido nos últimos anos – fora ele quem pedira, queria aprender. Em Childress, sob o sol escaldante, dobramos diretamente rumo ao Sul por uma estrada sem importância, avançando vertiginosamente entre extensões abismais em direção a Paducah, Guthrie e Abilene, Texas. Dean precisava dormir agora, e Stan e eu sentamos no banco da frente e dirigimos. O velho carro aquecia, arfava, esforçava-se. E imensas rajadas de vento arenoso sopravam para o nosso lado vindas de espaços bruxuleantes. Stan foi em frente, contando histórias de Monte Carlo e Cagnes-sur-Mer e lugares azulados próximos a Menton, onde pessoas morenas circulam entre paredes brancas.

O Texas é inconfundível: entramos lentamente em Abilene e todos despertamos para olhar a cidade. "Uau, imagine só viver nesse lugar, a milhares de quilômetros de qualquer cidade grande. *Hoop*, *hoop*, logo ali, junto aos trilhos, a velha cidade de Abilene, onde embarcavam vacas e chafurdavam as galochas e se bebia sem parar. Olhem lá", berrou Dean com a cabeça para fora da janela e a boca contorcida que nem W. C. Fields. Pouco estava ligando para o Texas ou para qualquer outro lugar. Texanos de rosto avermelhado não deram a menor bola para Dean e continuaram a percorrer apressadamente suas calçadas escaldantes. Paramos para comer numa estrada do lado sul da cidade. O cair da noite parecia estar a um milhão de quilômetros de distância quando prosseguimos rumo a Coleman e Brady – o coração do Texas, apenas um ermo interminável de moitas espinhosas, com uma casa aqui, outra ali na margem de algum rio sedento, e desvios esburacados e poeirentos de oitenta quilômetros e um calor asfixiante. "O velho México e seus adobes estão muito distantes ainda", disse Dean, com voz sonolenta, no banco traseiro, "portanto continuem metendo bronca, garotos, e ao amanhecer estaremos beijando umas *señoritas* porque esse velho Ford roda mesmo, desde que tratado na manha – com exceção da parte traseira, que está prestes a cair, mas não nos preocupemos com isso até chegarmos ao nosso destino." E voltou a dormir.

Peguei a direção e dirigi até Fredericksburg, e aqui estava eu outra vez cruzando o velho mapa exatamente no mesmo lugar onde Marylou e eu ficamos de mãos dadas numa manhã nevada de 1949; e onde estava Marylou agora? "Sopra, chará", gritou Dean num sonho; aposto que ele sonhava com o jazz de Frisco, ou talvez com o mambo mexicano, que estava logo à frente. Stan não parava de falar; Dean lhe dera corda na noite anterior e agora ele jamais iria parar. Nesse momento, ele estava na Inglaterra relatando suas aventuras de carona na estrada inglesa, entre Londres e Liverpool, com os cabelos longos e as calças rasgadas e estranhos caminhoneiros britânicos conduzindo-o pelas penumbras do vácuo europeu. Estávamos todos com os olhos vermelhos por causa do constante vento arenoso do velho Tex-*ass*. Sentíamos um frio na barriga, porque sabíamos que estávamos chegando lá, ainda que lentamente. O carro arrastava-se a uns sessenta quilômetros por hora num esforço supremo. A partir de Fredericksburg iniciamos a descida do grande platô do oeste. Mariposas chocavam-se contra nosso para-brisa. "Estamos entrando no território do calor, dos ratos do deserto e da tequila, rapazes. E é a minha primeira vez tão longe no sul do Texas", disse Dean, encantado. "Puta merda! É aqui que meu velho vem passar o inverno, ah, vagabundo esperto!"

De repente, fomos envolvidos por um calor absolutamente tropical no sopé de uma colina de oito quilômetros de extensão e lá na frente vislumbramos as luzes da velha San Antonio. A sensação era de que tudo aquilo, na verdade, já havia sido território mexicano. As casas à beira da estrada eram diferentes, os postos de gasolina mais velhos, a iluminação mais escassa. Extasiado, Dean pegou o volante para nos conduzir até San Antonio. Penetramos na cidade, entre a desolação de barracos mexicanos, de madeira, sem porão, e velhas cadeiras de balanço na varanda. Paramos num posto de gasolina muito maluco para trocar o óleo. Mexicanos circulavam por ali sob a luz calorenta de lâmpadas recobertas pelos insetos de verão do vale, aproximando-se do balcão refrigerado e pegando cervejas, atirando as moedas para o empregado. Famílias inteiras levavam horas fazendo aquilo. Por todo canto havia barracões, árvores contorcidas e o aroma selvagem de canela no ar. Adolescentes mexicanas muito ligadas apareciam por ali com seus namorados. "Uau!", suspirou Dean. "*Si, mañana!*" Música vinha de todos os cantos, e todos os tipos de música. Stan e eu bebemos várias garrafas de cerveja e ficamos bebuns. Estávamos quase fora da América e, no entanto, definitivamente nela e bem no meio de onde ela é mais louca. Carangas envenenadas passavam rugindo. San Antonio, ah-haa!

"Agora, caras, escutem só – bem que podemos curtir umas horas em San Antonio, e então arranjaremos um hospital para tratar do braço de Stan enquanto você e eu, Sal, daremos umas voltas por aí por essas ruas todas – olhem só aquelas casas ali do outro lado da rua, dá até pra ver a sala da frente, aquelas filhas todas deitadas no sofá, insinuantes, lendo a revista *True Love*, iuu! Vamos nessa!"

Demos umas voltas a esmo e logo perguntamos onde ficava o hospital mais próximo. Era perto do centro da cidade, onde tudo parecia mais lustroso e americano, alguns quase-arranha-céus, muito néon e farmácias das grandes redes, mas mesmo assim alguns carros saídos das trevas dos arredores da cidade jogavam-se nas ruas centrais como se simplesmente não houvesse leis de trânsito. Paramos no estacionamento do hospital e fui junto com Stan procurar um atendente, enquanto Dean ficava no carro para trocar de roupa. O *hall* do hospital estava repleto de mulheres mexicanas pobres, algumas delas grávidas, algumas doentes ou então acompanhando suas crianças doentes. Era muito triste. Pensei na pobre Terry e fiquei me perguntando o que estaria ela fazendo agora. Stan teve de esperar uma hora inteira até que um médico se dignasse a examinar seu braço inchado. Havia um nome para a infecção que ele tinha, mas nenhum de nós dois se deu ao trabalho de pronunciá-lo. Deram-lhe uma injeção de penicilina.

Enquanto isso, Dean e eu saímos para curtir as ruas mexicanas de San Antonio. Era perfumado e ameno – na verdade, o ar mais ameno que jamais respirei – e escuro, enigmático, efervescente. Silhuetas repentinas de garotas com lenços brancos surgiam, saídas do fundo da noite fervilhante. Dean tinha calafrios e não dizia uma única palavra. "Oh, tudo isso é maravilhoso demais para que façamos o que quer que seja!", sussurrou. "Vamos só deslizar por aí e ver tudo que temos direito. Olhe! Olhe! Um bilhar muito louco de San Antonio." Entramos. Uma dúzia de garotos jogavam em três mesas, todos mexicanos. Dean e eu compramos umas Cocas e botamos umas moedas numa *jukebox* e tocamos Wynonie Blues Harris e Lionel Hampton e Lucky Millinder, saltitantes. Enquanto isso, Dean me chamava a atenção para tudo.

"Saca só, cara, de canto do olho enquanto ouvimos Wynonie soprar seus blues, e também enquanto respiramos o ar ameno, como você diz, saca aquele garoto, o aleijado, aquele que está jogando na mesa um, o bobo da corte, a vida inteira foi o palhaço da turma. Os outros são implacáveis, mas o amam."

O garoto aleijado era uma espécie de anão deformado com um rosto enorme e lindo, grande demais, no qual reluziam dois imensos olhos orvalhados. "Percebe, Sal, um Tom Snark mexicano de San Antonio, a mesma história pelo mundo inteiro. Olha como enfiam o taco no rabo dele, ah, ah, ah! Escuta as risadas deles. Tá sacando, ele quer ganhar o jogo. Apostou meio dólar. Olha! Olha!" Observamos quando o angélico deformado tentava uma carambola. Errou. Os outros gargalharam. "Ah, cara", balbuciou Dean, "continua olhando." Agarraram o anão pelo pescoço e o giraram para todos os lados, de brincadeira. Ele guinchava. Saiu para a noite, não sem antes lançar um olhar por cima do outro, envergonhado e meigo. "Ah, homem, adoraria conhecer essa criaturinha, saber o que ele pensa e que tipo de garota ele tem – oh, cara, esse ar me deixa muito louco!" Saímos dali e rodamos alguns quarteirões escuros e misteriosos. Inúmeras casas escondiam-se por trás de jardins verdejantes como florestas; víamos garotas de relance, garotas nas salas, garotas nas varandas, garotas nas moitas com seus namorados. "E eu jamais havia estado nessa doida San Antonio! Imagina como deve ser o México! Vamos logo, vamos logo!" Corremos de volta ao hospital. Stan estava pronto e garantiu que se sentia muito melhor. Nós o abraçamos e contamos tudo o que havíamos feito.

E agora estávamos prontos para os últimos 250 quilômetros até a fronteira mágica. Saltamos no carro e pé na estrada. Eu estava tão exausto que dormi o trajeto inteiro através de Dilley e Encinal até Laredo e só fui acordar quando pararam o carro na frente de uma lanchonete, às duas da manhã. "Ah", suspirou Dean, "o fim do Texas, o fim da América, aqui termina tudo que conhecemos." Estava incrivelmente quente, suávamos a cântaros, todos nós. Não havia orvalho na noite, nem uma brisa, nada além de bilhões de mariposas rodopiando em torno das lâmpadas e o perfume vulgar e rançoso de um rio ardente, próximo, em meio à noite – o rio Grande, que nasce nas várzeas gélidas das Montanhas Rochosas e termina esculpindo vales monumentais como o mundo antes de misturar suas águas tépidas com a lama do Mississippi, lá embaixo no grande Golfo.

Laredo, naquela manhã, era uma cidade sinistra. Motoristas de táxis de todas as espécies e ratos de fronteira perambulavam por ali, à espera de alguma oportunidade. Não havia muitas, estava muito tarde. Eram os fundos – a sarjeta e os esgotos – da América, onde os vilões mais perversos chafurdam, para onde gente desorientada vai para ficar próxima a um lugar específico para o qual possa deslizar sorrateiramente. No ar viscoso como xarope pairava um clima de contrabando. Os policiais eram suarentos e taciturnos, de cara vermelha, mas sem arrogância. As garçonetes eram sujas e enfastiadas. Podíamos sentir, logo ali, a presença do vasto México por inteiro e quase sentir o cheiro de bilhões de *tortillas* sendo fritas e fumegando sob a noite. Não tínhamos a menor ideia de como seria o México realmente. Estávamos outra vez ao nível do mar, e quando tentamos comer uns petiscos mal conseguimos engoli-los. Mesmo assim, enrolei tudo nuns guardanapos e guardei para a viagem. Nos sentíamos péssimos, e tristes. Mas tudo mudou quando cruzamos a misteriosa ponte sobre o rio e pela primeira vez nossas pneus rodaram oficialmente sobre o solo mexicano, mesmo que não passasse de uma trilha até a alfândega. O México começava logo além da rua. Olhávamos para tudo, estarrecidos. Para nosso espanto, tudo se parecia exatamente com o México. Eram três da manhã, e tipos com chapéu de palha e calças brancas vadiavam às dúzias, escorados nas paredes desgastadas de lojas ordinárias.

"Olhem só aqueles ali!", murmurou Dean. "Ooh", suspirou, suavemente, "esperem aí, esperem aí." Os guardas alfandegários mexicanos se aproximaram, sorridentes. Solicitaram gentilmente que tirássemos nossa bagagem do carro. Tiramos. Não conseguíamos despregar os olhos da rua, do lado de lá. Estávamos loucos para nos atirar direto para lá e nos perder naquelas misteriosas ruas espanholas. Era apenas Nuevo Laredo, mas para nós parecia a Sagrada Lhasa. "Cara, esses sujeitos passam a noite inteira de pé", sussurrou Dean. Nos apressamos em regularizar nossos papéis. Fomos aconselhados a não beber água da torneira agora que havíamos cruzado a fronteira. Os mexicanos examinaram nossas bagagens indolentemente. Não tinham a menor aparência de guardas fronteiriços. Eram meigos e indolentes. Dean não conseguia parar de encará-los. Virou-se para mim: "Olha só como são os *tiras* nesse país. Não posso crer!". Ele esfregou os olhos. "Estou sonhando." Então chegou a hora de trocar dinheiro. Vimos grandes pilhas de pesos sobre uma mesa e aprendemos que oito deles davam um dólar americano, mais ou menos. Trocamos quase toda nossa grana e, deliciados, recheamos nossos bolsos com grandes maços de notas.

5

Então voltamos nossos rostos para o México, com timidez e assombro, enquanto dúzias daqueles gatos mexicanos nos espiavam sob a aba de seus misteriosos chapéus noturnos. Mais adiante, havia música e restaurantes abertos a noite inteira, cujas portas deixavam escapar azuladas nuvens de fumaça. "Pfffiu!", assobiou Dean bem baixinho.

"Tá pronto!", sorriu o oficial mexicano. "Tudo certo com vocês, rapazes. Vão em frente. Bem-vindos a *Méhico*. Divirtam-se. Cuidem do dinheiro. Dirijam com cuidado. É um conselho. Sou Red, todos me chamam de Red, qualquer coisa, perguntem por Red. Não comam porcarias. Não se preocupem, está tudo bem. Não é difícil curtir *Méhico*."

"Pode crer!", trovejou Dean, e lá fomos nós, cruzando a rua e penetrando com leveza no México. Deixamos o carro estacionado e, ombro a ombro, avançamos os três pela rua espanhola, circulando entre luzes opacas e sonolentas. Velhos sentavam-se em cadeiras, nas varandas da noite – pareciam *junkies* orientais ou oráculos. Ninguém estava realmente olhando para nós, no entanto todos estavam atentos a tudo que fazíamos. Dobramos direto à esquerda e entramos na lanchonete enfumaçada e fomos direto para o som de violões caipiras de uma *jukebox* americana dos anos 30. Motoristas de táxi em mangas de camisa e *hipsters* mexicanos metidos em chapéus de palha sentavam-se nas banquetas devorando disformes porções de *tortillas,* feijão, tacos, sei lá o quê. Compramos três cervejas geladas – *cerveza,* como se diz lá – por trinta centavos mexicanos, o equivalente a dez centavos americanos. Também compramos uns maços de cigarros mexicanos, seis centavos cada! Contemplávamos nosso maravilhoso dinheiro mexicano que nunca terminava e brincávamos com ele, olhando para os lados e sorrindo para todos. Atrás de nós se derramava a América inteira, e tudo aquilo que Dean e eu sabíamos sobre a vida, e sobre a vida na estrada. Finalmente havíamos descoberto a terra mágica que ficava no final da estrada e ainda não conseguíamos sequer imaginar as dimensões dessa magia. "*Pensem* nessa rapaziada de pé a noite inteira", suspirou Dean. "E agora pensem no imenso continente à nossa frente, com aquelas enormes montanhas da Sierra Madre que já vimos nos filmes, e selvas por tudo e um vasto platô desértico tão grande quanto o nosso se prolongando até a Guatemala e sabe mais onde, uau! Que faremos? Que faremos? Vamos em frente!" Saímos e voltamos para o carro. Um último *flash* da América, sob a cintilância das luzes da ponte do rio Grande, e então lhe demos as costas e rugimos em frente.

Instantaneamente estávamos no deserto e não se via uma luz ou um carro durante oitenta quilômetros de planícies. E justamente nessa hora, a aurora despontava sobre o Golfo do México, e começamos a ver as silhuetas fantasmagóricas dos cáctus *yucca* e dos imensos cáctus solenes como órgãos de igreja por todos os lados. "Como é selvagem esse país!", gritei. Dean e eu estávamos completamente despertos. Em Laredo mais parecíamos moribundos. Stan, que já havia viajado por outros países, dormia calmamente no banco de trás. Dean e eu tínhamos o México inteiro à nossa frente.

"Agora, Sal, estamos deixando tudo para trás e entrando numa nova fase desconhecida. Todos esses anos, essas complicações, esses baratos todos – e agora *isso*! De modo que seguramente podemos deixar tudo para lá e apenas seguir em frente, com a cara para fora da janela, assim, e *compreendermos* esse mundo de uma forma como, para falar com genuína franqueza, os outros americanos antes de nós não conseguiram fazer – eles estiveram aqui, não estiveram? A guerra do México! Atravessando o país com canhões."

"Essa estrada", contei-lhe, "também era a rota dos velhos fora da lei americanos que costumavam cruzar a fronteira rumo à velha Monterrey; portanto, se você olhar para esse deserto descolorido e imaginar o fantasma de um velho bandoleiro de Tombstone em sua longa cavalgada rumo ao desconhecido, perceberá que..."

"É o mundo", disse Dean. "Meu Deus!", uivou, batendo no volante. "É o mundo! Podemos seguir até a América do Sul, se houver estrada. Pensa nisso! *Puta que pariu! Puta merda!*" Zunimos em frente. O alvorecer espalhou-se rapidamente e começamos a ver as areias brancas do deserto e algumas cabanas fortuitas perdidas no horizonte, Dean diminuía para observá-las. "Cabanas gastas e maltratadas, cara. Das verdadeiras, do tipo que você só encontra no Death Valley; e ainda piores! Esse povo não está *nem aí* para as aparências!" A primeira cidade digna de constar no mapa que apareceria à frente era Sabinas Hidalgo. Seguíamos ansiosamente em direção a ela. "E a estrada é igualzinha à estrada americana", exclamou Dean, "com uma única e louca diferença, se você ainda não percebeu: a sinalização é em quilômetros e aponta a distância até a cidade do México. Veja só, é a única cidade dessa terra toda, tudo aponta para lá..." A metrópole ficava a apenas 767 milhas dali; em quilômetros eram mais de mil. "Porra, tenho que continuar indo!", gritou Dean. Por uns instantes fechei os olhos de completa exaustão e fiquei apenas ouvindo Dean bater com o punho cerrado contra o volante e exclamar "Porra", e "Que barato!" ou "Oh, que terra!" e "Sim!". Chegamos a Sabinas Hidalgo pelas sete da manhã, tendo cruzado apenas desertos. Diminuímos a velocidade para apreciar o quadro. Acordamos Stan no banco traseiro. Nos aprumamos para curtir cada detalhe. A rua principal era lamacenta e esburacada. De ambos os lados havia velhas fachadas de adobe caindo aos pedaços. Burros carregados cruzavam pelas ruas. Mulheres descalças nos observavam por trás de umbrais sombrios. A rua estava repleta de pessoas começando um novo dia no interior do México.

Velhos com bigodes ancestrais nos encaravam. A visão de três jovens americanos rotos e barbados, em vez de turistas bem-vestidos, despertava neles um interesse incomum. Rodamos lentamente pela avenida principal, a uns quinze por hora, absorvendo tudo. Um grupo de garotas seguia a pé à nossa frente. Quando as ultrapassamos, uma delas disse: "Para onde está indo, cara?".

Me virei para Dean, atônito: "Ouviu o que ela disse?".

Dean estava tão surpreso que continuou dirigindo lentamente, dizendo: "Sim, ouvi o que ela disse, oh, certamente ouvi o que ela disse, oh, ai, ui, nem sei o que fazer, Estou tão excitado e encantado com esse mundo matinal. Finalmente chegamos ao paraíso. Não poderia ser melhor, mais fantástico, *nada mais*!".

"Bem, vamos voltar e apanhá-las", disse eu.

"Sim", disse Dean, e continuou dirigindo em frente, a dez por hora. Estava perplexo, não precisava agir como teria agido na América. "Há milhões delas ao longo dessa estrada!", disse. Portanto, jamais fez aquele retorno e nunca voltou a passar pelas garotas. Elas iam trabalhar nas plantações; sorriam para nós. Dean as encarava com os olhos empedrados. "Porra", suspirava para tomar fôlego. "Oh! É bom demais para ser verdade. Garotas, garotas. E particularmente agora, Sal, nas condições e no estado em que me encontro, estou observando o interior dessas casas enquanto passamos por elas – esses portais bacanas, e você olha através deles e vê colchões de palha espalhados pelo chão e criancinhas morenas dormindo sobre eles, já se mexendo para acordar, seus pensamentos emergindo da mente vazia sonolenta, os corpos se levantando, as mães preparando o café da manhã, cozinhando em panelões de ferro, e saca só as persianas que eles usam nas janelas e os velhos, oh, *os velhos* são demais, são formidáveis, e não se aporrinham com nada! Aqui não há *suspeitas* – nada disso. Todos são maneiros, te olham no olho com seus olhos castanhos e não falam nada, apenas olham! E todas as qualidades humanas estão ali, implícitas nesse olhar. Agora pensa em todas as histórias estúpidas que já lemos sobre o México, gringos sonolentos e todo esse lixo, toda aquela porcaria sobre *xicanos* e tudo mais – e tudo o que encontramos aqui são essas pessoas sinceras e gentis que não te enchem o saco. Estou encantado com tudo isso!" Escolado na estrada crua da noite, Dean veio ao mundo para observá-lo. Inclinava-se ao volante e olhava para ambos os lados, rodando lentamente. Na saída de Sabinas Hidalgo paramos para pôr gasolina. Aqui uma espécie de conselho local de velhos rancheiros com bigodes de pontas retorcidas e chapéus de palha resmungava e ria junto a bombas de gasolina antiquadas. Mais longe, entre os campos, um velho arava a terra com um burro atrelado num arado de madeira. O sol erguia-se puro, iluminando atividades puras e ancestrais da vida humana.

Então seguimos na estrada para Monterrey. Monstruosas montanhas com cumes nevados se elevavam à nossa frente, fomos direto para elas. Uma estrada estreita serpenteava por um desfiladeiro e nós a seguimos. Em questão de minutos ultrapassamos o deserto e começamos a subir em direção ao vento ameno da Sierra, por uma estranha estrada com uma murada de pedra do lado do precipício com nomes de políticos pintados a cal – ALEMAN! Não cruzamos com ninguém nessa estrada das alturas. Ela serpenteava entre as nuvens e nos conduzia para o grande platô que ficava no topo. Além desse platô, a grande cidade industrial de Monterrey lançava sua fumaça aos céus azuis com suas enormes nuvens do Golfo inscritas na abóbada do dia como se fossem novelos de lã. Entrar em Monterrey é como entrar em Detroit, rodando entre as longas paredes das fábricas, exceto pelos burros pastando ao sol na grama ali em frente e a visão das grossas paredes de adobe das casas da cidade entre as quais circulavam milhares de *hipsters* duvidosos, vadiando pelos portais, e prostitutas debruçadas nas janelas, e lojas esquisitas que não deviam vender coisa alguma e calçadas estreitas apinhadas como se estivéssemos em Hong Kong. "Uff!", uivou Dean, "e tudo isso sob o sol do trópico. Já sacou esse sol mexicano, Sal? Ele te deixa de cabeça feita! Uau, quero seguir em frente. Essa estrada está me pirando..." Ameaçamos dar uma parada na efervescência de Monterrey, mas Dean queria chegar à cidade do México num tempo extracurto, além disso sabia que a estrada se tornaria ainda mais fascinante, especialmente em frente, sempre em frente. Dirigia como um demônio e jamais descansava. Stan e eu estávamos completamente exaustos, desistimos e fomos dormir. Antes, olhei para o alto e vi duas montanhas gêmeas imensas e estranhas para além da velha Monterrey; mais além de onde iam os fora da lei.

À nossa frente ficava Montemorelos, uma nova descida rumo às planuras abafadas. Ficou extraordinariamente escaldante e estranho. Dean simplesmente teve de me acordar para que eu visse tudo aquilo. "Olhe, Sal, você *não pode* perder isso!" Olhei. Estávamos avançando entre pântanos e, do lado da estrada, a intervalos regulares, surgiam mexicanos estranhos esfarrapados, caminhando com machadinhas dependuradas nas cordas que lhes serviam de cinto, alguns deles cortavam moitas espinhosas. Todos paravam para nos ver passar, com um olhar vazio. Entre o emaranhado ressequido de moitas víamos, de vez em quando, cabanas africanas de sapê com paredes de bambu, meras cabanas de varas. Garotas estranhas, escuras como a lua, nos encaravam de misteriosos umbrais verdejantes. "Oh, homem, queria parar para curtir um pouco essas coisinhas queridas", choramingou Dean, "mas repara como os coroas – a mãe idosa ou o velho pai – estão sempre por perto, geralmente nos fundos, a uns cem metros, apanhando gravetos e lenha, cuidando dos rebanhos. Elas nunca estão sozinhas. Ninguém está sozinho nesse país! Enquanto você dormia, fiquei curtindo essa estrada e essa nação, e se pudesse te contar todas as coisas que pensei, cara!" Ele suava. Seus olhos estavam rajados e rubros, e loucos, e também ternos e suaves – tinha encontrado gente como ele. Deslizamos através da interminável região dos pântanos à velocidade constante de setenta por hora. "Sal, acho que a paisagem não vai se modificar tão cedo. Se você dirigir, eu agora vou dormir."

Peguei o volante e dirigi em meio ao meus devaneios, através de Linares, através da calorenta e plana região pantanosa, através do abafado rio Soto la Marina, próximo a Hidalgo e adiante. Um enorme vale de selva verdejante com amplos campos cultivados surgiu à minha frente. Grupos de homens nos observaram passar, reunidos ao lado de uma velha ponte enferrujada. O rio aquecido fluía, ardente. E então subimos a novas altitudes e a região desértica e inculta ressurgiu. A cidade de Gregória estava à frente. Os rapazes dormiam e eu estava ao volante, sozinho em minha eternidade, e a estrada seguia reta como uma flecha. Não era como dirigir pela Carolina, ou pelo Texas, ou pelo Arizona, ou pelo Illinois, mas sim dirigir através do mundo rumo a lugares onde nós finalmente aprenderíamos algo entre os lavradores indígenas desse mundo, a origem, a força essencial da humanidade básica, primitiva e chorosa que se estende como um cinturão ao redor da barriga equatorial do planeta, desde a Malásia (a longa unha da China) até o grande subcontinente indiano, passando pela Arábia e pelo Marrocos, cruzando os próprios desertos e selvas do México, sobre as ondas da Polinésia para chegar ao Sião místico da Túnica Amarela, sempre ao redor, ao redor, de modo que se pode ouvir a mesma lamúria nostálgica desde as muralhas arruinadas de Cádiz, na Espanha, até vinte mil quilômetros mais além, nas profundezas de Benares, a Capital do Mundo. Essas pessoas eram indubitavelmente índias e não tinham absolutamente nada a ver com os tais Pedros e Panchos da tola tradição civilizada norte-americana. Tinham as maçãs do rosto salientes, olhos oblíquos, gestos suaves; não eram bobos, não eram palhaços; eram grandes e graves indígenas, a fonte básica da humanidade, os pais dela. As ondas são chinesas, mas a terra é coisa dos índios. Tão essencial como as rochas no deserto, são os índios no deserto da "história". E eles sabiam disso, enquanto passávamos, nós, americanos ostensivamente presunçosos com os bolsos cheios de dinheiro numa excursão ruidosa por suas terras, eles sabiam quem era o pai e quem era o filho desta primitiva vida terrestre. Porque quando a destruição chegar ao mundo da "história" e o Apocalipse indígena retornar, como tantas vezes já fez, estas pessoas vão continuar olhando para o mundo dessa mesma maneira, de dentro de suas grutas, no México ou em Bali, onde tudo começou e onde Adão foi amamentado e ensinado a compreender. Eram esses meus pensamentos enquanto eu dirigia em direção à escaldante e entorpecida cidade de Gregória.

Pouco antes, lá em San Antonio, eu havia prometido a Dean, de gozação, arranjar uma garota para ele. Era uma aposta e um desafio. Logo que estacionei o carro num posto de gasolina, perto da ensolarada Gregória, um garoto atravessou a estrada de pés descalços, carregando um enorme protetor de para-brisa e querendo saber se eu desejava comprá-lo. "Gosta? Sessenta pesos. *Habla español? Sesenta pesos.* Meu nome Victor."

"Nah", disse eu, gracejando. "Compro señorita."

"Claro, claro!", gritou ele, excitado. "Arranjo garotas, qualquer hora. Mas agora está quente demais", acrescentou, com repugnância. "Dia quente, garotas ruins. Espera até a noite. Gosta protetor?"

Eu não queria protetor nenhum, mas fiquei a fim das garotas. Acordei Dean. "Ei, homem, no Texas garanti que iria te arranjar uma garota – tudo bem, estica esse corpo e acorda, rapaz; já temos umas garotas esperando por nós."

"O quê? O quê?", gritou, levantando-se num salto, ávido. "Onde? Onde?"

"Esse menino, Victor, vai nos mostrar onde."

"Bom, então vamos lá, vamos lá!" Dean saltou fora do carro e apertou a mão de Victor. Havia um grupo de garotos vadiando por ali, em volta do posto, sorrindo, metade estava de pés descalços, todos com chapéus de palha de abas moles. "Cara", me disse Dean, "que maneira deliciosa de passar a tarde. É muito mais *maneiro* do que nos bilhares de Denver.

Victor, você arranja umas garotas? Onde? *Adonde*?", perguntou em espanhol. "Saca só, Sal, estou falando espanhol."

"Pergunte se ele nos arranja uma 'erva'. Ei, garoto, você consegue ma-ri-ju-ana?"

O garoto assentiu, discretamente. "Claro, homem. Qualquer hora."

"Iuupii! Uau! Hoo!", exclamou Dean. Ele estava completamente desperto e saltitante naquela sonolenta rua mexicana. "Vamos nessa!" Distribuí uns cigarros *Lucky Strikes* entre os garotos. Eles estavam nos curtindo bastante, principalmente a Dean. Cochichavam, com as mãos em conchas, ao ouvido uns dos outros, falando sobre esse americano muito louco. "Saca eles, Sal, falando sobre nós e nos curtindo. Oh, meu Deus, que mundo!" Victor entrou no carro conosco e caímos fora. Stan Shephard estava dormindo e roncando, acordou naquele momento para essas loucuras.

Cruzamos a cidade até o outro lado, saímos para o deserto e entramos numa estradinha esburacada que fez o carro sacolejar como nunca. A casa de Victor ficava logo à frente. Era apenas uma caixa retangular de adobe, assentada no início das áridas planícies dos cáctus, rodeada por algumas árvores, com uns sujeitos espreguiçando-se e vadiando pelo quintal. "Quem são?", perguntou Dean, excitadíssimo.

"Aqueles meus irmãos. Minha mãe também aí. Minha irmã também. Aquela minha família. Sou casado, moro na cidade."

"Ops, mas e tua mãe?", inquiriu Dean. "O que ela diz da *marijuana*?" "Oh, ela colhe pra mim." E enquanto esperávamos no carro, Victor saiu, voou até a casa e falou rapidamente com uma velha senhora, que prontamente se virou e foi até o quintal, nos fundos, e começou a recolher murrugas de maconha que haviam sido colhidas dos pés e postas para secar sob o sol do deserto. Enquanto isso, os irmãos de Victor sorriam debaixo de uma árvore. Eles estavam vindo nos conhecer, mas ainda levariam algum tempo para se levantar e arrastar-se até o carro. Victor voltou, sorrindo singelamente.

"Cara", murmurou Dean, "esse Victor é o mais incrível, desvairado e singelo sujeito que jamais encontrei em toda minha vida. Dá uma olhada no andar malicioso, suave que ele tem. Não é preciso andar afobado por aqui." A brisa do deserto, constante e insistente, seguia soprando. Estava quente demais.

"Vê como é quente?", perguntou Victor, sentando no banco da frente ao lado de Dean e apontando para a capota escaldante do Ford. "Você fuma *marijuana,* calor acaba. Espera pra ver."

"Claro", disse Dean, ajeitando seus óculos escuros. "Claro que eu espero, meu caro Victor."

Então o irmão mais alto de Victor se aproximou com uma folha de jornal recheada de erva. Depositou-a no colo de Victor, se recostou na porta do carro com naturalidade e sorriu, dizendo: "Olá!". Dean assentiu com a cabeça e sorriu para ele, satisfeito. Ninguém falava; estava legal assim. Victor começou a enrolar a maior bomba que alguém já viu. Com tranquila habilidade (usando papel de embrulho marrom) apertou um tremendo baseado, o equivalente a um rechonchudo "Corona" – um charuto de maconha! Era uma verdadeira tora! Dean olhava fixamente para ela, com os olhos saltando das órbitas. Victor acendeu-a despreocupadamente e colocou-a na roda. Tragar aquela coisa era o mesmo que se inclinar sobre uma chaminé e aspirar. Arranhava nossa garganta como uma nuvem causticante. Demos todos uma prensa e exalamos praticamente ao mesmo tempo. Instantaneamente ficamos chapados. O suor se enregelou em nossas frontes e, subitamente, era como se estivéssemos na praia, em Acapulco. Olhei pela janela de trás do carro, e outro irmão de Victor – o mais estranho deles, uma espécie de índio peruano, alto, com um poncho sobre os ombros – estava escorado num poste, sorridente, tímido demais para aproximar-se e trocar um aperto de mãos. Parecia que o carro estava cercado de irmãos, já que do lado de Dean surgiu mais um. E então a coisa mais estranha aconteceu. Todos estavam tão chapados que as formalidades usuais foram dispensadas e nos concentramos nos assuntos de interesse imediato; agora restava apenas a estranheza de americanos e mexicanos fumando juntos no deserto e, mais do que isso, a estranheza de ver de uma distância mínima as faces, os poros da pele, os calos dos dedos e as maçãs dos rostos geralmente envergonhados de um outro mundo. Então os irmãos indígenas começaram a falar de nós, fazendo comentários em vozes baixas; podíamos vê-los olhando para nós, avaliando, comparando impressões mútuas, ou corrigindo e modificando suas opiniões, "blá, blá, blá"; enquanto Dean, Stan e eu fazíamos comentários sobre eles em inglês.

"Dá só uma sacada naquele irmão arisco lá atrás, aquele que não se moveu daquele poste e não diminuiu em nada a intensidade tímida de seu sorriso maravilhoso. E esse aqui, à minha esquerda, mais velho, mais seguro de si mas melancólico, como se estivesse metido numa enrascada, como se não passasse de um vagabundo na cidade, enquanto Victor é respeitavelmente casado – é um genuíno faraó egípcio, não há dúvida! Esses caras são *maneiros*, mesmo! Jamais vi algo assim. E eles estão falando sobre nós, matutando, percebe? Exatamente como nós, mas com uma diferença, típica deles – provavelmente estão se concentrando na maneira como estamos vestidos – como nós também, para dizer a verdade – mas se concentrando na estranheza das coisas que possuímos dentro desse carro e na maneira esquisita como rimos, tão diferente da deles, e talvez até mesmo no nosso cheiro, também tão pouco semelhante ao deles. E, no entanto, daria meu braço direito para saber o que eles estão falando sobre a gente." E Dean tentou descobrir: "Ei, Victor, cara, o que teu irmão acabou de dizer?".

Victor pousou seus olhos castanhos, tristonhos e chapados em Dean: "*Yeah, yeah.*"

"Não, você não entendeu minha pergunta. O que os garotos estão dizendo?"

"Oh", respondeu Victor, profundamente perturbado, "você não gostou *mar-guana?*"

"Oh, sim, sim, é demais! O que vocês estão *falando*?"

"Falar? Claro, falar. Gosta México?" Era difícil se entender sem uma língua comum. Então todos ficaram quietos, calmos e muito loucos outra vez, gozando a brisa do deserto e curtindo individualmente suas próprias ideias, raciais e nacionais, de elevada eternidade.

Já era tempo de sair em busca das garotas. Os irmãos retornaram a seus respectivos lugares debaixo das árvores, a mãe nos observou de seu portal ensolarado, e regressamos lentamente ao centro da cidade, aos solavancos.

Mas agora todo esse sacolejar já não era desagradável; foi a mais aprazível, graciosa e trepidante jornada do mundo, como se estivéssemos navegando sob o azul do mar; e no rosto de Dean resplandecia uma aura dourada e incomum, e ele alertou para que mentalizássemos, pela primeira vez, o molejo do carro e curtíssemos a viagem. Sacolejávamos para cima e para baixo, e até Victor entendeu tudo e gargalhou. Então, apontou para a esquerda mostrando que caminho deveríamos pegar para chegarmos até as garotas, e Dean encarou a nova trilha à esquerda com encantamento indescritível e inclinando-se para aquele lado girou o volante e nos conduziu com segurança e suavidade ao nosso destino, enquanto escutava as tentativas de Victor de se comunicar e dizia grande e magniloquentemente: "Sim, é claro! Não há a menor sombra de dúvida! Decididamente, cara! Oh, é verdade! Uff, pish, posh, você diz coisas maravilhosas para mim! Claro! Pode crer! Por favor, vá em frente!". A tudo isso, Victor respondia com circunspecta e magnífica eloquência espanhola. Por um doido instante, pensei que Dean estava entendendo tudo que ele falava por pura e simples iluminação pessoal e uma súbita genialidade adivinhatória inconcebivelmente inspirada por sua felicidade radiante. E nesse instante, também, ele estava tão parecido com Franklin Delano Roosevelt – uma ilusão provocada nos meus olhos flamejantes e cérebro flutuante – que me estiquei no assento e engoli em seco, perplexo. Entre miríades de partículas de radiação celestial, tive de me esforçar para distinguir a fisionomia de Dean, e ele parecia Deus! Eu estava tão chapado que tive de recostar a cabeça no banco do carro. O sacolejo do carro provocava calafrios de êxtase em meu corpo inteiro. A simples ideia de olhar pela janela e ver o México – que a essa altura já outra coisa em minha mente – era como retroceder da frente de um baú de tesouro gloriosamente misterioso e cintilante que você teme encarar porque seus olhos se revirariam – são joias e tesouros demais para pegar uma só vez. Engoli em seco. Vi torrentes de ouro derramando-se pelo céu através do forro esfarrapado do nosso velho e pobre carro, cruzando meus olhos, na verdade, fluindo por dentro deles; elas estavam por tudo. Olhei pela janela para as ruas escaldantes e ensolaradas e vi uma mulher parada na soleira de uma casa e pensei que ela estava escutando cada palavra que dizíamos e sacudindo a cabeça – rotineiras visões paranoicas provocadas pela erva! As torrentes de ouro persistiam. Por um longo tempo perdi a consciência da parte mais rasteira de minha mente sobre o que estávamos fazendo e só a recobrei algumas horas depois, quando levantei os olhos do fosso e do fogo, como se estivesse despertando dum sono milenar, ou acordando do vácuo para um sonho, e eles me disseram que estávamos parados em frente à casa de Victor e ele já estava ali, na porta do carro, com seu filhinho nos braços, mostrando-o para nós.

"Tão vendo meu bebê? Nome dele Pérez, seis meses de idade!"

"Uau", disse Dean, o rosto ainda transfigurado por uma cascata de prazer e até mesmo bem-aventurança, "é a criança mais linda que já vi. Olhem esses olhos. Agora, Sal e Stan", disse-nos ele, com um ar sério e singelo, "quero que observem es-pe-ci-al-men-te os olhos desse bebezinho mexicano que é filho do nosso maravilhoso amigo Victor e notem como ele amadurecerá com sua alma manifestando-se através das janelas de seus olhos, e olhos tão encantadores seguramente profetizam e indicam a mais adorável de todas as almas." Foi um belo discurso. E era um belo bebê. Victor olhava seu anjo, enternecido. Todos nós desejamos ter um filho assim. Tão forte era a intensidade com que observávamos a alma do bebê que ele sentiu algo e começou fazer caretas que resultaram em lágrimas amargas e uma espécie desconhecida de mágoa que não tínhamos meios de serenar porque penetrava muito profundamente em inumeráveis mistérios e eras. Tentamos de tudo; Victor aconchegou-o junto ao pescoço e o embalou, Dean arrulhou, eu estiquei a mão e acariciei seu tenros bracinhos. Os berros aumentaram. "Ah", disse Dean, "estou terrivelmente sentido porque o deixamos triste, Victor."

"Ele não está triste, bebê chora." No portal, atrás de Victor, tímida demais para mostrar-se, estava sua pequena esposa descalça, aguardando com ternura ansiosa que seu bebê fosse recolocado em seus braços tão morenos e macios. Victor, tendo nos mostrado seu rebento, embarcou novamente no carro e orgulhosamente apontou para a direita.

"Sim", disse Dean, e fez o carro deslizar naquela direção, conduzindo através das estreitas ruas argelinas com rostos surgindo de todos os lados e nos observando com tranquila curiosidade. Chegamos ao bordel. Era um magnífico prédio de estuque, dourado pelo sol. Na rua, recostados nas persianas de madeira das janelas do bordel, estavam dois policiais de calças frouxas, sonolentos e de saco cheio, que nos dirigiram olhares de fugaz interesse enquanto entrávamos e permaneceram ali durante as três horas em que pintamos e bordamos sob seus narizes, e lá estavam até que saímos, ao crepúsculo, e, seguindo o conselho de Victor, demos o equivalente a 24 centavos para cada um deles – só para manter as aparências.

E lá dentro encontramos as garotas. Algumas recostadas nos sofás do outro lado da pista de dança, outras bebericando no bar comprido que havia à direita. No centro da sala havia um pequeno arco que conduzia aos minúsculos barracos de madeira, verdadeiros cubículos que se pareciam com as cabinas onde se troca de roupa nas praias públicas. Esses barracos ficavam lá fora, no quintal ensolarado. Atrás do balcão do bar estava o proprietário, um cara jovem que saiu instantaneamente correndo quando lhe dissemos que gostaríamos de ouvir mambo e retornou com uma pilha de discos, a maioria de Pérez Prado, e colocou-os na vitrola. Em um segundo a cidade de Gregória inteira podia escutar a festa que se desenrolava na *Sala de Baile*. Ali mesmo, no hall, o estrondo ensurdecedor da música – pois esse é o jeito certo de se tocar uma vitrola, e é para isso que elas originalmente foram feitas – era tão intenso que chocou profundamente a Dean, a Stan e a mim porque, num instante, compreendemos que nunca ousáramos ouvir música tão alto quanto queríamos, e era alto assim que gostaríamos de ouvir. O mambo zunia e ressoava direto para cima de nós. Em poucos minutos metade da cidade estava parada nas janelas observando *los americanos* dançando com as garotas. Permaneciam aos grupos na calçada imunda, lado a lado com os policiais, recostados com naturalidade e indiferença... *Más Mambo Jambo, Chattanooga de Mambo, Mambo Número Ocho* – todas essas tremendas peças ressoavam e ecoavam na tarde dourada e misteriosa como o som que provavelmente será escutado no último dia desse mundo, na Segunda Vinda. Os trumpetes pareciam tão altos que achei que podiam ser perfeitamente ouvidos no deserto – onde, de qualquer forma, essas trombetas surgiram. Os tambores eram uma loucura. O ritmo do mambo é o ritmo da conga do Congo, o rio mágico da África e do mundo; na verdade é o próprio ritmo do mundo. Uum-*tá,* ta-puu-*puum,* uum-*ta,* ta-puu-*puum*. As ressonâncias do piano derramavam-se sobre nós vindas do alto-falante. Os gritos do líder da banda eram como arquejos suspensos no ar. O refrão final dos trumpetes, acompanhado pelo clímax dos tambores de conga e dos bongôs, no incrível e piradíssimo disco de Chattanooga, enregelou Dean, deixando-o rijo e paralisado por um momento, até ele recomeçar a tremer e suar; e então, quando os trumpetes ressoaram seus ecos palpitantes no ar sonolento, como numa caverna ou numa cova, seus olhos se dilataram e saltaram das órbitas como se ele tivesse visto o diabo, e ele os apertou com força. Eu mesmo me sentia sacudido como uma marionete pelo som; ouvi os trumpetes debulhando as luzes que eu havia visto e tremi em minhas botas.

No veloz *Mambo Jambo* dançamos freneticamente com as garotas. Dentro do nosso delírio, começamos a discernir suas personalidades variadas. Eram garotas incríveis. Estranhamente, a mais desvairada era meio índio meio branca, vinha da Venezuela e tinha apenas dezoito anos. Parecia de boa família. O que ela estava fazendo se prostituindo no México, com aquela idade, aquele suave atrevimento e aquela aparência, só Deus sabe. Algum desgosto terrível a tinha levado a isso. Bebia além de qualquer medida. Entornava um novo drinque quando parecia que estava prestes a vomitar o anterior. Enxugava um copo atrás do outro, a ideia também era fazer-nos gastar o máximo possível. Vestindo um chambre tênue em plena tarde, ela dançou freneticamente com Dean, grudada no pescoço dele, implorando que ele lhe fizesse de tudo. Dean estava tão chapado que não sabia com o que começar, com as garotas ou com o mambo. Eles desapareceram na direção dos cubículos. Fui encaminhado para uma garota gorda e desinteressante com um cãozinho, e ela ficou chateada comigo quando antipatizei com o cão porque ele ficava tentando me morder. Ela se comprometeu a levá-lo para o quintal, mas quando retornou eu já havia sido fisgado por outra garota, mais gostosa, mas não a melhor, que se grudou ao meu pescoço como uma sanguessuga. Estava tentando me livrar dela e abrir caminho até uma garota de dezesseis anos que estava sentada do outro lado da sala olhando melancolicamente para o próprio umbigo através de uma abertura do seu vestido poído e pequeno. Não consegui. Stan tinha arranjado uma gatinha de quinze anos com pele escura cor de amêndoa e com um vestido quase que inteiramente desabotoado. Era uma loucura! Pelo menos uns vinte homens se acotovelavam na janela, observando tudo.

A certa altura, a mãe dessa garotinha de cor – de cor não, mas morena – entrou para manter um breve e triste diálogo com a filha. Quando vi aquilo, fiquei envergonhado demais para tentar abordar a que me interessava. Deixei a sanguessuga me arrastar para os fundos, onde, como num sonho, sob a ressonância e o clamor de mais alto-falantes, fizemos a cama ranger durante meia hora. Era apenas um quarto quadrado com persianas de tabuinhas e sem forro, a imagem de um santo num canto, um bidê no outro. De todas as partes do corredor escuro, as garotas gritavam: "*Água*, água caliente!", Stan e Dean tinham sumido de vista. Minha garota cobrou trinta pesos, mais ou menos uns três dólares e meio, e mendigou dez pesos extra contando uma história comprida sobre alguma coisa. Eu ainda não sabia o valor do dinheiro mexicano; tudo que sabia era que possuía um milhão de pesos. Atirei o dinheiro para ela e voltamos correndo para dançar. Uma multidão ainda maior espremia-se na rua. Os policiais pareciam de saco tão cheio quanto sempre. A venezuelana gostosa que estava com Dean me arrastou por uma porta para dentro de outro bar estranho, que aparentemente pertencia ao bordel. Aqui, um jovem garçom limpava os copos e falava enquanto um velho com um bigode de pontas retorcidas estava sentado discutindo alguma coisa seriamente. E aqui também o mambo rugia de outro alto-falante. Parecia que o mundo inteiro estava ligado. Venezuela se pendurou ao meu pescoço e me pediu para que lhe pagasse um drinque. O garçom não queria servi-la. Ela implorou e tornou a implorar e, quando ele a serviu, ela emborcou tudo de uma só vez – e não foi apenas para se aproveitar de mim, já que pude perceber um desgosto em seus pobres olhos encovados e perdidos. "Pega leve, *baby*", disse pra ela. Tinha de ampará-la em cima do banco, ela estava sempre escorregando. Nunca tinha visto uma mulher que bebesse tanto, e ela tinha apenas dezoito anos. Paguei-lhe mais um drinque. Em agradecimento, ela ficava passando a mão pelas minhas calças. Sugeria de tudo. Mas eu não tinha ânimo para encará-la. A minha primeira garota tinha trinta anos e cuidava muito melhor de si. Com Venezuela deslizando e sofrendo em meus braços tive desejos de arrastá-la para os fundos, despi-la e apenas conversar com ela – disse isso a mim mesmo. Na verdade, delirava de tesão por ela e pela outra gatinha morena.

Pobre Victor, todo esse tempo ele ficou escorado de costas no balcão cromado do bar, balançando-se no seu banco, satisfeito por ver seus três amigos americanos se esbaldarem. Pagávamos drinques para ele. Seus olhos brilharam para uma mulher, mas ele não aceitou nenhuma, permanecendo fiel à esposa. Dean lhe passava algum dinheiro. Nesse turbilhão de loucura, tive a chance de ver o que Dean estava aprontando. Ele estava tão fora de si que não me reconheceu quando dei uma olhadinha. "*Yeah! Yeah!*", era tudo o que ele dizia. Parecia que aquilo jamais teria fim. Era como um longo e espectral sonho árabe em um entardecer de uma outra vida – Ali Babá, as ruelas e as cortesãs. Corri de volta para o quarto com a mesma garota. Dean e Stan trocaram de par; saímos de cena por alguns instantes e os espectadores tiveram de esperar pela continuação do show. A tarde avançava, e refrescava.

Logo a misteriosa noite cairia sobre a velha e arruinada Gregória. Por nem um só instante o mambo cessou, ele fremia como uma interminável jornada na selva. Eu não conseguia despregar os olhos daquela gatinha morena e do jeito de rainha com que ela andava por ali; mesmo quando aquele sujeito sisudo do bar a rebaixava a tarefas desprezíveis, como servir-nos drinques ou varrer o quintal. De todas as garotas de lá, ela era a que mais precisava de dinheiro; talvez naquela hora sua mãe tivesse vindo buscar dinheiro para os irmãozinhos delas. Os mexicanos são pobres. Jamais, jamais me ocorreu simplesmente me aproximar dela e lhe dar algum dinheiro. Tinha a impressão de que ela o apanharia com ar de desprezo – e desprezo de gente como ela me intimidava.

Na minha loucura, eu fiquei verdadeiramente apaixonado por ela durante as poucas horas que aquilo tudo durou; era a mesma dor inconfundível e a punhalada de sempre em meu cérebro, os mesmos sinais, o mesmo sofrimento, e, acima de tudo, a mesma relutância e medo de me aproximar. O estranho é que Dean e Stan também fracassaram na abordagem. Sua irrepreensível dignidade era o que a fazia pobre num louco e velho bordel, veja só! Em determinado momento, vi Dean inclinar-se para ela como uma estátua prestes a tombar, e o desapontamento transpassou seu rosto quando ela olhou fria e imperiosamente na direção dele, então ele parou de alisar a barriga e engoliu em seco e finalmente baixou a cabeça. Porque ela era a rainha.

Agora Victor agarrava fortemente nossos braços, em meio ao furor, e fazia sinais frenéticos.

"Qual é o grilo?" Ele tentava de tudo para nos explicar. Então correu até o bar e arrancou a conta do garçom, que lhe lançou um olhar furioso, e a trouxe até nós para que a víssemos. A conta já passava dos trezentos pesos, ou trinta e seis dólares, o que é um monte de grana em qualquer cabaré. Mesmo assim não conseguimos nos acalmar e não queríamos ir embora, e apesar de exaustos queríamos continuar curtindo com aquelas garotas adoráveis nesse estranho paraíso árabe que finalmente havíamos encontrado no fim dessa dura, dura estrada. Mas a noite estava caindo e tínhamos de botar um fim naquilo; e Dean pressentiu isso e começou a franzir as sobrancelhas e a pensar, tentando se endireitar, até que eu finalmente lancei a ideia de que tínhamos de cair fora no ato. "Tanta coisa à nossa frente, homem, isso aqui não fará a menor diferença."

"Certo!", berrou Dean, com os olhos vidrados, virando-se para sua venezuelana. Ela tinha capotado finalmente e jazia num banco de madeira com suas pernas brancas aparecendo sob a combinação de seda. A plateia da janela aproveitou-se da exibição; por trás deles as sombras rubras do fim da tarde se insinuavam, e ao longe ouvi o choro de um bebê num súbito instante de silêncio, e lembrei que, afinal de contas, eu estava no México e não em um sonho pornográfico de haxixe no paraíso.

Cambaleamos porta afora, mas esquecemos Stan; corremos de volta para apanhá-lo e o encontramos cumprimentando charmosamente as novas putas que recém haviam chegado para o turno da noite. Ele queria começar tudo de novo. Quando está bêbado ele se move tão pesadamente quanto um homem de três metros de altura, e quando ele está bêbado é impossível separá-lo de mulheres. Especialmente mulheres enroscadas em seu pescoço como trepadeiras. Ele insistia em ficar – queria experimentar algumas das novas, estranhas e mais competentes *señoritas*. Dean e eu o agarramos pelo cangote e o arrastamos para fora. Ele se despediu acenando profusamente para todo mundo – as garotas, os tiras, a multidão, as crianças nas calçadas; jogou beijos em todas as direções sob a ovação de Gregória, cambaleou orgulhosamente entre o povo e tentou falar com eles para transmitir sua alegria e seu amor por tudo naquela bela tarde da vida. Todos riam; alguns lhe davam tapinhas nas costas.

Dean correu até os policiais, deu-lhes quatro pesos, trocou um aperto de mãos, sorriu e saudou-os com a cabeça. Então saltou no carro e as garotas que havíamos conhecido, até Venezuela, que havia acordado para a despedida, se aglomeraram em torno do carro, insinuantes em suas vestes transparentes, e nos deram adeus e nos beijaram, e Venezuela até começou a chorar – ainda que não por nós, a gente sabia, mas também um pouco por nós, e isso já era o suficiente, bom o suficiente. Meu querido e sombrio amor desaparecera nas sombras do interior do bordel. Estava tudo acabado. Arrancamos e deixamos a alegria e as celebrações para trás, recobertas por centenas de pesos, e de fato aquilo não parecia ter sido um mau dia de trabalho. O mambo obsessivo nos acompanhou durante uns quarteirões. Estava tudo acabado. "Adeus, Gregória!", gritou Dean, atirando um beijo.

Victor estava orgulhoso de nós e orgulhoso de si mesmo. "Agora vocês querem um banho?", ele perguntou. Sim, todos nós queríamos um bom banho.

E ele nos conduziu para o lugar mais estranho do mundo: era um balneário vulgar, estilo americano, que ficava a uns dois quilômetros da cidade, à beira da estrada, cheio de garotos chapinhando numa piscina e chuveiros dentro de um prédio de pedra; o banho custava apenas alguns centavos, com direito a sabão e toalha. Além disso, havia também um melancólico parque infantil com balanços e um carrossel arruinado, e sob o sol rubro que se ia pareceu muito estranho e muito lindo. Stan e eu pegamos as toalhas e mergulhamos numa ducha gelada, da qual saímos plenamente revigorados e refrescados. Dean não se deu o trabalho de tomar um banho e nós o vimos ao longe, naquele triste parque, caminhando de braço dado com o bom Victor conversando volúvel e prazerosamente, e até se inclinando excitadamente na direção dele para enfatizar alguma coisa e socando a palma da própria mão. E então eles voltaram a dar os braços e continuaram o passeio. Estava chegando a hora de nos despedirmos de Victor, por isso Dean estava aproveitando a oportunidade para ficar alguns momentos sozinho com ele, inspecionar o parque e dar uma vista de olhos em tudo e curtir Victor como só Dean sabe fazer.

Agora que teríamos de partir, Victor estava muito triste. "Quando voltarem a Gregória me procuram?"

"Claro, homem!", disse Dean. Ele chegou a prometer que levaria Victor para os Estados Unidos se ele quisesse. Victor disse que teria de refletir.

"Tenho mulher e filho – não tenho dinheiro – vou pensar." Seu sorriso, singelo e polido, fulgurava ao crepúsculo enquanto abanávamos para ele de dentro do carro. Atrás dele estavam o triste parque e as crianças.

6

Imediatamente depois de Gregória, a estrada começou a descer; árvores enormes se erguiam de ambos os lados da pista, e entre as árvores, à medida que escurecia, escutávamos o ruído ensurdecedor de bilhões de insetos – era um som agudo e infindável. "Uff", suspirou Dean, e acendeu os faróis, mas eles não estavam funcionando. "O quê? O quê? Mais essa agora? Merda!" Blasfemou e esmurrou o painel. "Oh, raios, teremos de atravessar essa selva sem faróis, pensem no horror que será, só poderei ver alguma coisa quando passar outro carro, mas por aqui simplesmente *nunca* passam carros! Portanto, também não há luzes. Oh, meu Deus, que faremos?"

"Ora, vamos em frente. Ou será que devemos voltar?"

"Não, jamais, jamais! Vamos em frente! Consigo ver um pedacinho de estrada. Vamos nessa!" Mergulhamos naquele abismo de trevas, a escuridão primordial, entre o estrépito dos insetos, e, então, sentimos um cheiro rançoso, quase podre, e nos lembramos que o mapa indicava que, logo abaixo de Gregória, começava o trópico de Câncer. "Estamos num novo trópico. Não estranhem o cheiro. Respirem fundo." Botei a cabeça para fora da janela; insetos se esborrachavam contra a minha cara; quando coloquei meus ouvidos no vento, ouvi um silvo intenso. De repente, os faróis começaram a funcionar novamente e lançaram seu facho à frente, iluminando a estrada solitária que serpenteava entre sólidas muralhas de árvores retorcidas e arqueadas, com mais de trinta metros de altura.

"Filhos da *puta*!", gritou Stan no banco de trás. "Puta *merda*!" Ele continuava muito louco. De repente, percebemos que estava tão doidão que a selva e as complicações não faziam a menor diferença para sua alma alegre. Começamos a rir, todos nós.

"Foda-se! Vamos mergulhar nessa porra dessa selva, vamos dormir nela essa noite, vamos nessa!", urrou Dean. "O velho Stan está certo, o velho Stan não está nem aí. Continua com a cabeça tão feita por causa daquelas mulheres, daquela maconha e daquele mambo-do-outro-mundo-impossível-de-absorver, tão estridente que meus tímpanos continuam zumbindo – uau! Ele está tão doido que só ele sabe o que está fazendo!"

Arrancamos nossas camisetas e rodamos pela selva, com o peito nu. Não havia cidades, povoados, nada, apenas a selva, selva interminável, quilômetros e quilômetros, sempre baixando, cada vez mais quente, úmido e abafado, os insetos zumbindo mais alto, a vegetação tornando-se mais espessa, estranha, espectral, o cheiro cada vez mais desagradável, até que nos acostumamos com tudo e passamos a gostar. "Gostaria de ficar peladão e rolar nessa selva", disse Dean. "E é exatamente o que farei, assim que encontrar um lugar apropriado." E então, surgido do nada, Limón apareceu à nossa frente, um povoado na selva, luzes opacas, sombras escuras, céus imensos acima de nós, e grupos de homens em frente a uma mixórdia de casebres de madeira – uma encruzilhada tropical!

Paramos numa suavidade inimaginável. Estava tão quente quanto no interior do forno de uma padaria de Nova Orleans numa noite de junho. Rua acima e rua abaixo, famílias inteiras sentavam-se conversando na penumbra; de vez em quando surgiam algumas garotas, mas eram moças demais e estavam apenas curiosas para ver que aparência tínhamos. Estavam sujas e de pés descalços. Ficamos escorados no alpendre de madeira de um armazém de secos e molhados, entre sacos de farinha e abacaxis frescos apodrecendo entre as moscas do balcão. Havia um lampião a óleo ardendo ali, e lá fora apenas umas poucas luzes pardas; todo o resto era escuro, escuro, escuro. A essa altura, é claro, estávamos tão fatigados que teríamos de dormir imediatamente, por isso entramos com o carro numa estradinha e estacionamos nos arredores da cidade. Estava tão estupidamente quente que era impossível dormir. Então Dean pegou uma manta e estendeu-a na areia macia e quente da beira da estrada e jogou-se sobre ela. Stan estava esticado no banco da frente do Ford com as duas portas escancaradas na tentativa de apanhar alguma corrente de ar, mas não havia o menor sopro de brisa. Jogado no banco de trás, eu sofria num lago de suor. Saí do carro e fiquei cambaleante sob a escuridão. Instantaneamente, a cidade inteira fora para a cama, o único ruído era o latido dos cães. Como poderia eu dormir? Milhares de mosquitos já nos haviam picado no peito, nos braços, nos tornozelos. Logo em seguida, tive uma ideia brilhante: saltei na capota de aço do carro e me estiquei de costas sobre ela. Ainda não havia brisa alguma, mas o aço tinha um elemento de frescor que enxugou o suor das minhas costas, formando uma crosta de milhares de insetos mortos sobre a minha pele, e eu percebi como a selva te engole, como você se torna parte dela! Estendido sobre a capota do carro olhando para o céu escuro era o mesmo que estar trancado dentro de um baú numa noite de verão. Pela primeira vez na vida, o clima não era algo que me envolvia, me acariciava, me enregelava ou fazia suar – mas era uma parte de mim mesmo! A atmosfera e eu nos tornamos a mesma coisa. Uma nuvem suave de uma infinidade de insetos microscópicos rodopiava no meu rosto enquanto eu dormia e produzia uma sensação extremamente agradável e reconfortante. O céu ainda estava sem estrelas, completamente oculto e pesado. Poderia ficar ali a noite inteira, com a face voltada para ele, e não seria diferente de estar debaixo de uma cortina de veludo. Insetos mortos se misturavam ao meu sangue; os mosquitos vivos faziam novas transfusões; comecei a sentir coceira pelo corpo todo e a feder da cabeça aos pés como a selva espessa, quente e podre. Claro que eu estava descalço. Para diminuir o suor, enfiei minha camiseta coberta de insetos e me deitei outra vez. Uma mancha mais escura na escuridão da estrada mostrava onde Dean estava dormindo. Podia ouvi-lo roncar. Stan roncava também.

Ocasionalmente, uma luz pálida fulgurava na cidade, era o xerife fazendo suas rondas com uma lanterna fraca e falando sozinho na noite selvagem. Então vi seu facho de luz balançando-se em nossa direção e pude ouvir seus passos ressoando suavemente no tapete de areia e relva. Ele parou e iluminou o carro. Sentei e o encarei. Numa voz trêmula, quase queixosa e extremamente suave, ele perguntou: "*Dormiendo?*", apontando para Dean estirado na estrada. Sabia que aquilo queria dizer "dormir".

"*Si, dormiendo.*"

"*Bueno, bueno*", disse para si mesmo e, com tristeza e relutância, virou-se retornando à sua patrulha solitária. Policiais tão adoráveis Deus jamais colocou na América. Nenhuma suspeita, nenhum alvoroço, nenhuma chateação: ele era o guardião da cidade adormecida, e ponto.

Voltei à minha cama de aço e me estiquei de braços abertos. Nem sequer sabia se acima de mim havia galhos ou as imensidões do céu, e isso não fazia a menor diferença. Abri a boca e aspirei profundamente o ar da selva. Aquilo não era ar, nunca seria – era a emanação palpável e vívida das árvores e dos pântanos. Fiquei acordado. Os galos começaram a anunciar a chegada da aurora. Mesmo assim não havia vento, nem brisa, nem orvalho, mas apenas o peso do trópico de Câncer que nos mantinha fincados à Terra a que pertencíamos e onde nos coçávamos. Nos céus, não havia o menor sinal do alvorecer. De repente, escutei cães latindo furiosamente na escuridão, e ouvi então o débil *clip-clop* dos cascos de um cavalo. Ele se aproximava cada vez mais e mais. Que doida espécie de cavaleiro noturno poderia ser? Então, vislumbrei uma aparição: um cavalo selvagem, branco como um fantasma, surgiu trotando pela estrada direto para Dean. Atrás dele, cães uivavam e latiam. Não conseguia vê-los, eram velhos e sujos cães da selva, mas o cavalo era alvo como a neve, e imenso, e quase fosforescente e facilmente visível. Não temi por Dean. O cavalo o viu, trotou bem ao lado de sua cabeça e passou pelo carro como se fosse um barco, relinchou mansamente e continuou através da cidade, perseguido pelos cães, e trotou de volta para a floresta do outro lado e tudo o que pude ouvir foi o som cada vez mais distante de seus cascos desaparecendo na mata espessa. Os cães desistiram e sentaram-se lambendo a si mesmos. O que era esse cavalo? Que mito, que fantasma, que espírito? Quando Dean acordou, contei-lhe tudo. Ele achou que era apenas um sonho. Então, lembrou-se vagamente de que também havia sonhado com um cavalo branco e eu lhe assegurei que não fora um sonho. Stan Shephard despertou lentamente. Ao menor movimento, suávamos profusamente. Continuava escuro como breu. "Vamos pôr esse carro a rodar para ter um pouco de ar!", balbuciei. "Estou morrendo de calor!"

"Pode crer!" Rodamos para fora da cidade e continuamos seguindo a longa e louca estrada com os cabelos esvoaçantes. A aurora surgiu rapidamente numa névoa cinzenta, revelando pântanos densos afundando-se de ambos os lados da estrada, com suas árvores sombrias e soturnas inclinando-se, retorcidas, acima deste lodo enigmático. Por uns instantes, a estrada seguiu lado a lado com a linha férrea. A estranha antena da estação de rádio de Ciudad Mante surgiu à nossa frente, como se estivéssemos no Nebraska. Encontramos um posto de gasolina e enchemos o tanque, enquanto os últimos insetos noturnos da floresta atiravam-se contra as lâmpadas como uma massa escura e caíam batendo asas aos nossos pés, contorcendo-se em grupos, alguns com asas de uns bons dez centímetros, libélulas assustadoramente grandes, capazes de devorar pássaros, e milhares de mosquitos, imensos, indescritíveis – horríveis insetos aracnídeos de todas as espécies. Eu saltava para lá e para cá, louco de medo deles; acabei dentro do carro com os pés entre as mãos, olhando aterrorizado para o chão, onde eles se contorciam entre nossas rodas. "Vamos nessa!", gritei. Dean e Stan não estavam nem aí para os insetos; beberam calmamente um refrigerante de laranja e chutaram as garrafas para longe. As camisas e calças deles, como as minhas, estavam ensopadas de sangue e enegrecidas por milhares de insetos mortos. Demos uma boa cheirada em nossas roupas.

"Sabem, estou começando a gostar desse cheiro", disse Stan. "Já não consigo sentir meu próprio cheiro."

"É um cheiro estranho, mas é bom", disse Dean. "Não vou trocar de camisa até chegarmos à Cidade do México. Quero absorvê-lo todo e lembrar dele." Assim, caímos fora outra vez, produzindo ar para os nossos rostos calorentos e incrustados.

Então as montanhas ergueram-se à nossa frente, completamente verdes. Depois dessa subida estaríamos outra vez no grande planalto central e prontos para seguir em frente até a Cidade do México. Num instante, ascendemos a uma altitude de mil e quinhentos metros, percorrendo desfiladeiros nebulosos de onde podíamos vislumbrar rios amarelos e fumegantes dois quilômetros lá embaixo. Era o grande rio Montezuma. Os índios ao longo da estrada começaram a ficar extremamente estranhos. Formavam sua própria nação, índios das montanhas, afastados de tudo exceto da Rodovia Pan-Americana. Eram baixos, entroncados, morenos, com os dentes estragados; carregavam fardos enormes às costas. Entre imensas ravinas cobertas de vegetação, víamos terras cultivadas em encostas íngremes. Os índios percorriam essas encostas para cima e para baixo, trabalhando nas lavouras. Dean dirigia a dez por hora para vê-los. "Uau, nunca pensei que isso existisse!" Lá em cima, no pico mais alto – tão alto quanto o cume das Montanhas Rochosas –, vimos uma plantação de bananas. Dean saiu do carro para apontar para ela e ficou na estrada, alisando a barriga. Estávamos numa saliência do rochedo onde uma cabana com telhado de sapé se debruçava sobre o precipício do mundo. O sol projetava brumas douradas que obscureciam o Montezuma, agora a mais de dois quilômetros lá embaixo.

No pátio em frente ao casebre, uma indiazinha de três anos de idade estava parada com o dedo na boca, observando-nos com imensos olhos castanhos. "Provavelmente ela nunca viu ninguém estacionar aqui em toda sua vida!", suspirou Dean. "A-lô menininha. Como vai? Você gosta da gente?"

A criancinha desviou o olhar timidamente e fez um beicinho. Começamos a falar e ela começou a nos examinar, sem tirar o dedo da boca. "Puxa, gostaria de ter alguma coisa para dar a ela. *Pensem nisso,* nascer e viver nessa saliência de rocha – e ela representar tudo quanto você conhece da vida! O pai dela provavelmente está dependurado nessas encostas, seguro por uma corda, colhendo abacaxis nas grotas, ou então cortando lenha debruçado acima do precipício num ângulo de oitenta graus. Ela jamais, jamais sairá daqui e nunca conhecerá nada do mundo exterior. É uma nação! Pensem só em que chefe selvagem eles devem ter. É provável que quanto mais afastados da estrada, para lá daquele penhasco, mais selvagens e estranhos esses índios fiquem, *yeah!* Afinal a Rodovia Pan-Americana só civilizou essa nação parcialmente, ao longo dessa estrada. Observem as gotas de suor na testa dela", Dean apontava com uma careta de dor. "Não é um suor como o nosso, é oleoso e está *sempre* ali porque faz calor o ano *inteiro* e ela nada sabe sobre não suar, nasceu com suor e com suor morrerá!" Naquela pequena testa, o suor era viscoso, espesso, não corria; simplesmente permanecia ali e cintilava como azeite de oliva. "O que isso deve provocar cm suas almas! Como suas inquietações, avaliações e anseios íntimos devem ser diferentes!" Dean dirigia boquiaberto, a vinte por hora, ávido por avistar todo e qualquer ser humano naquela estrada. Continuamos subindo e subindo.

Enquanto subíamos, o ar ficava mais fresco e as meninas índias à beira da estrada usavam xales na cabeça e nos ombros. Acenavam desesperadamente para nós; paramos para ver o que era. Queriam nos vender pequenos pedaços de cristal de rocha. Seus olhões inocentes e castanhos nos fitavam com uma intensidade tão espiritual que não podíamos sentir o menor desejo sexual por elas; além do mais eram muito jovens, algumas tinham apenas onze anos, mas pareciam ter quase trinta. "Olhem só para esses olhos!", murmurou Dean. Eram como os olhos da Virgem Maria quando criança. Vimos neles o olhar terno e repleto de perdão de Jesus; e elas nos olhavam fixamente. Esfregávamos nossos irrequietos olhos azuis e olhávamos outra vez. Continuavam nos transpassando com aquele lampejo pesaroso e hipnótico. Quando falavam, tornavam-se subitamente frenéticas e quase tolas. Em silêncio, voltavam a ser elas mesmas. "Só muito *recentemente,* desde que a estrada foi construída, há uns dez anos, elas aprenderam a vender esses cristais – até então essa nação inteira deve ter sido *silenciosa*!"

As meninas uivavam em volta do carro. Uma, particularmente veemente, segurou o braço suado de Dean. Uivava na sua língua nativa. "Oh, sim, oh, sim, minha querida", respondia Dean com ternura e certa tristeza. Saiu do carro e foi revirar seu velho baú no porta-malas – o mesmo velho e torturado baú americano – e sacou um relógio de pulso. Mostrou-o para a criança. Ela choramingou de alegria. As outras se apinharam em volta, atônitas. Então, na mãozinha da menina Dean procurou "o menor, mais puro e singelo cristal que ela apanhou pessoalmente para mim nas montanhas". Encontrou um, do tamanho de um morango. E lhe estendeu o relógio de pulso, balouçante. Suas bocas se arredondaram como bocas de pequenas cantoras de coral. A menininha felizarda apertou o relógio contra o xale esfarrapado. Todas afagaram Dean e agradeceram. Ele permaneceu parado entre elas com seu rosto maltrapilho voltado para o céu, olhando para o próximo, mais alto e último desfiladeiro, e parecia o Profeta que chegara para elas. Voltou para o carro. Elas odiaram nos ver partir. Por um longo tempo, enquanto subíamos em direção ao íngreme e estreito desfiladeiro, elas nos acenaram e correram atrás do carro. Fizemos uma curva e jamais voltamos a vê-las, mas mesmo assim elas continuavam correndo atrás de nós. "Ah, isso me parte o coração", choramingou Dean, batendo no peito. "Durante quanto tempo elas seriam capazes de sustentar essa lealdade e todo esse espanto? O que vai acontecer com elas? Será que elas tentariam nos seguir até a Cidade do México se fôssemos devagar o suficiente?"

"Sim", respondi, porque tinha certeza.

Atingimos as vertiginosas alturas da Sierra Madre Oriental. As bananeiras reluziam douradas, sob a névoa. Densos nevoeiros se esparramavam além das paredes rochosas, no fundo dos precipícios. Lá embaixo, o Montezuma serpenteava como uma tênue linha dourada no tapete verde-fosco da selva. Estranhas cidades de beira de estrada no topo do mundo ficavam para trás, com índios envoltos em mantas observando-nos sob a aba de chapéus e *rebozos*. A vida era densa, escura, antiga. Observavam Dean – sério e insano, agarrado ao seu volante enfurecido – com olhos de falcão. Todas as mãos estendiam-se à nossa passagem. Eles haviam descido de lugares ainda mais altos, das montanhas lá do fundo, para estender as mãos para algo que – pensavam – a civilização poderia lhes oferecer, e jamais imaginavam a tristeza e a profunda desilusão que ela continha. Não sabiam que havia uma bomba capaz de destruir todas as estradas e pontes, reduzindo-as a escombros, e que algum dia nós seríamos tão pobres quanto eles, estendendo as mãos da mesma, exatamente da mesma maneira. Nosso arruinado Ford, um persistente Ford americano dos velhos anos 30, passava chacoalhando entre eles e sumia na poeira.

Havíamos atingido as imediações do último platô. Agora o sol luzia dourado, o ar era azul e penetrante, e o deserto, com seus rios ocasionais, uma imensidão arenosa e escaldante pontilhada por sombras súbitas de árvores bíblicas. Agora Dean dormia e Stan dirigia. Surgiram pastores vestidos como nos tempos ancestrais, em rústicas túnicas largas, as mulheres arqueadas sob o peso de feixes dourados de linho; os homens empunhavam cajados. Sob grandes árvores no deserto tremeluzente, os pastores sentavam-se em grupo e os carneiros redemoinhavam ao sol, levantando nuvens de poeira. "Cara, cara", gritei para Dean, "acorda para ver os pastores, levanta para olhar com teus próprios olhos o mundo dourado de onde veio Jesus."

Ele ergueu a cabeça um instante, viu tudo num relance

sob o longo sol do entardecer, e voltou a dormir. Quando acordou, descreveu a cena em detalhes e disse: "Sim, cara, estou feliz por você ter me acordado. Oh, Senhor, que haverei de fazer? Para onde irei?". Alisou a barriga, olhou para o céu com os olhos vermelhos, quase chorou.

O fim da nossa jornada estava próximo. Dos dois lados da estrada se derramavam vastos campos; um vento nobre soprava entre imensos bosques ocasionais e sobre antigas missões cujas paredes iam se tornando salmão ao sol do poente. As nuvens estavam próximas, enormes e róseas. "A Cidade do México ao lusco-fusco!" Conseguimos. Um total de três mil quilômetros desde os quintais do entardecer de Denver até essa vasta região bíblica do mundo, e agora estávamos quase chegando ao fim da linha.

"Vamos trocar nossas camisetas de insetos?"

"Não, vamos entrar na cidade com elas." E entramos na Cidade do México.

Um pequeno desfiladeiro na montanha levou-nos de repente para uma elevação de onde vimos, lá embaixo, toda a Cidade do México esparramada em sua cratera vulcânica, lançando aos céus sua poluição cinzenta e suas primeiras luzes crepusculares. Zunimos estrada abaixo, entramos pela avenida Insurgentes, fomos direto até o centro da cidade, na Reforma. Meninos jogavam bola em campos estreitos e tristes, levantando nuvens de poeira. Motoristas de táxi nos abordavam e perguntavam se queríamos garotas. Não, não queríamos garotas agora. Grandes e desordenadas favelas de adobe se esparramavam pela planície; víamos figuras solitárias percorrendo becos sombrios. Em breve a noite cairia. Então a cidade ergueu seu rugido noturno e, de repente, lá estávamos nós passando por cafés e teatros lotados e luzes de todos os tipos. Jornaleiros berravam para nós. Mecânicos descalços passavam, desleixados, com ferramentas e esfregões. Loucos motoristas índios de pés descalços nos davam fechadas e nos ultrapassavam e buzinavam, deixando o trânsito frenético. O barulho era inacreditável. Os carros mexicanos não têm surdina. As buzinas soavam jubilosa e continuamente. "Uau", berrou Dean. "Cuidado!" Ele andava em ziguezague entre os carros e brincava com todo mundo. Dirigia como um índio. Ele chegou à rótula da avenida Reforma e a contornou, circundando as oito avenidas laterais que vomitavam carros sobre nós de todas as direções, esquerda, direita, *izquierda,* reto em frente, e ele urrava e saltitava de contentamento. "Esse é o trânsito com o qual sempre sonhei. Todo mundo *mete bronca*!" Uma ambulância com a sirene ligada surgiu de repente. As ambulâncias americanas aceleram, reduzem, ziguezagueiam entre o trânsito com a sirene uivando; as ambulâncias do grande mundo dos lavradores indígenas simplesmente avançam a 120 por hora pelas ruas da cidade, e todos têm de sair da frente e eles não param nem diminuem em hipótese alguma, para nada e para ninguém, eles passam voando. Nós a vimos sumir de vista num rasante em meio ao alvoroço do denso tráfico do centro da cidade. Os motoristas eram índios. As pessoas, até velhas senhoras, corriam atrás de ônibus que nunca paravam. Jovens comerciantes da Cidade do México faziam apostas e corriam em bandos, saltando dentro de ônibus em movimento. Os motoristas dos ônibus eram sarcásticos e dementes, estavam descalços, vestiam apenas uma camiseta, dirigiam quase agachados, curvados sobre o volante baixo e enorme. Imagens de santos reluziam nas cabinas de seus ônibus. As luzes internas eram pálidas e esverdeadas, rostos morenos enfileiravam-se em bancos de madeira.

No centro da Cidade do México milhares de *hipsters* metidos em chapéus de palha de aba caída e casacos de lapela larga sobre o peito nu percorriam a artéria principal, alguns vendiam crucifixos e maconha pelos becos, outros se ajoelhavam em velhas capelas ao lado de galpões onde rolavam espetáculos de variedades mexicanos. Alguns becos eram de cascalho, com esgoto a céu aberto, e portinhas que davam para bares do tamanho de guarda-roupas, embutidos nas paredes de adobe. Você tinha de saltar a vala para pedir seu drinque. No fundo dessa vala, jazia o antigo lago asteca. Você saía do bar com as costas na parede e avançava de lado até a rua. Em todos os bares, serviam café misturado com rum e noz-moscada. O mambo ressoava vindo de todos os lados. Centenas de prostitutas enfileiravam-se ao longo das ruas escuras e estreitas e seus olhos tristes cintilavam para nós sob o manto da noite. Perambulávamos num sonho febril. Comemos bifes esplêndidos por 48 centavos numa estranha lanchonete mexicana de azulejos, com gerações inteiras de tocadores de marimba parados em frente a uma enorme marimba – havia também violeiros ambulantes e velhos tocando trumpetes nas esquinas. Cruzávamos pelo fedor pungente dos botecos imundos que vendiam *pulque*; lá também serviam um copo de suco de cáctus por dois centavos. Nada parava; as ruas fervilhavam a noite inteira. Mendigos dormiam enrolados em cartazes de publicidade arrancados dos tapumes. Famílias inteiras de maltrapilhos sentavam-se no meio-fio, tocando pequenas flautas e rindo noite afora. Seus pés descalços ficavam estendidos na rua. Suas pálidas velas ardiam – o México inteiro era um vasto campo de refugiados. Nas esquinas, velhas cortavam nacos de cabeça de vaca cozida e os enrolavam em *tortillas* com molho picante e serviam em guardanapos de jornal. Essa era a incrível, desinibida e definitivamente selvagem cidade dos meigos lavradores indígenas que sabíamos que iríamos encontrar no fim da estrada. Dean a percorria como um zumbi, com os braços caídos, boquiaberto, olhos reluzentes, na liderança dessa sagrada excursão maltrapilhada que se prolongou até o amanhecer em um campo, com um menino de chapéu de palha que ria e tagarelava e queria jogar bola conosco, já que nunca nada acabava.

Então tive febre, fiquei inconsciente e comecei a delirar. Disenteria. Escapei do turbilhão negro que envolvia minha mente e aí percebi que estava de cama, três mil metros acima do nível do mar, no topo do mundo, e descobri que tinha vivido toda uma vida e muitas outras na pobre casca atomística da minha carne, e tive todos os sonhos. Vi Dean inclinado sobre a mesa da cozinha. Isso foi muitas noites depois, e ele já estava deixando a Cidade do México. "O que você está fazendo, homem?", gemi.

"Pobre Sal, pobre Sal, ficou doente. Stan vai tomar conta de você. Agora escuta com atenção, se tua doença permite: consegui me divorciar de Camille e estou voltando para Inez em Nova York essa noite, se o carro aguentar."

"Tudo de novo, cara?" – choraminguei.

"Tudo de novo, meu camarada. Tenho que voltar para a minha vida. Gostaria de poder ficar com você. Reze para que eu volte." Me contorci nas minhas cólicas e gemi. Quando abri os olhos novamente, o nobre e corajoso Dean olhava para mim, parado ao lado de seu velho e alquebrado baú. Eu já não sabia mais quem ele era, e ele sabia disso, e compadeceu-se e puxou o cobertor sobre meus ombros. "Sim, sim, sim. Tenho que me mandar agora. Meu caro e febril Sal, adeus." E ele se foi. Doze horas mais tarde, na tristeza de minha febre, finalmente compreendi que ele havia partido. A essa altura, ele estava dirigindo sozinho de volta, passando por aquela zona de montanhas e bananeiras, dessa vez à noite.

Quando melhorei, vi que rato ele era, mas aí tive de ponderar a impossível complexidade da vida dele, a maneira por que fora forçado a me abandonar lá, doente, para retornar às suas esposas e seus espantos. "Tudo bem, Dean, meu velho, não direi nada."

Parte Cinco

Dean partiu da Cidade do México, visitou Victor em Gregória e empurrou aquele velho carro até Lake Charles, Louisiana, antes que a parte traseira realmente caísse na estrada, como ele sempre soube que cairia. Então, telegrafou para Inez e pediu que ela lhe pagasse uma passagem aérea e voou o resto do trajeto. Quando chegou a Nova York, com os papéis do divórcio em mãos, ele e Inez foram imediatamente para Newark e se casaram e então, naquela mesma noite, garantindo que estava tudo bem e que não havia nenhuma razão para se preocupar, e tentando aplicar a lógica onde não havia nada além de tristeza e angústias inestimáveis, saltou num ônibus e voltou a cruzar mais uma vez o pavoroso continente, até São Francisco, para reencontrar Camille e as duas filhinhas. Portanto, agora casara três vezes, se divorciara duas e vivia com sua segunda esposa.

No outono, eu próprio parti da Cidade do México de volta para casa e, certa noite, exatamente na fronteira de Laredo, em Dilley, Texas, eu estava naquela estrada tórrida, sob a lâmpada de um poste contra a qual se esborrachavam mariposas, quando ouvi o som de passos vindos das trevas ao meu redor e eis que um velho alto com cabelos brancos esvoaçantes se aproxima com uma mochila e ao me ver, enquanto passava, disse: "Lamente-se pelo homem", retornando para a escuridão. Será que aquilo significava que eu deveria completar a pé minha peregrinação pelas sombrias estradas da América? Empenhei-me e me apressei para chegar a Nova York e, certa noite, lá estava eu numa rua escura de Manhattan, gritando para a janela de um apartamento onde achava que meus amigos estavam dando uma festa. Então, uma linda garota pôs a cabeça na janela e perguntou: "Sim? Quem é?".

"Sal Paradise", disse eu, e ouvi meu próprio nome ressoar na rua melancólica e vazia.

"Sobe", gritou ela. "Estou fazendo um chocolate quente." Então subi e lá estava ela, a garota com o adorável olhar inocente e puro pela qual eu havia procurado durante tanto, tanto tempo.

Prometemos nos amar loucamente. Planejamos migrar para São Francisco no inverno levando toda nossa mobília maltratada e nossos desgastados pertences em um velho caminhão qualquer. Escrevi a Dean e lhe contei tudo. Ele respondeu enviando uma carta imensa, dezoito mil palavras, com tudo sobre sua infância em Denver, e garantindo que estava vindo me pegar e escolher pessoalmente o caminhão e dirigi-lo até Frisco. Tínhamos seis semanas para juntar dinheiro para o caminhão e começamos a trabalhar economizando cada centavo. Mas então Dean chegou de repente, cinco semanas e meia adiantado e ninguém tinha grana nenhuma para realizar o plano.

Eu estava dando uma caminhada no meio da noite, e voltei para contar a minha garota tudo que tinha pensado durante o passeio. Ela estava parada na penumbra do nosso quarto e sala com um sorriso esquisito. Falei milhares de coisas para ela quando de repente senti uma quietude estranha no quarto e vi um livro gasto em cima do rádio. Sabia que era o eternamente sagrado e crepuscular Proust, de Dean. Como num sonho pude vê-lo avançando sorrateiramente, saindo do *hall* escuro na ponta dos pés, só de meias. Não conseguia dar uma só palavra. Apenas ria, e saltitava, gaguejava e agitava as mãos e dizia: "Ah, ah – escuta só". Escutamos, todo ouvidos. Mas ele esqueceu o que ia dizer. "Escuta – ahem. Olha só, caro Sal, querida Laura – eu vim – eu fui – espera aí – ah, sim." E olhou com pesar lastimoso para as próprias mãos. "Não posso falar mais nada – vocês compreendem o que quero dizer – o que eu deveria falar. Mas ouçam!" Todos ouvíamos. Ele estava escutando os sons da noite. "Sim", sussurrou, espantado. "Vocês entendem – não há motivo para falar mais – além disso..."

"Mas por que você veio com tanta antecedência, Dean?"

"Ah", disse, olhando para mim como se fosse a primeira vez, "com tanta antecedência, sim. Bem, nós – todos nós bem sabemos que – quer dizer, não sei! Vim com meus passes ferroviários – vagões de segunda classe – bancos duros, velhos – Texas – toquei flauta e uma ocarina de madeira a viagem inteira." Pegou sua nova flauta de madeira e tocou algumas notas que soaram como guinchos, saltitando só de meias. "Tá vendo?", disse. "Mas é claro, Sal, que em breve já poderei falar tanto quanto sempre e, na verdade, tenho muitas coisas para te dizer e com essa minha cabecinha pancada, tenho lido e relido esse Proust doidão, o trajeto inteiro através da nação, sacando milhares de coisas que nunca tenho TEMPO para te contar e AINDA nem falamos do México e da nossa febril separação lá – mas não é necessário. Absolutamente agora, certo?"

"Certo, não falaremos." E ele começou a contar a história de tudo que fizera em LA depois da volta, com todos os detalhes possíveis: como visitara uma família, jantara com ela, as conversas com o pai, com os filhos, com as filhas – como eles eram, o que comeram, a mobília, suas ideias, seus interesses, o fundo de suas almas; precisou de três horas de pormenorizada elucidação, e tendo concluído tudo isso, completou: "Ah, mas o que eu REALMENTE queria contar se passou muito tempo depois – no Arkansas, cruzando o estado de trem – tocando flauta – jogando cartas com os rapazes, meu baralho pornográfico – faturando uma grana, solando na ocarina – para uns marinheiros. Longa, longa e horrorosa viagem, cinco dias e cinco noites, só para te VER, Sal."

"E Camille?"

"Me deu permissão, é claro – está esperando minha volta. Camille e eu nos acertamos de vez, e de uma vez por todas."

"E Inez?"

"Eu – eu – eu quero que ela volte comigo para Frisco e que more do outro lado da cidade – não acha? Ela ainda não sabe que vim." Mais tarde, num súbito momento de profundo assombro, ele comentou: "Bem, sabe como é, é claro que eu queria ver você, você e sua linda garota – estou feliz por vocês – te amo, sempre te amei". Ele ficou uns três dias em Nova York e começou a se preparar apressadamente para a viagem de volta, de trem, com os passes ferroviários, e cruzar outra vez o continente, cinco dias e cinco noites, vagões poeirentos de segunda classe e bancos duros e ordinários e como não tínhamos dinheiro algum para o caminhão, é claro que não poderíamos acompanhá-lo. Passou uma noite com Inez, explicando, suando, brigando, e então ela o enxotou. Chegou uma carta para ele, aos meus cuidados. Eu a li. Era de Camille. "Meu coração se partiu quando vi você cruzar os trilhos com sua sacola. Rezo e imploro para que você retorne são e salvo... Quero que Sal e sua amiga venham morar na mesma rua que nós... Sei que tudo dará certo, mas não consigo deixar de me preocupar – agora que decidimos tudo... Dean, querido, estamos no fim da primeira metade do século. Você é bem-vindo para passar a metade restante conosco. Esperamos por você. Beijos e muito amor. (Assinado) Camille, Amie e Little Joanie." Portanto a vida de Dean estava arrumada com sua mulher mais constante, mais amarga e a que melhor o conhecia – Camille – e dei graças a Deus por ele.

A última vez que o vi foi em circunstâncias estranhas e tristes. Depois de ter dado várias voltas ao mundo de navio, Remi Boncoeur retornou a Nova York. Quis que ele encontrasse e conhecesse Dean. Eles realmente se encontraram, mas Dean já não conseguia falar e não disse nada e Remi lhe deu as costas. Remi havia conseguido entradas para o concerto de Duke Ellington no Metropolitan Opera e insistiu para que Laura e eu acompanhássemos ele e a namorada. Remi estava mais gordo e melancólico, mas ainda era um cavalheiro ansioso e formal e queria que tudo corresse *como deve,* conforme enfatizava. Assim, conseguiu que seu *bookmaker* nos levasse de Cadillac para o concerto. Era uma gélida noite de inverno. O Cadillac estava estacionado e pronto para partir. Dean permanecia do lado de fora com sua sacola, pronto para ir para Penn Station e cruzar a nação.

"Adeus, Dean", disse eu, "realmente gostaria de não precisar ir ao concerto."

"Será que posso ir de carona até a Rua 40 com vocês?", sussurrou. "Quero ficar junto com você o máximo possível, meu garoto, e além do mais é frio pra cacete aqui em Nova York..." Segredei o pedido a Remi. Não, não, Dean não poderia; Remi gostava de mim, mas não dos meus amigos idiotas. Eu não iria começar tudo de novo, destruindo suas noitadas bem planejadas, como fizera no Alfred's em São Francisco, com Roland Major, em 1947.

"Absolutamente fora de questão, Sal!" Pobre Remi, mandara confeccionar uma gravata especial para aquela noite: nela estavam impressas reproduções dos tíquetes para o concerto com os nomes Sal, Laura, Remi e Vicki, sua garota, junto com várias piadas fracas e alguns de seus ditados favoritos, como "Não se pode ensinar novas melodias para um velho maestro".

Portanto, Dean não poderia ir de carona até a cidade conosco e a única coisa que pude fazer foi sentar no banco de trás do Cadillac e acenar para ele. O *bookmaker* que estava ao volante também não queria nada com Dean. Esfarrapado num sobretudo comido por traças que havia comprado especialmente para as gélidas temperaturas do Leste, afastou-se a pé e sozinho, e a última visão que tive dele foi quando dobrou a esquina da Sétima com os olhos voltados para a rua em frente e dobrou outra vez. A pobre Laura, minha garota, para quem eu havia contado tudo a respeito de Dean, quase começou a chorar.

"Oh, nós não deveríamos deixá-lo partir dessa maneira. Que faremos?"

O velho Dean se foi, pensei, e disse em voz alta: "Ele vai ficar bem". E lá fomos nós sem vontade para o triste concerto para o qual eu não tinha estômago, e o tempo inteiro fiquei pensando em Dean e em como ele voltaria a pegar aquele trem e rodaria cinco mil quilômetros sobre aquela terra medonha sem jamais saber o motivo pelo qual viera, exceto para me ver.

Assim, na América, quando o sol se põe e eu sento no velho e arruinado cais do rio olhando os longos, longos céus acima de Nova Jersey, e posso sentir toda aquela terra rude se derramando numa única, inacreditável e elevada vastidão até a Costa Oeste, e toda aquela estrada seguindo em frente, todas as pessoas sonhando nessa imensidão, e em Iowa eu sei que agora as crianças devem estar chorando na terra onde deixam as crianças chorar, e essa noite as estrelas vão aparecer, e você não sabe que Deus é a Ursa Maior? E a estrela do entardecer deve estar morrendo e irradiando sua pálida cintilância sobre a pradaria antes da chegada da noite completa que abençoa a terra, escurece todos os rios, recobre os picos e oculta a última praia e ninguém, ninguém sabe o que vai acontecer a qualquer pessoa, além dos desamparados andrajos da velhice, eu penso em Dean Moriarty; penso até no velho Dean Moriarty, o pai que jamais encontramos; eu penso em Dean Moriarty.

Posfácio

A estrada sem fim

Eduardo Bueno

Até fevereiro de 1984, quem estivesse disposto a ler *On the Road* em português dispunha de uma única opção: arranjar o volume branco com um calhambeque mal desenhado na capa em que, em letras vermelhas desiguais, estava estampado o título *Pela estrada afora*. Dada a largada, o hipotético leitor depararia com frases como: "Fui-me de boleia ao Oregão num carro descapotável". Após frear, estaria diante de duas possibilidades: 1) correr para o dicionário; 2) fechar o livro e fazer um cursinho de inglês – ou de português lusitano.

Embora fosse sucesso no mundo inteiro, *On the Road* ainda não fora considerado digno de receber uma edição brasileira. Àquela altura, o livro já estava quase completando trinta anos, mas, para brasileiros incapazes de ler em inglês, o melhor a fazer era curvar-se ante o poderio editorial da língua espanhola. E, nesse caso, nem seria necessário recorrer à Espanha.

Desde 1959, apenas dois anos após a publicação original nos EUA, a Casa Editorial Losada colocara *On the Road* à disposição dos leitores argentinos. Traduzido por um certo Miguel de Hernani – Deus o abençoe! –, o livro se chamava *En el camino* e narrava, num espanhol porreta, as aventuras de Dean e Sal pelas estradas da América. Parecia ser a prova da superioridade cultural de Buenos Aires sobre, digamos, São Paulo. Ou pelo menos foi o que a mim pareceu no instante em que, num entardecer pálido do outono de 1975, entrei na minúscula e soberba Librería La Ciudad (onde Borges costumava ir como se ali fosse a Biblioteca de Babel), na galeria Del Este, no final da Calle Florida, ao lado do Parque San

Martín (em que as folhas amarelas despediam-se dos plátanos murmurando: "Cedo demais, cedo demais", como disse o *beat* Lawrence Ferlinghetti, falando doutras folhas, doutras árvores, doutras latitudes), e comprei meu primeiro *On the Road*. Ou melhor, meu primeiro e único *En el camino*.

Único porque, catapultado pelo poder do livro, pouco depois me vi em Nova York, lendo *On the Road* no original – numa edição bem vagabunda, aliás, da Pan Books, com tratamento gráfico cem por cento *pulp fiction*. Na capa havia umas mulheres fatais se roçando nuns sujeitos mal-encarados com a barba por fazer, e um deles esbofeteava uma garota de *slack*... era assim que se chamavam calças compridas para moças naquela época, não era? Essa foi a primeira das dezenove edições de *On the Road* que eu acabaria juntando ao longo do caminho.

Assim, lá estava eu entre os bueiros fumarentos e os ônibus rangentes de Nova York, com uma mochila enorme – 33 quilos, doze livros dentro, que delírio! –, indo para Lowell, Massachusetts, visitar a casa natal e a tumba de Jack, seguindo dali para a Califórnia, via Chicago e Denver, sempre de carona, e da Califórnia até o sul do Brasil, com o polegar apontando o caminho – *peyote* em Real de Catorze, no México; discos voadores *y hongos* em Palenque; nudez virginal em Cancun (então um vilarejo menor que Jericoacoara em 1969); amebas na água da Guatemala; a pensão Poco Loco às margens do lago Atitlan; horror e morte em El Salvador; Somoza no poder na Nicarágua; corrupção e *marines* no Panamá; de tudo e mais um pouco na Colômbia; o Equador parece um jardim; surfistas calhordas brasileiros no Peru; um *outdoor* da Coca-Cola em Machu Picchu – a coca errada no lugar certo –; um terremoto na Bolívia; inundação e mosquitos no Pantanal; o trem da morte de Corumbá a Bauru (SP) e então, depois de nove meses, a volta para casa – porto vá lá, mas por que alegre?, perguntou, certa vez, com cinismo, o velho Millôr Fernandes.

Ao longo de toda a jornada, eu estivera lendo outros

livros de Kerouac – *Visões de Cody* (supostamente o melhor, e com certeza o meu favorito), *Os vagabundos iluminados* (o mais acessível, o mais simpático) e *Anjos da desolação* (o mais... bem, o mais desolado) – e me sentia protegido e abençoado por Jack, santo padroeiro dos estradeiros. Pensei nele a cada passo do caminho, acho, ou talvez seja lenda.

Depois da longa e sofrida jornada de peregrinação, concluí que a tarefa devocional seguinte seria traduzir *On the Road* para o "brasileiro", já que achava que tinha viajado de "carona" e não de "boleia"; que eventualmente estivera em alguns "conversíveis", mas nunca num "descapotável" e que não tinha visitado o Oregon porque lá chove muito (e porque não sabia que Ken Kesey vivia lá), mas que o Oregão jamais estivera nos meus planos (nem Moscovo, nem Amsterdão...).

E foi assim que a coisa se iniciou, e essa tradução começou a sair da cabeça para o papel. A questão é que, dentre as editoras que então contatei, nenhuma se mostrou disposta a publicar o livro. Houve até quem dissesse que o livro estava "pra lá de *passé*"... Então, em outubro de 1982, Caio Fernando Abreu esteve em Porto Alegre para autografar *Morangos mofados*, que fazia parte de uma nova e inovadora coleção, a Cantadas Literárias, da editora Brasiliense. Fui entrevistá-lo para o programa *Pra começo de conversa*, da TVE do Rio Grande do Sul, do qual era apresentador.

Em lá chegando, eis que, ao lado de Caio (à frente de quem havia uma fila enorme) sentava-se, com cara de tédio e abandono, o escritor Reinaldo Moraes. Reinaldo pegara carona com Caio para autografar seu *instant-classic Tanto faz* (também da Cantadas Literárias), pois alguém tinha concluído que seria uma boa ideia mandar Rei para Porto Alegre junto com o príncipe Caio – só que, àquela altura, ninguém conhecia Reinaldo no Sul, e ele ficou ali assistindo à farra do amigo na terra natal, embora Caio, generoso e preocupado como sempre, insistisse para que seus muitos fãs nativos pegassem também o autógrafo de Reinaldo.

Acabei entrevistando Reinaldo Moraes no mictório (o programa era pra ser meio punk, sabe como é?). E viramos amigos de infância. Em janeiro de 1983, nos reencontramos em São Paulo e, durante um porre memorável no bar Riviera, na esquina da Paulista com a Consolação, alguma coisa aconteceu em nossos corações e decidimos traduzir *On the Road* a quatro mãos (àquela altura, eu estava atolado no final da primeira parte, tinha umas cem laudas prontas, ou quase, e lutava para não desistir).

Reinaldo disse que Caio Graco, o elegante e legendário dono da Brasiliense, e seu então braço direito, o dinâmico Luiz Schwarcz, planejavam iniciar uma nova coleção jovem na Brasiliense (a Circo de Letras) e estavam aventando a possibilidade de adquirir os direitos de *On the Road. Synchronicity enough,* Schwarcz e eu descobrimos que nos conhecíamos desde a infância: tínhamos morado no mesmo prédio do bairro Higienópolis, em São Paulo. Assim, duas horas de chá de banco e uma hora de reunião depois, lá estava eu voltando para Porto Alegre, de ônibus, de ressaca, sem um tostão, com uma caixa de figos maduros e um gordo roncando na poltrona do lado, encarregado da solene missão de traduzir *On the Road*.

Reinaldo Moraes desceu do carro logo na primeira linha do capítulo dois; por isso, passei nove meses labutando sozinho, com uma pequena ajuda de Gigi Bohrer, e estourando em um semestre o prazo combinado, até tascar o ponto final. Do alto da insegurança dos meus 23 anos, sugeri que alguém lesse a tradução e desse uns palpites, já que era o que esperava que Reinaldo fizesse caso não tivesse saltado da barca.

Não sei se Caio ou Luiz, um dos dois, sugeriu que o encarregado da nobre tarefa fosse Antonio Bivar, dramaturgo, escritor, poeta, doidão. E foi assim que conheci essa espécie de santo andarilho. Bivar leu aquela montoeira de laudas em papel jornal, deu vários palpites, arredondou umas pisadas na bola, deixou passar outras tantas e meteu o bedelho numas que nem precisava. Eu estava ali, do lado, duas semanas inteiras, no apê da rua Dona Veridiana, com vista para os avermelhados tijolos da Santa Casa estilo londrino de São Paulo, olhando, curtindo, palpitando.

Menos de um mês depois, *On the Road* – cobatizado de *Pé na estrada*, por insistência, mais que isso, por exigência, de Caio Graco – enfim saía em "brasileiro". Era 4 de fevereiro de 1984.

O que se passou então é "fantástico demais para não ser contado", como diria K. E era sobre isso que esse posfácio deveria ser. Sim, porque *On the Road* saiu e foi uma explosão. Não sei bem quanto vendeu, mas vendeu legal. A edição de livraria – sob a lendária capa preta com um "descapotável" de tracejado multicolorido, concepção pop-chic de Newton Mesquita e Takashi Fukushima – teve dez reimpressões. Mas houve duas edições de banca e a do Círculo do Livro, o que permite supor que o livro tenha vendido mais de cem mil exemplares.

Os segundos cadernos da vida foram à loucura. Publicaram-se páginas e mais páginas. Ainda tenho algumas, amareladas. A primeira resenha saiu na *Folha de S.Paulo*, assinada por Pepe Escobar. A segunda foi publicada na *Veja,* feita por Marcelo Rubens Paiva, autor do comovente *best-seller Feliz ano velho*, carro-chefe da Cantadas Literárias. *On the Road* ficou 22 semanas em segundo lugar nas listas de mais vendidos. Nunca chegou ao primeiro porque, em janeiro de 1984, fora lançado *O nome da rosa*, de Umberto Eco, e todos queriam entrar na biblioteca da torre em companhia do monge Guilherme de Baskerville.

O coração *beat* passou a pulsar vigorosamente no Brasil. Semanas depois do lançamento, saí da Brasiliense e fui para a L&PM, de Porto Alegre, onde os deuses (e os donos da casa) me permitiram participar primeiro da edição de *Uivo/Howl*, de Allen Ginsberg, devotadamente traduzido por Cláudio Willer, e, a seguir, criar a coleção Alma Beat, que publicou William Burroughs, Gregory Corso, Gary Snyder, Philip Lamantia, Carl Solomon e Neal Cassady. Também traduzi, em parceria com Leonardo Fróes, os poemas de Lawrence Ferlinghetti, enquanto Reinaldo Moraes traduzia *Junkie*, de Burroughs, para a Brasiliense.

E tudo parecia maravilhoso – com os *beats* remanescentes (na verdade todos, menos Jack, morto em 1969) e seus respectivos agentes sem entender o que se passava no Brasil, mas adorando aqueles cheques de direitos autorais pingando em sequência. Foi legal, foi rentável, foi proveitoso. Bem bacana mesmo. Quem viveu o lance – de ambos os lados do balcão – lembra direitinho. Era a época da abertura, das Diretas Já, do rock paulista, da geração saúde, do Circo Voador, do Carbono 14, do primeiro Rock in Rio, do *Pra começo de conversa* no Rio Grande do Sul e de outros babados mais. Era o alvorecer dos 80, e havia muitas promessas no ar, com aquela gente voltando para a caserna de onde não deveria ter saído.

Até que, de repente, a mesma imprensa – na verdade, os mesmos órgãos de imprensa, mas outros caras que trabalhavam neles – decidiu que aquilo tudo era uma grande bobagem e que os tais *beats* não estavam com nada e que já era hora de dar um basta àquele papo subliterato. Ainda mais que a onda *beat* puxara outros sucessos correlatos: a L&PM e a Brasiliense tinham lançado a obra de Charles Bukowski no Brasil e junto veio o autor favorito dele, o singelo John Fante (traduzido por Paulo Leminski, que também traduzira Ferlinghetti – embora, àquela altura, ao fazer uma resenha de *A queda da América*, de Ginsberg, editado pela L&PM, ele tenha escrito: "Gente, vamos parar de gastar papel em bobagens", veja só, o Leminski, Deus o tenha!), mais Sam Shepard e até o espantoso Hunter Thompson.

Como eram os bons tempos do Plano Cruzado – aquele que mostrou que os brasileiros gostam de ler, sim; que só não compram livros quando custam meio salário-mínimo, ou seja, quase sempre – e como ninguém que entenda alguma coisa de literatura dá bola para o que os críticos dizem, os *beats* continuaram sendo publicados e vendendo muito bem, obrigado.

Mas aí acabou o Cruzado, Caio Graco morreu, Luiz Schwarcz fundou sua Companhia das Letras, eu saí da L&PM, Lima e Ivan (L e PM, respectivamente) continuaram sua carreira editorial com outros títulos e outras trilhas, e a tardia onda *beat* no Brasil esmoreceu, como tudo um dia esmorece.

Quando a edição original de *On the Road* fez quarenta anos, em setembro de 1997, e Francis Coppola anunciou que iria produzir um filme sobre o livro, dirigido por Gus Van Sant e com Johnny Depp no papel principal, a Ediouro resolveu relançar a tradução que originalmente eu havia levado dez meses para fazer e cinco anos para ver publicada. Fiquei de revisar a obra. Mas estava envolvido demais com uma coleção sobre o descobrimento do Brasil e dei apenas uma lida diagonal rapidinha.

O filme de Coppola nunca saiu, e a edição da Ediouro tornou-se quase um livro-fantasma. Ninguém viu, ninguém leu, nenhuma resenha saiu. Ainda assim, os três mil exemplares da primeira tiragem sumiram das prateleiras. Mas é a lendária edição da Brasiliense, com aquela capa preta, que continua tendo fila de espera nos sebos do Brasil e, quando aparece, é vendida por trinta dólares.

Mas agora, exatos vinte anos depois do lançamento da Brasiliense, *Pé na estrada* está chegando em casa, embora nunca tenha morado lá: estacionou na L&PM, a editora que mais acreditou e apostou nos *beats* no Brasil, e ainda acredita e aposta. A mesma casa que lançou a coleção Rebeldes & Malditos, a Olho da Rua, os Freak Brothers, Crumb, *Please Kill Me* e outras tantas contravenções literárias decidiu relançar *On the Road/Pé na estrada* – em *pocket,* mais barato, mais *pulp,* mais pop, mais punk. O que será, os leitores vão, como sempre, decidir.

Só o que posso dizer é que, dessa vez, reli tudo linha por linha, junto com minha mulher, Lúcia Brito, tradutora de *Please Kill Me/Mate-me por favor*. Refizemos montes de coisas. Ainda não é a melhor tradução do mundo, mas é uma tradução devotada, apaixonada, febril, nervosa, feita no ardor dos vinte e poucos anos, com doses colossais de entusiasmo e outras doses mais. Além disso, *On the Road* nasceu pra ser lido em voz alta – em inglês. Portanto, isso é só um simulacro.

De todo o modo, a tumba de Kerouac continua lá, à sombra de veneráveis carvalhos, no cemitério católico da pequena Lowell, em Massachusetts – a única diferença desde o dia em que estive lá é que, agora, Allen Ginsberg e Bill Burroughs foram encontrá-lo num céu de diamantes, ou num céu de marmelada, ou num céu amarelo no qual reluz um sol azul (ou qualquer outra metáfora lisérgica de qualquer outra *pop song*, já que nasceram todas sob a influência dos pais-fundadores da *beat generation*, Jack, Allen e Bill, a santíssima trindade) – enquanto nós permanecemos aqui, nessa terra irreal, com nossos corações reais.

De novo, só o que tenho a dizer é: *"Thanks, Jack"*.

Eduardo Bueno
Porto Alegre, março de 2004.

Coleção L&PM POCKET

1080. **Pedaços de um caderno manchado de vinho** – Bukowski
1081. **A ferro e fogo: tempo de solidão (vol.1)** – Josué Guimarães
1082. **A ferro e fogo: tempo de guerra (vol.2)** – Josué Guimarães
1084.(17).**Desembarcando o Alzheimer** – Dr. Fernando Lucchese e Dra. Ana Hartmann
1085. **A maldição do espelho** – Agatha Christie
1086. **Uma breve história da filosofia** – Nigel Warburton
1088. **Heróis da História** – Will Durant
1089. **Concerto campestre** – L. A. de Assis Brasil
1090. **Morte nas nuvens** – Agatha Christie
1092. **Aventura em Bagdá** – Agatha Christie
1093. **O cavalo amarelo** – Agatha Christie
1094. **O método de interpretação dos sonhos** – Freud
1095. **Sonetos de amor e desamor** – Vários
1096. **120 tirinhas do Dilbert** – Scott Adams
1097. **200 fábulas de Esopo**
1098. **O curioso caso de Benjamin Button** – F. Scott Fitzgerald
1099. **Piadas para sempre: uma antologia para morrer de rir** – Visconde da Casa Verde
1100. **Hamlet (Mangá)** – Shakespeare
1101. **A arte da guerra (Mangá)** – Sun Tzu
1104. **As melhores histórias da Bíblia (vol.1)** – A. S. Franchini e Carmen Seganfredo
1105. **As melhores histórias da Bíblia (vol.2)** – A. S. Franchini e Carmen Seganfredo
1106. **Psicologia das massas e análise do eu** – Freud
1107. **Guerra Civil Espanhola** – Helen Graham
1108. **A autoestrada do sul e outras histórias** – Julio Cortázar
1109. **O mistério dos sete relógios** – Agatha Christie
1110. **Peanuts: Ninguém gosta de mim... (amor)** – Charles Schulz
1111. **Cadê o bolo?** – Mauricio de Sousa
1112. **O filósofo ignorante** – Voltaire
1113. **Totem e tabu** – Freud
1114. **Filosofia pré-socrática** – Catherine Osborne
1115. **Desejo de status** – Alain de Botton
1118. **Passageiro para Frankfurt** – Agatha Christie
1120. **Kill All Enemies** – Melvin Burgess
1121. **A morte da sra. McGinty** – Agatha Christie
1122. **Revolução Russa** – S. A. Smith
1123. **Até você, Capitu?** – Dalton Trevisan
1124. **O grande Gatsby (Mangá)** – F. S. Fitzgerald
1125. **Assim falou Zaratustra (Mangá)** – Nietzsche
1126. **Peanuts: É para isso que servem os amigos (amizade)** – Charles Schulz
1127.(27).**Nietzsche** – Dorian Astor
1128. **Bidu: Hora do banho** – Mauricio de Sousa
1129. **O melhor do Macanudo Taurino** – Santiago
1130. **Radicci 30 anos** – Iotti
1131. **Show de sabores** – J.A. Pinheiro Machado
1132. **O prazer das palavras** – vol. 3 – Cláudio Moreno
1133. **Morte na praia** – Agatha Christie
1134. **O fardo** – Agatha Christie
1135. **Manifesto do Partido Comunista (Mangá)** – Marx & Engels
1136. **A metamorfose (Mangá)** – Franz Kafka
1137. **Por que você não se casou... ainda** – Tracy McMillan
1138. **Textos autobiográficos** – Bukowski
1139. **A importância de ser prudente** – Oscar Wilde
1140. **Sobre a vontade na natureza** – Arthur Schopenhauer
1141. **Dilbert (8)** – Scott Adams
1142. **Entre dois amores** – Agatha Christie
1143. **Cipreste triste** – Agatha Christie
1144. **Alguém viu uma assombração?** – Mauricio de Sousa
1145. **Mandela** – Elleke Boehmer
1146. **Retrato do artista quando jovem** – James Joyce
1147. **Zadig ou o destino** – Voltaire
1148. **O contrato social (Mangá)** – J.-J. Rousseau
1149. **Garfield fenomenal** – Jim Davis
1150. **A queda da América** – Allen Ginsberg
1151. **Música na noite & outros ensaios** – Aldous Huxley
1152. **Poesias inéditas & Poemas dramáticos** – Fernando Pessoa
1153. **Peanuts: Felicidade é...** – Charles M. Schulz
1154. **Mate-me por favor** – Legs McNeil e Gillian McCain
1155. **Assassinato no Expresso Oriente** – Agatha Christie
1156. **Um punhado de centeio** – Agatha Christie
1157. **A interpretação dos sonhos (Mangá)** – Freud
1158. **Peanuts: Você não entende o sentido da vida** – Charles M. Schulz
1159. **A dinastia Rothschild** – Herbert R. Lottman
1160. **A Mansão Hollow** – Agatha Christie
1161. **Nas montanhas da loucura** – H.P. Lovecraft
1162.(28).**Napoleão Bonaparte** – Pascale Fautrier
1163. **Um corpo na biblioteca** – Agatha Christie
1164. **Inovação** – Mark Dodgson e David Gann
1165. **O que toda mulher deve saber sobre os homens: a afetividade masculina** – Walter Riso
1166. **O amor está no ar** – Mauricio de Sousa
1167. **Testemunha de acusação & outras histórias** – Agatha Christie
1168. **Etiqueta de bolso** – Celia Ribeiro
1169. **Poesia reunida (volume 3)** – Affonso Romano de Sant'Anna
1170. **Emma** – Jane Austen
1171. **Que seja em segredo** – Ana Miranda
1172. **Garfield sem apetite** – Jim Davis
1173. **Garfield: Foi mal...** – Jim Davis
1174. **Os irmãos Karamázov (Mangá)** – Dostoiévski
1175. **O Pequeno Príncipe** – Antoine de Saint-Exupéry
1176. **Peanuts: Ninguém mais tem o espírito aventureiro** – Charles M. Schulz
1177. **Assim falou Zaratustra** – Nietzsche

1178. **Morte no Nilo** – Agatha Christie
1179. **É, soneca boa** – Mauricio de Sousa
1180. **Garfield a todo o vapor** – Jim Davis
1181. **Em busca do tempo perdido (Mangá)** – Proust
1182. **Cai o pano: o último caso de Poirot** – Agatha Christie
1183. **Livro para colorir e relaxar** – Livro 1
1184. **Para colorir sem parar**
1185. **Os elefantes não esquecem** – Agatha Christie
1186. **Teoria da relatividade** – Albert Einstein
1187. **Compêndio da psicanálise** – Freud
1188. **Visões de Gerard** – Jack Kerouac
1189. **Fim de verão** – Mohiro Kitoh
1190. **Procurando diversão** – Mauricio de Sousa
1191. **E não sobrou nenhum e outras peças** – Agatha Christie
1192. **Ansiedade** – Daniel Freeman & Jason Freeman
1193. **Garfield: pausa para o almoço** – Jim Davis
1194. **Contos do dia e da noite** – Guy de Maupassant
1195. **O melhor de Hagar 7** – Dik Browne
1196(29). **Lou Andreas-Salomé** – Dorian Astor
1197(30). **Pasolini** – René de Ceccatty
1198. **O caso do Hotel Bertram** – Agatha Christie
1199. **Crônicas de motel** – Sam Shepard
1200. **Pequena filosofia da paz interior** – Catherine Rambert
1201. **Os sertões** – Euclides da Cunha
1202. **Treze à mesa** – Agatha Christie
1203. **Bíblia** – John Riches
1204. **Anjos** – David Albert Jones
1205. **As tirinhas do Guri de Uruguaiana 1** – Jair Kobe
1206. **Entre aspas (vol.1)** – Fernando Eichenberg
1207. **Escrita** – Andrew Robinson
1208. **O spleen de Paris: pequenos poemas em prosa** – Charles Baudelaire
1209. **Satíricon** – Petrônio
1210. **O avarento** – Molière
1211. **Queimando na água, afogando-se na chama** – Bukowski
1212. **Miscelânea septuagenária: contos e poemas** – Bukowski
1213. **Que filosofar é aprender a morrer e outros ensaios** – Montaigne
1214. **Da amizade e outros ensaios** – Montaigne
1215. **O medo à espreita e outras histórias** – H.P. Lovecraft
1216. **A obra de arte na era de sua reprodutibilidade técnica** – Walter Benjamin
1217. **Sobre a liberdade** – John Stuart Mill
1218. **O segredo de Chimneys** – Agatha Christie
1219. **Morte na rua Hickory** – Agatha Christie
1220. **Ulisses (Mangá)** – James Joyce
1221. **Ateísmo** – Julian Baggini
1222. **Os melhores contos de Katherine Mansfield** – Katherine Mansfield
1223(31). **Martin Luther King** – Alain Foix
1224. **Millôr Definitivo: uma antologia de *A Bíblia do Caos*** – Millôr Fernandes
1225. **O Clube das Terças-Feiras e outras histórias** – Agatha Christie
1226. **Por que sou tão sábio** – Nietzsche
1227. **Sobre a mentira** – Platão
1228. **Sobre a leitura *seguido do* Depoimento de Céleste Albaret** – Proust
1229. **O homem do terno marrom** – Agatha Christie
1230(32). **Jimi Hendrix** – Franck Médioni
1231. **Amor e amizade e outras histórias** – Jane Austen
1232. **Lady Susan, Os Watson e Sanditon** – Jane Austen
1233. **Uma breve história da ciência** – William Bynum
1234. **Macunaíma: o herói sem nenhum caráter** – Mário de Andrade
1235. **A máquina do tempo** – H.G. Wells
1236. **O homem invisível** – H.G. Wells
1237. **Os 36 estratagemas: manual secreto da arte da guerra** – Anônimo
1238. **A mina de ouro e outras histórias** – Agatha Christie
1239. **Pic** – Jack Kerouac
1240. **O habitante da escuridão e outros contos** – H.P. Lovecraft
1241. **O chamado de Cthulhu e outros contos** – H.P. Lovecraft
1242. **O melhor de Meu reino por um cavalo!** – Edição de Ivan Pinheiro Machado
1243. **A guerra dos mundos** – H.G. Wells
1244. **O caso da criada perfeita e outras histórias** – Agatha Christie
1245. **Morte por afogamento e outras histórias** – Agatha Christie
1246. **Assassinato no Comitê Central** – Manuel Vázquez Montalbán
1247. **O papai é pop** – Marcos Piangers
1248. **O papai é pop 2** – Marcos Piangers
1249. **A mamãe é rock** – Ana Cardoso
1250. **Paris boêmia** – Dan Franck
1251. **Paris libertária** – Dan Franck
1252. **Paris ocupada** – Dan Franck
1253. **Uma anedota infame** – Dostoiévski
1254. **O último dia de um condenado** – Victor Hugo
1255. **Nem só de caviar vive o homem** – J.M. Simmel
1256. **Amanhã é outro dia** – J.M. Simmel
1257. **Mulherzinhas** – Louisa May Alcott
1258. **Reforma Protestante** – Peter Marshall
1259. **História econômica global** – Robert C. Allen
1260(33). **Che Guevara** – Alain Foix
1261. **Câncer** – Nicholas James
1262. **Akhenaton** – Agatha Christie
1263. **Aforismos para a sabedoria de vida** – Arthur Schopenhauer
1264. **Uma história do mundo** – David Coimbra
1265. **Ame e não sofra** – Walter Riso
1266. **Desapegue-se!** – Walter Riso
1267. **Os Sousa: Uma família do barulho** – Mauricio de Sousa
1268. **Nico Demo: O rei da travessura** – Mauricio de Sousa
1269. **Testemunha de acusação e outras peças** – Agatha Christie

1270.(34).**Dostoiévski** – Virgil Tanase
1271.**O melhor de Hagar 8** – Dik Browne
1272.**O melhor de Hagar 9** – Dik Browne
1273.**O melhor de Hagar 10** – Dik e Chris Browne
1274.**Considerações sobre o governo representativo** – John Stuart Mill
1275.**O homem Moisés e a religião monoteísta** – Freud
1276.**Inibição, sintoma e medo** – Freud
1277.**Além do princípio de prazer** – Freud
1278.**O direito de dizer não!** – Walter Riso
1279.**A arte de ser flexível** – Walter Riso
1280.**Casados e descasados** – August Strindberg
1281.**Da Terra à Lua** – Júlio Verne
1282.**Minhas galerias e meus pintores** – Kahnweiler
1283.**A arte do romance** – Virginia Woolf
1284.**Teatro completo v. 1: As aves da noite** *seguido de* O visitante – Hilda Hilst
1285.**Teatro completo v. 2: O verdugo** *seguido de* A morte do patriarca – Hilda Hilst
1286.**Teatro completo v. 3: O rato no muro** *seguido de* Auto da barca de Camiri – Hilda Hilst
1287.**Teatro completo v. 4: A empresa** *seguido de* O novo sistema – Hilda Hilst
1289.**Fora de mim** – Martha Medeiros
1290.**Divã** – Martha Medeiros
1291.**Sobre a genealogia da moral: um escrito polêmico** – Nietzsche
1292.**A consciência de Zeno** – Italo Svevo
1293.**Células-tronco** – Jonathan Slack
1294.**O fim do ciúme e outros contos** – Proust
1295.**A jangada** – Júlio Verne
1296.**A ilha do dr. Moreau** – H.G. Wells
1297.**Ninho de fidalgos** – Ivan Turguêniev
1298.**Jane Eyre** – Charlotte Brontë
1299.**Sobre gatos** – Bukowski
1300.**Sobre o amor** – Bukowski
1301.**Escrever para não enlouquecer** – Bukowski
1302.**222 receitas** – J. A. Pinheiro Machado
1303.**Reinações de Narizinho** – Monteiro Lobato
1304.**O Saci** – Monteiro Lobato
1305.**Memórias da Emília** – Monteiro Lobato
1306.**O Picapau Amarelo** – Monteiro Lobato
1307.**A reforma da Natureza** – Monteiro Lobato
1308.**Fábulas** *seguido de* Histórias diversas – Monteiro Lobato
1309.**Aventuras de Hans Staden** – Monteiro Lobato
1310.**Peter Pan** – Monteiro Lobato
1311.**Dom Quixote das crianças** – Monteiro Lobato
1312.**O Minotauro** – Monteiro Lobato
1313.**Um quarto só seu** – Virginia Woolf
1314.**Sonetos** – Shakespeare
1315.(35).**Thoreau** – Marie Berthoumieu e Laura El Makki
1316.**Teoria da arte** – Cynthia Freeland
1317.**A arte da prudência** – Baltasar Gracián
1318.**O louco** *seguido de* Areia e espuma – Khalil Gibran
1319.**O profeta** *seguido de* O jardim do profeta – Khalil Gibran
1320.**Jesus, o Filho do Homem** – Khalil Gibran
1321.**A luta** – Norman Mailer
1322.**Sobre o sofrimento do mundo e outros ensaios** – Schopenhauer
1323.**Epidemiologia** – Rodolfo Sacacci
1324.**Japão moderno** – Christopher Goto-Jones
1325.**A arte da meditação** – Matthieu Ricard
1326.**O adversário secreto** – Agatha Christie
1327.**Pollyanna** – Eleanor H. Porter
1328.**Espelhos** – Eduardo Galeano
1329.**A Vênus das peles** – Sacher-Masoch
1330.**O 18 de brumário de Luís Bonaparte** – Karl Marx
1331.**Um jogo para os vivos** – Patricia Highsmith
1332.**A tristeza pode esperar** – J.J. Camargo
1333.**Vinte poemas de amor e uma canção desesperada** – Pablo Neruda
1334.**Judaísmo** – Norman Solomon
1335.**Esquizofrenia** – Christopher Frith & Eve Johnstone
1336.**Seis personagens em busca de um autor** – Luigi Pirandello
1337.**A Fazenda dos Animais** – George Orwell
1338.**1984** – George Orwell
1339.**Ubu Rei** – Alfred Jarry
1340.**Sobre bêbados e bebidas** – Bukowski
1341.**Tempestade para os vivos e para os mortos** – Bukowski
1342.**Complicado** – Natsume Ono
1343.**Sobre o livre-arbítrio** – Schopenhauer
1344.**Uma breve história da literatura** – John Sutherland
1345.**Você fica tão sozinho às vezes que até faz sentido** – Bukowski
1346.**Um apartamento em Paris** – Guillaume Musso
1347.**Receitas fáceis e saborosas** – José Antonio Pinheiro Machado
1348.**Por que engordamos** – Gary Taubes
1349.**A fabulosa história do hospital** – Jean-Noël Fabiani
1350.**Voo noturno** *seguido de* Terra dos homens – Antoine de Saint-Exupéry
1351.**Doutor Sax** – Jack Kerouac
1352.**O livro do Tao e da virtude** – Lao-Tsé
1353.**Pista negra** – Antonio Manzini
1354.**A chave de vidro** – Dashiell Hammett
1355.**Martin Eden** – Jack London
1356.**Já te disse adeus, e agora, como te esqueço?** – Walter Riso
1357.**A viagem do descobrimento** – Eduardo Bueno
1358.**Náufragos, traficantes e degredados** – Eduardo Bueno
1359.**Retrato do Brasil** – Paulo Prado
1360.**Maravilhosamente imperfeito, escandalosamente feliz** – Walter Riso
1361.**É...** – Millôr Fernandes
1362.**Duas tábuas e uma paixão** – Millôr Fernandes
1363.**Selma e Sinatra** – Martha Medeiros
1364.**Tudo que eu queria te dizer** – Martha Medeiros
1365.**Várias histórias** – Machado de Assis

lepmeditores
www.lpm.com.br
o site que conta tudo

IMPRESSÃO:

PALLOTTI
GRÁFICA

Santa Maria - RS | Fone: (55) 3220.4500
www.graficapallotti.com.br